Юлия КОЛИКОВА

# ПОД ЖАРКИМ НЕБОМ БАТУМИ

Москва
«Вече»

УДК 821.161.1-1
ББК 84(2Рос=Рус)6
К60

К60    **Коликова, Ю.С.**
Под жарким небом Батуми / Юлия Коликова. – М. : Вече, 2021. – 352 с.

ISBN 978-5-4484-2512-7

Знак информационной продукции **16+**

«Под жарким небом Батуми» — настоящая семейная сага. В ней есть все: предательство и дружба, страсть и любовь, обман и признание, трагедия и спасение, ошибки и прощение, тайны прошлого, не дающие покоя в настоящем.

Молодой успешный бизнесмен Карду, живущий вдали от родины и семьи, случайно сталкивается в аэропорту Ниццы с Арчи — своим двоюродным братом, с которым они не разговаривали вот уже восемь лет. Случайная встреча воскрешает целый ворох воспоминаний о том, как, будучи подростком, Карду каждое лето проводил в огромном семейном доме в Батуми в компании своих близких друзей и Лианы — самой невероятной девушки на земле. Но среди этих прекрасных воспоминаний таится страшная трагедия, которая вот уже восемь лет не дает Карду свободно дышать.

**УДК 821.161.1-1**
**ББК 84(2Рос=Рус)6**

# ОГЛАВЛЕНИЕ

## Часть первая

## *Часть вторая*

# Часть первая

## Глава 1. Июль 2018 год. Ницца

— До новых встреч, — улыбнулась стюардесса Аэрофлота.

— До свидания, — попрощался я, направляясь из самолета в рукав.

Уже шагая по стеклянному коридору в терминал, я начал улыбаться в предвкушении. Прилетать в Ниццу всегда очень приятно. И хотя я тут живу большую часть года, приземление на Лазурном Берегу не перестает отзываться во мне волной приятных эмоций.

Я — частный девелопер. Так меня называют все — друзья, родители, партнеры по бизнесу, просто знакомые. Моя работа заключается в том, чтобы найти привлекательный участок земли или объект недвижимости, привнести изменения, получить необходимые разрешения и выгодно продать его. Сейчас у меня в работе пять таких проектов, и два из них как раз находятся в Ницце.

Люди считают, что о таком бизнесе можно только мечтать. «С твоей работой и отпуск не нужен! Просыпаешься, когда хочешь, делаешь пробежку по Ривьере, пьёшь кофе с французскими круассанами и наслаждаешься жизнью, ни в чем себе не отказывая». На самом деле моя жизнь выглядит совсем иначе: утомительные частые перелеты, скучное общение с юристами, много бумажной работы, постоянный поиск покупателей, а главное — непрекращающийся стресс из-за больших финансовых рисков, которые я делю со своим другом и партнером Бердиа. Представьте себе, что месяц за месяцем вы должны тратить деньги, силы, энергию и время на то, что может не принести ни одного евро в будущем. Представили? Это и есть мой бизнес. Разумеется, большинство проектов приносят нам прибыль, но так бывает не всегда.

Мой Uber[1] уже ждал меня у входа. Я закинул в багажник свой маленький Samsonite[2] и сел в машину. На часах было семь вечера. Неплохо бы выйти сегодня куда-нибудь. Я набрал Бердиа.

— Кто это у нас прилетел? — поприветствовал меня друг.

— Привет. Уже еду в такси. Ждешь меня дома? — мы с Бердиа снимали одну квартиру на двоих. Четыре спальни каждая со своей ванной, огромная гостиная, совмещенная с кухней, и что самое приятное — большая терраса с видом на море и выходом на крышу.

— Еще нет. Заехал в мэрию по поводу разрешения на строительство нового объекта.

— И что?

— Все хорошо, скоро можно будет приступать.

— Это хорошая новость. Надо позаботиться о том, чтобы скорее продать отель. Иначе нам просто не на что будет не только строить новый объект, но и жить.

— Не шути так, Карду. Доведешь меня до ручки. У нас почти ноль на счету. Сделка вот-вот должна состояться. Надеюсь, все пройдет гладко и покупатель не передумает.

— Я тоже. Какие планы на вечер?

— Особо никаких.

— Давай съездим поужинаем в «Будда»?

— Карду, суббота, вечер, июль, Монако. Эти четыре слова должны говорить тебе о том, что вряд ли в «Будда-баре» будет свободный столик даже для двоих человек.

— Попробуй позвонить. Не будет столов — разберемся на месте.

— С чего вдруг желание поехать в «Будду»?

— Не знаю. Настроение такое. Увидимся дома.

Через пару часов мы уже сидели за барной стойкой черно-красного «Будда-бара» и допивали вино.

— Только время потратили. Говорил же, что столов не будет.

— Ну, — пожал я плечами и одним глотком осушил бокал. — Мне хотелось немного этой атмосферы. Я же только что из серого Питера.

---

[1]  Uber – приложение для заказа такси. Здесь – в значении такси.
[2]  Samsonite – компания, производящая чемоданы.

За моей спиной вдруг раздался веселый голос:

— Извините, не могли бы вы, пожалуйста, пропустить меня к барной стойке на минуточку? Я закажу нам с подругой напитки и снова отойду. Иначе к стойке совсем не подобраться!

— Да, конечно! Мы вообще можем уступить вам место, так как уже уходим, — ответил я, поднимаясь со стула и не глядя на обладательницу голоса. — Пожалуйста, проходите.

— Конечно, это не то, на что я рассчитывала, — весело рассмеялась девушка, — но в любом случае, спасибо!

Уже уходя, я обернулся. Возле стойки стояла высокая стройная брюнетка в элегантном платье и черных лодочках. Она была похожа на амазонку, какими я их себе представлял: собранная и подтянутая молодая девушка, загорелая кожа цвета темной меди, легкие каштановые локоны, беспорядочно разметанные по плечам, слегка заметные натренированные мышцы и прямой открытый взгляд огромных зеленых глаз, обрамленных густыми естественными ресницами. Каждый ее жест, поворот головы, движение обладали грацией. Несмотря на светлую и мягкую улыбку, обнажающую зубы, в резких необычных чертах ее лица чувствовалось что-то дерзкое и бунтарское. А вот от глаз ее совсем невозможно было оторваться: в них крылось что-то магнетическое, притягательное, глубокое. Поймав смеющийся взгляд этих космических глаз на себе, я мгновенно пожалел о решении уйти, но Бердиа уже скрылся за спинами других людей в направлении выхода. Мне ничего не оставалось как улыбнуться в ответ и последовать за Бердиа. Я нагнал его уже на улице, у самого выхода с террасы «Будда-бара».

— Бердиа! Я хочу вернуться.

— Зачем?

— Мне понравилась эта девушка, я хочу с ней познакомиться.

— Здесь много девушек. Ещё познакомишься. Надя только что написала. Она с подругами здесь, я хочу их встретить.

Бердиа был прав: девушек было предостаточно на любой вкус. Лазурный Берег — Мекка среди самых шикарных женщин мира. Сюда круглый год приезжает огромное количество сногсшибательных красавиц, которые хотят получить от отдыха максимум эмоций и потому с удовольствием заводят здесь короткий роман. И как только их самолёт отрывается от взлётной полосы в Ницце и направляется в сторону родного города, вы оставляете друг о друге лишь только приятные воспоминания. А вот Надя жила здесь, и Бердиа был сильно ей увлечён.

— Бердиа, давай поздороваемся с Надей и девчонками и вернёмся в «Бар», — я сам не верил в то, что произносил. Чем так понравилась мне эта девушка? Я видел ее всего лишь несколько секунд. И я был не из тех, кто влюбляется. Влюбляться я больше не умел. — Пообщаемся немного.

— Ты можешь пойти без меня.

— Ты же видел, она с подругой. Будет лучше, если нас будет двое. Надя все равно пробудет здесь весь вечер, у тебя еще будет время с ней пообщаться.

Кроме того, мне совершенно не нравилась Надя. Ей было двадцать три года, она училась в местном университете и жила здесь на чьём-то содержании. Вот этим она мне и не нравилась: на чьём именно содержании Надя жила и училась в Монако, для нас с Бердиа было загадкой. Из рассказов девушки я знал, что родители ее были скромного достатка и жили на Украине. Было очевидно, что не они отправили ее учиться сюда. Бердиа же — человек добрый и влюбчивый — рядом с ней терял голову и готов был на все, лишь бы она продолжала проводить с ним время.

— Кард-у-у-у, — протянул Бердиа, закатив при этом глаза, — ну зачем тебе это надо?

Я и сам не знал. Просто она мне сильно понравилась. Просто…Просто что? Захотелось узнать ее получше? Об этом я совсем не думал. Захотелось завязать с ней короткий роман? Возможно. Захотелось провести с ней этот вечер, эту ночь? Да, скорее всего. Но ответа я не знал наверняка. Просто к ней тянуло обратно.

— Бердиа, сделай это для меня сегодня, ладно?

Он снова закатил глаза, и я уже знал — это согласие. Мы подошли к шумной компании Надиных подружек, поздоровалась, обменялись парой незначительных фраз и вернулись обратно, в «Будда-бар». У барной стойки на прежнем месте сидели две девушки, одна из которых заливалась жизнерадостным смехом.

— А мы решили вернуться, — глядя ей прямо в глаза, произнёс я.

— О! Очень здорово. Тоже решили заказать напитки, но не можете пробраться к стойке? — она ни на минуту не переставала улыбаться. Она вся была такая живая.

— Что-то вроде того. Кстати, что вы пьёте?

— «Розе», — ответила она.

— А я — «Апероль», — добавила ее подруга.

— Бердиа, что ты будешь?

— Тоже «Апероль», — невесело отозвался друг.

Я заказал нам напитки и сделал знак Бердиа вести себя более приветливо.

— Меня зовут Карду, а это мой друг Бердиа, — я старался перекричать музыку, так как знал, что мое имя с первого раза никто не запоминает.

— Очень приятно, Кристина, — подруга девушки протянула мне руку, и я пожал ее.

— А я — Тея. Вы тут в отпуске?

— Нет, мы живём здесь.

— Ничего себе! А мы вот прилетели на выходные. Решили отметить Кристинин день рождения в Монако.

— День рождения! Поздравляю! И сколько имениннице лет?

— Женщинам такие вопросы не задают, — кокетливо улыбнулась Кристина.

— А вот и наши напитки, — Бердиа подал Кристине и Тее их бокалы. — Ну, с днем рождения!

Мы выпили, и Тея рассказала, что они ждут, пока освободится их столик для ужина.

— Хотите присоединиться? — предложила Кристина.

— С удовольствием, — подмигнул я Бердиа. Вот и столик на вечер.

Оказалось, что девушки жили в Москве, но довольно часто путешествовали по миру. Вот и завтра Тея улетала на какую-то выставку в Венецию. С ними было так интересно. Казалось, они знали все на свете и на все имели свою точку зрения. Я не хотел прощаться с Теей так скоро, а потому после ужина мы переместились в SaaS Cafe — шумный бар, где было полно народу.

Тея просто очаровала меня. Среди танцующих горячих красавиц, кальянного дыма, вина и оглушающей музыки я сидел напротив магнетической девушки с необычным именем и рассуждал с ней о том, что такое горизонт событий и куда ведут черные дыры. Мне нравилось слушать ее голос, спорить с ней, соглашаться и снова спорить. Она пленяла меня контрастами, которые в себе заключала, была разной каждую минуту нашего общения и вместе с тем от нее веяло уютом и покоем. Она словно обволакивала теплом.

В ту ночь я лег спать с твердым намерением лететь в Венецию с Теей.

Но утро и пьяная головная боль смазали эмоции предыдущей ночи. Облик Теи тонул в винных парах и шуме ночного бара. Идея полета в Венецию больше не казалась мне чем-то привлекательной, а чувствовал я себя так, словно меня разобрали на кусочки, а потом забыли собрать. Моросящий за окном дождь и серое затянутое небо подсказали мне выход: я просто отправил Тее пожелание хорошего полета, но в ту же секунду пожалел. Я вдруг тут же вспомнил эту упоительную ночь и то, каким я чувствовал себя рядом с ней. И вот я упустил шанс узнать ее поближе.

Но меня ждал приятный сюрприз. Ответным СМС Тея сообщила, что ее рейс отменен и она полетит на другом самолете только вечером. Слава французским забастовкам! Я знал, это судьба дала мне еще один шанс побыть рядом с ней. Через час Тея уже сидела на пассажирском сиденье моей машины и звонко смеялась моим шуткам.

Ницца встречала дождем, ветром и серыми тучами, нависшими над уютными улочками. Нам ничего не оставалось, как отправиться в ресторан в ожидании вечернего рейса. Там-то я и узнал Тею. Это была бесконечно жизнерадостная, легкая девушка, которая окутывала светом и хорошим настроением. Было ощущение, что что бы ни происходило с ней, она никогда не расстраивалась и не теряла вкуса к жизни. Энергия выливалась из нее через край и заряжала. Я мог слушать Тею часами: про ее родной город, про детство и родителей, про студенчество, про первую работу, ее друзей, путешествия, события в ее жизни, про увлечения и страсть. И мне так хотелось открываться ей в ответ. Я рассказывал Тее про себя, детство в Питере и наши с Бердиа ежегодные грузинские каникулы, про мое студенчество в Лондоне. Я рассказал ей много, упустив то главное, что так изменило меня, — я ни словом ни обмолвился про трагедию в Батуми.

Я проводил Тею до стойки регистрации. Уже в аэропорту я сделал попытку поцеловать ее. К моему удивлению, Тея звонко рассмеялась, но не позволила мне этого. Мы так и расстались — просто помахав друг другу на прощание. Я еще какое время постоял на месте, провожая ее взглядом, и, как только Тея скрылась за рамкой металлоискателя, развернулся в сторону выхода.

Я рассчитывал поскорее оплатить парковку, вернуться домой, забрать Бердиа и наконец отправиться в «Будда-бар».

Внезапно стеклянная вертушка в дверях аэропорта остановилась, и я на полной скорости влетел в идущего впереди парня.

— Pardon[1], — начал извиняться я.

Парень повернулся, и я застыл в ошеломлении. Меня словно окатило ледяной водой, и где-то в области желудка возникло тяжелое металлическое ощущение.

— Арчи?

— Карду?

— Что ты тут делаешь?

Практически во всех случаях вы точно помните момент, когда познакомились с тем или иным человеком. С кем-то вы познакомились в школе, придя первого сентября на линейку, с кем-то на вечеринке общих знакомых, кто-то был вашим первым начальником. Как мы познакомились с Арчи, я не помнил. Арчи — почти мой ровесник — был сыном папиной сестры тети Ани и приходился мне двоюродным братом. Мы знали друг друга с младенчества. С ним я провел лучшие дни своей юности. Арчи был моим самым близким человеком. Именно был, потому что трагедия в Батуми изменила все. С тех пор прошло восемь лет. Восемь долгих лет, в течение которых я ни разу не встречался с Арчи.

Вертушка снова ожила и выпихнула нас на улицу. Мы вывалились из нее вместе и отошли в сторону, чтобы не мешать остальным выходившим. Я бросил быстрый взгляд на Арчи. Высокий, хорошо сложенный брюнет в дорогом костюме, солнечных

---

[1] Pardon (фр.) — извините.

очках и начищенных туфлях. Он ничуть не изменился с нашей последней встречи. Разве что стал выглядеть еще более статусно и элегантно.

Я не знал, что мне делать. Я не желал видеть и слышать его восемь лет, старательно избегая все семейные праздники, на которые он мог прилететь. И вот он стоит здесь передо мной, и я не могу просто молча пройти мимо.

— Не думал, что встречу тебя здесь, — буднично произнес он, глядя мне прямо в глаза.

Я пожал плечами:

— Я тут живу, — голос мой внезапно осип.

— Да, я слышал.

Пауза.

Арчи продолжал смотреть прямо на меня. Мне было сложно выдержать его взгляд.

— Я здесь по делам. Прилетел на пару дней. Представь себе, я впервые в Ницце.

— Надолго?

Он покачал головой.

— Сделаю несколько встреч и улечу завтра вечером.

Я не мог находиться рядом. Мне было невыносимо его присутствие. Он, стоящий тут напротив меня, воскрешал в памяти все чувства, бередил еще не затянувшуюся рану и напоминал обо всем, что случилось тогда.

— А вот и такси. Передавай привет Бердиа. Увидимся у сестры на свадьбе.

Он махнул мне рукой и, не дождавшись ответа, быстрым шагом удалился.

Я по-прежнему стоял как вкопанный. Я не мог пошевелиться. Я не мог понять, почему я чувствовал себя виноватым, а он так спокойно и достойно держался? Почему он заговорил со мной? Он не должен был. Не имел на это права. Он предал меня. Он знал, как сильно я любил ее, знал, как дорога она была мне. В конце концов она была его подругой.

Теперь домой мне совершенно не хотелось. Я забрал машину с парковки, проехал весь город насквозь и направился прямиком на мыс Кап-Ферра. Съехав на обочину по гравию, я остановил машину, вышел и прислонился к капоту. Передо мной открывался привычный пейзаж: морская гладь глубокого синего цвета, покрытая белыми гребешками волн, серо-желтый песок, несколько белых яхт на горизонте и серебристая дорожка солнечных бликов. Я старался дышать как можно глубже, приводя себя в равновесие. Смогу ли я когда-нибудь снова свободно дышать полной грудью? Есть ли способ освободиться от всех этих чувств и воспоминаний? Есть ли способ простить?

## Глава 2. Июль 2018 года. Ницца

— Ты даже не предложил ему поужинать с нами? — Бердиа был невероятно удивлен моим рассказом о встрече с Арчи.

— Поужинать? Если ты не заметил, я не общался с ним последние восемь лет.

— Я не могу понять причину этого. Ты так ничего и не объяснил. Он тоже никогда не называл причину. Вы оба молчите, но это же безумие. Что бы там ни было, он не виноват, Карду. В том, что случилось, нет его вины.

Я сморщился. Я не хотел начинать эту тему.

— Бердиа, прошу…

— Ладно, ладно. Но как ни крути, он твой брат. Скоро свадьба Кати. Ты не можешь не прилететь и на этот праздник. Она твоя родная сестра, и она выходит замуж. Арчи тоже прилетит. Тебе надо поговорить с ним, надо простить.

Я молчал.

— Да, да. Поговорите с ним. Карду, ты слышишь?

— Слышу, Бердиа. — Я налил себе бокал белого вина и вышел на террасу.

На город опускались сумерки. Сизая дымка обволакивала небо. Солнце медленно приближалось к горизонту, окрашивая морскую гладь в оранжево-фиолетовые цвета. На улицах зажглись первые фонари. Воскресный город успокаивался, умиротворенно затихал после шумных выходных. Я закрыл глаза и медленно втянул вязкий влажный воздух в себя. Также медленно выдохнул. Сделал глоток охлажденного вина, с наслаждением подержал его немного во рту и проглотил.

— Бердиа, я чувствую, что ты стоишь за моей спиной. Что ты хочешь?

— Послушай, Карду. Я знаю, что мы не говорим об этом. Но, мне кажется, пришло время все принять. Все, что случилось. Не закрывать глаза и уши, не отвергать брата. А простить. Принять. Карду, вспомни какими мы были. Вспомни Батуми...

Я резко развернулся:

— Я помню Батуми. Я помню все, что случилось восемь лет назад, хотя я и не видел всего сам.

— Все твои воспоминания о Батуми — это воспоминания о том, что случилось. Но ведь было не только это. Карду, все закончилось так, как закончилось. Ты любил ее. Ты любил его. Мы все были очень счастливы. Почему ты вычеркиваешь такие прекрасные дни из своих воспоминаний? Почему ты лишаешь себя детства?

Я снова отвернулся и стал смотреть на закат. Бердиа конечно же прав. Грузия гораздо больше, чем та трагедия. Грузия была моим вторым домом, в Грузии прошло все мое детство. Здесь, в компании Кати, Бердиа, Арчи и Лианы я провел свои самые счастливые летние каникулы. И несмотря на то что случилось позже, эти летние дни остались во мне как память об абсолютном счастье.

Наши с Бердиа отцы выросли в хороших грузинских семьях в двух домах по соседству в Батуми на улице Варшанидзе. Они дружили с самого детства. Вместе ходили в школу, вместе проводили все свободное время, вместе решили поступить в университет и ехать в Питер, вместе начали строить бизнес в перестройку.

Каждое лето я с нетерпением ждал, когда мы всей семьей отправимся на каникулы в Батуми. Там нас уже ждал дом бабушки Тинатин и дедушки Карду, чье имя я унаследовал, и Арчи, который со своими родителями жил в этом же доме. О, то был чудесный дом! Просторный и светлый, с огромной террасой, он был окружен раскидистым фруктовым садом. Абрикосы, инжир, груши, мандарины, смородина, фейхоа — все можно было найти в этом саду. Его тенистые деревья с густой кроной не раз спасали нас от полуденной летней жары. Сам же дом был невероятно большой. На первом этаже располагалась гостиная с просторной остекленной лоджией, комната с джакузи, прачечная и, наконец, кухня с прилегающей открытой террасой, на которой каждый вечер вся семья в полном составе собиралась за ужином. Второй этаж занимали две большие спальни, каждая со своей ванной комнатой и гардеробной. Одна — на правой стороне дома — принадлежала дедушке и бабушке, другая, та, что слева, — родителям Арчи. Третий же этаж оставался нашей вотчиной. Тут была библиотека, две небольшие гостевые, в которых обычно селились мои родители и Катя, а еще комната Арчи с балконом. Столько ночей подряд мы провели с братом на этом балконе, изучая звездное небо и болтая обо всем на свете. Я много читал, а потому с упоением пересказывал Арчи сюжеты любимых книг, интересные факты из истории, астрономии, искусства — все, что сам недавно прочел. А он взахлеб говорил о футболе, своих тренировках, команде и тренере. Бывало, мы болтали до самого рассвета и засыпали с первыми лучами утреннего солнца.

В Грузии все было не так, как в Питере. Дом всегда был полон шума, смеха, веселья, звуков и запахов готовящейся еды. По вечерам мы собирались за одним большим столом, ломившимся от грузинских блюд; пили, ели и много общались. Днем же мы были необычайно заняты: исследовали мыс Сарпи, купались в Черном море и загорали на пляже, уходили в горы, готовили обед вместе с бабушкой или помогали дедушке в саду, играли с соседскими ребятами, рыбачили, катались на велосипедах. Мы всегда знали, чем себя занять. Мы наслаждались своим свободным беззаботным детством.

А еще мы были невероятно дружны. Казалось, во всем белом свете нет такой чистой и близкой дружбы, какая была между нами. Я, моя сестра Катя, Бердиа, Арчи и Лиана. Все мы знали друг друга с пеленок. Дом дедушки Карду и бабушки Тинатин стоял прямо между домом родни Бердиа и домом Иосифа Табидзе — отца Лианы. Кроме того, Лиана и Арчи учились в одном классе в школе. Так или иначе, мы все были связаны между собой.

Мне сложно теперь уже вспомнить, когда я увидел Лиану в первый раз. Теперь уже кажется, что она была всегда, с самого начала, и я всегда любил ее. Лиана была дочерью известного на всю Грузию писателя и сценариста — Иосифа Табидзе. Жили они в доме по соседству — в большом белом особняке с колоннами и резными узорами-сводами. Отец Лианы был угрюм и нелюдим. Я нечасто видел его: в основном по вечерам, когда тот выходил из дома и широкой походкой отправлялся в сторону города. Мама Лианы — Нана — была женщиной самой обычной наружности, но обладающая мягким, нежным взглядом. Через невысокий забор вокруг их участка я нередко видел ее в саду за чашечкой чая и книгой. Ни Иосиф, ни Нана Табидзе не заходили к нам в гости. Не было у них и других друзей на нашей улице. Их жизнь представлялась мне тихой и спокойной.

Со стороны казалось, что Лиана не имеет ничего общего со своими родителями: невероятно активная, живая, веселая девчонка с заразительным смехом, она всегда придумывала новые необычные приключения. Охота на ужей, игры в пиратов, поиски затерянного клада — чего только она не придумывала. Лиана была душой нашей компании. Ее талант состоял в неиссякаемой жизненной энергии, в какой-то поражающей целеустремленности, а главное — в непоколебимом чувстве справедливости.

Ее стремление к справедливости проявлялось иногда совершенно неожиданным способом. Я помню, как однажды, еще совсем маленькие, мы играли с соседскими детьми на пляже: строили замки и крепости из песка, лепили фигурки черепашек, рыли туннели. Было нам с Лианой лет по шесть-семь, не помню точно. Среди толпы детей один — его звали Богдан — тяготел к разрушению. И пока все созидали, он вносил деструктив: топтал куличи, рушил туннели, а несогласных обсыпал песком с ног до головы. Купаться без взрослых нам было строго-настрого запрещено, поэтому на пляже мы сидели в шортиках и футболочках и в воду не лезли. Когда ты полностью одет и тебе нельзя залезть в море, перспектива быть обсыпанным песком от макушки до пят выглядит не слишком привлекательно.

Неожиданно замок Лианы пал жертвой ноги Богдана.

— Зачем ты это сделал? — просто спросила она.

Богдан не ответил, но на всякий случай обсыпал Лиану песком. Вероятно, чтобы предотвратить наступление. Песок застрял в ее длинных красивых волосах, испачкал белую маечку и засыпался в сандалии.

Лиана встала, отряхнула песок как смогла, взяла велосипед и уехала. Вернулась она минут через десять все так же обсыпанная песком. Ну руле ее велосипеда болтался пластиковый пакет. Лиана положила велосипед, вынула что-то из пакета, переложила в одну руку и направилась к нам. Богдан не обращал на нее никакого внимания. Она выжидала.

— Богдан, — вдруг окликнула мальчика Лиана. — Можно я посмотрю твою кепку? Она красивая.

Богдан, не ожидавший подвоха, заулыбался, снял кепку и протянул ее Лиане. Та в мгновение очутилась возле Богдана и опустила руку ему на макушку. Тот заверещал как ошпаренный:

— Что это? Что это такое?

Тут же на его голову обрушилась вторая рука Лианы, а мы все увидели, как по волосам, голове, лицу Богдана растекалась желтая липкая жижа. На песке вокруг рассыпались осколки белой скорлупы. Лиана привезла с собой два сырых яйца, хитростью заставила мальчишку снять кепку и разбила их о голову Богдана. Вот такая она была, Лиана.

Благодаря все тому же ее чувству справедливости в нашей компании появился Ика. Ика жил тут же, на Варшанидзе, и ходил в одну школу с Арчи и Лианой. Он был маленьким и щуплым мальчиком, на два года младше нас. Кроме того, он был из самой простой, небогатой и незнаменитой семьи. Из-за маленького роста он вечно служил козлом отпущения и мальчиком для битья. Он мечтал только об одном — жить обычной жизнью школьника, хорошо учиться, иметь приятелей по соседству, вместе с ними гулять и играть. Но никто не брал его в компанию, никто не хотел с ним дружить. Дело было в том, что Ику невзлюбил агрессивный задира Резо из класса постарше.

Резо был туповатый парень неприятной наружности. Его любимыми развлечениями были отлов безобидных мальчишек поменьше, тех, кто не мог дать ему отпор. От хватал их на заднем дворе школы, колотил вместе с приятелями, отбирал карманные деньги и всячески унижал. Делал он это отчасти из удовольствия, отчасти для привлечения внимания других школьников. Ему хотелось быть популярным, но в силу своей безобразной, отталкивающей внешности и невыразительного ума он не смог найти другой способ стать знаменитым, как только лупить малышей.

Ика не жаловался учителям и родителям, никому не рассказывал, откуда на его лице побои и почему разорвана рубашка, а потому и стал любимой безопасной мишенью Резо. Тот выискивал Ику в коридорах школы еще с утра и начинал задирать его с самых первых уроков. Затем караулил на школьном дворе после занятий, где хватал его за ворот рубахи, таскал по земле и хлестал по щекам. Ика даже не пытался сопротивляться. Он просто хотел, чтобы все это поскорее закончилось и он смог спокойно отправиться домой.

Представление это стало собирать большое количество зрителей. Все ребята из младших классов вываливались гурьбой в школьный двор и окружали Ику, чтобы посмотреть, как Резо будет его лупить. Резо с каждым разом становился все агрессивнее. Он изо всех сил пинал портфель Ики, поливал мальчика из бутылок желтой жидкостью, мазал его голову грязью, заставлять есть траву, обзывал и оскорблял его, выворачивал руки и под конец пинал его ногой под зад. Все это происходило на глазах у всех учеников младшей школы, которые стояли кружком и скандировали: «Бей! Бей! Бей!» Кто-то, поддавшись стадному чувству, выбегал из круга и тоже отвешивал Ике пинка.

Однажды шум и гвалт на заднем дворе привлекли внимание Арчи и Лианы, которые возвращались из школы домой.

— Арчи, что там происходит?

— Наверно, кто-то подрался. Малыши, всякое бывает.

Они прошли мимо, но уже на следующий день толпа скандирующих детей на школьном дворе снова привлекла внимание Лианы.

— Арчи, идем посмотрим.

Лиана и Арчи протиснулись через толпу, и их взору открылась ужасная картина. В центре круга, образованного детьми, на четвереньках стоял маленький всклокоченный мальчишка и вытирал тыльной стороной ладони кровь, которая лилась у него из носа. Шагах в пяти от него в победоносной позе стоял безобразный Резо и кидался кусками грязи и еще каких-то нечистот прямо в мальчишку, целясь в лицо. А из толпы в этот момент выбегали другие ребята и с огромным удовольствием отвешивали бедному мальчику пинки под зад. Толпа ревела от удовольствия. Не помня себя от гнева, Лиана устремилась прямиком к Резо, схватила его за руку, занесенную для очередного броска, и закричала прямо в ухо: «А ну, оставь его!»

Лиана была старше Резо и выше его на целую голову. Должно быть, для него она уже казалась взрослой. Лиану знали в школе и уважали. Она всегда хорошо училась, была развита физически и часто выигрывала в школьных спортивных соревнованиях. Кроме того, Лиана была из очень хорошей семьи. Почти все мальчишки школы нашего возраста были в нее влюблены, а девчонки хотели быть на нее похожими.

— Оставь его, — повторила Лиана уже тише, глядя Резо прямо в глаза.

Резо ухмыльнулся, вывернул руку и сделал замах, чтобы бросить грязью в Лиану. Но не успел он претворить свою задумку в действительность, как Арчи схватил его за руку и завернул за спину. Резо скрутился и взвыл от боли. Физически Арчи был развит не по годам. С самого раннего детства он занимался футболом и тренировался по пять-шесть раз в неделю. Резо не представлял для Арчи значительной угрозы. В следующее мгновение Резо получил сильный удар кулаком в лицо и с плачем покатился по земле, держась за нос.

— Больно, — захныкал он. — Ты сломал мой нос.

Тут толпа засмеялась.

— Глядите, Резо ревет, как девчонка, — раздавались голоса в толпе.

— Резо получил от девчонки, — звучало то тут, то там.

— Резо слюнявый нытик, — добавляли другие.

Лиана обвела толпу взглядом.

— Как вам не стыдно. Стоите тут и смотрите, как вашего товарища изводит этот негодяй. Смеетесь.

Кто-то опустил глаза вниз, кто-то потихонечку начал уходить.

— А если бы вас так лупили? Что бы вы тогда думали? Хотели бы оказаться на его месте?

— Убирайся отсюда, — прорычал Арчи на ухо Резо. Тот быстро поднялся и пустился наутек.

Понемногу толпа разошлась, и на школьном дворе остались только Лиана, Арчи и Ика.

— Идти можешь? — спросил Арчи.

— Могу, — глядя себе под нос, пробурчал Ика.

— Только не плачь. Мужчина не плачет.

— А я и не плачу, — шмыгнул он носом и вытер капающую из него кровь. — Я никогда не плакал.

— Молодец. Не плачь ни при каких обстоятельствах, что бы с тобой ни случилось.

— Я знаю. Я не буду, — мальчишка взглянул сначала на Арчи, затем на Лиану. — Спасибо вам. Вы меня выручили.

— Не за что. Меня зовут Лиана, — Лиана улыбнулась ему и подала руку, чтобы Ика смог подняться. — А это Арчи. Где ты живешь? Мы проводим тебя.

— Спасибо, — еще раз отозвался Ика. — Я живу на Варшанидзе.

— Вот и здорово. Мы — тоже. Пойдем с нами.

На следующее утро Арчи и Лиана уже ждали Ику у его дома, чтобы идти в школу вместе. С того дня школьные неприятности Ики прекратились раз и навсегда. Каждое утро Лиана и Арчи поджидали Ику у его дома, и вместе они отправлялись в школу. Лиана часто наведывалась к нему в класс на переменах поболтать и проконтролировать, чтобы никто его не обижал. Арчи брал его с собой на школьный стадион, и вместе они гоняли мяч, отчего другие ребята в классе зауважали Ику. Еще бы! Ведь он был на равных с мальчишкой постарше. Резо держался подальше от Ики, так как связываться с Арчи и Лианой у него охоты не было.

Ика оказался сообразительным и неглупым парнишкой. Ко всему прочему, несмотря на все злоключения, произошедшие с ним, Ика имел доброе сердце и веселый характер. Он часто шутил и смеялся вместе с Лианой, внимательно слушал истории Арчи, играл с ним в футбол. Все трое быстро подружились. Как-то раз бабушка Тинатин позвала его пообедать вместе с ними и Арчи. Ика не отказался. Так он стал частенько бывать у нас дома.

Вскоре разговоры об Ике дошли и до меня. Была середина учебного года, я был в Санкт-Петербурге, и, признаюсь честно, весть о том, что Арчи и Лиана завели себе нового друга, больно ранила меня. Я ревновал от того, что в компанию взяли кого-то еще, мне казалось, что он заменяет меня. Ика ездил с ними на велосипедах, ходил в горы и прыгал со скал в море, учился в одной школе, возвращался с ними домой, играл с Арчи в футбол и даже обедал на нашей кухне! А я в это время сидел над учебниками в холодном Санкт-Петербурге. Я умирал от скуки, а у них разворачивалась целая жизнь.

## Глава 3. 1998—2001 годы. Батуми

Однажды кто-то из нас предложил играть в ярмарку. Каждый собрал кучу своей мелочевки — ту, что еще представляла какую-то ценность для других, но была уже не очень нужна нам самим, и вынес все это в наш сад. Мы разложили свои пожитки перед собой. Чего тут только не было: фишки с покемонами у мальчиков и Сейлор Мун — у девочек, блокнотики, ручки, заколочки-бабочки, пружина-радуга, запутавшаяся и потому уже не нужная своему хозяину, синий лизун с блестками, водный пистолет, розовые резиночки для прыганья, бегемотики и дельфинчики из киндер-сюрпризов, пластиковая пробка с шипами, надетая на нитку, — самая популярная дворовая игрушка нашего детства, и куча всего остального. У каждого экспоната была своя ценность. Мы продавали эти вещи друг другу пусть и за совсем небольшие, но все же настоящие деньги. К концу дня Лиана сказала, что так мы денег не заработаем. Бердиа возразил, что это всего лишь игра и деньги тут совсем не играют роли, но Лиана озадачилась. Она старалась придумать, как мы могли бы немного подзаработать.

В их с Арчи классе был один парень по имени Миша. Отец Миши организовал свою автомастерскую у них в гараже, где с утра до ночи собирал и разбирал машины. Мастерская эта быстро стала известной не только в Батуми, но и во всей Аджарии, так как качество ремонта было великолепным, а цена приемлемой. Люди передавали друг другу адрес гаража, и клиентов у мастерской становилось все больше. Миша часто возился с отцом в гараже и помогал ему чем мог. Как-то раз летом отец Миши предложил ему мыть отремонтированные автомобили перед сдачей их владельцам. За такую услугу отец брал с клиентов дополнительную плату, которую отдавал сыну за вычетом расходов на воду и моющие средства. Так у Миши появились свои первые деньги на карманные расходы. На эти деньги Миша угощал одноклассников сладкой ватой и газировкой с сухариками. У Миши было много друзей, он был одним из самых популярных парней в школе.

Лиана тоже хотела иметь свои карманные деньги. Не те, что давали ей родители, а те, которые она могла заработать сама. Лиана не нуждалась в деньгах — ее семья была хорошо обеспечена, это был скорее спортивный интерес. Лиана придумывала одну идею за другой. Она хотела ставить спектакль и продавать на него билеты, но не нашлось места, где мы могли бы разыграть спектакль. Тогда она захотела написать роман про Наполеона и Жозефину, но, во-первых, не смогла придумать роман, во-вторых, не смогла придумать, на чем бы его напечатать и как его издавать. Следующей ее идей была все та же ярмарка, но для широкого круга покупателей. Эта идея провалилась, так как Лиана не смогла придумать, что мы будем продавать. Тогда Лиана решила организовать школу английского языка для малышей. Но и школе не суждено было случиться — английский язык мы все знали совсем недостаточно.

Я уже и не помню, откуда мы узнали про марганец — металл, который можно было найти буквально под ногами и сдать в специальные пункты приема за деньги. Выглядело все очень просто: мы брали с собой пакеты, небольшие молотки и отправлялись на поиски руды. В траве и на дорогах мы искали коричневые тяжелые камни, которые при расколе молотком в сердцевине оказывались блестящими как металл. Найдя один такой камень, мы могли быть уверены — неподалеку от него найдем еще много таких камней. Набив сумки марганцем, отправлялись в пункты приема металлов и сдавали руду за хорошее вознаграждение. Так мы промышляли несколько недель кряду, пока это порядком не надоело. Но я навсегда запомнил то чувство свободы, которое мне дали свои первые заработанные деньги. Пусть они были небольшие, пусть их хватало только на сладости, но само то, что мне не надо было просить деньги на вкусные мелочи у родителей или бабушки — дорогого стоило. Я мог сам выбирать, как ими распоряжаться. Я мог принимать решение. Это был первый вкус свободы.

Вскоре Лиана заявила, что нам нужно что-то более серьезное и интересное, чем сбор булыжников. Что-то настоящее. Идея пришла сама собой. Однажды мы отправились на пляж всей огромной толпой: мама с папой, бабушка с дедушкой, мы с Катей, Бердиа и его родители, Арчи с мамой и папой. Наши мамы загорали на пляже под жарким солнцем Батуми, папы устраивали дальние заплывы, мы же играли в карты на песке.

— Так хочется черешни, — протянула мама.

— Да, и мы что-то взять не догадались.

— Карду, милый, вы не съездите с Арчи в дом? Мы вчера насобирали черешни и оставили ее в холодильнике.

— Конечно, мам, сейчас обыграю Катю и съездим.

Катя недовольно фыркнула.

Уже на следующий день мы придумали, как немного подзаработать: мы собирали фрукты в саду, отвозили их на пляж и продавали туристам и отдыхающим. Наша задумка приобрела невероятную популярность: туристам нравились свежие фрукты на пляже, которые разносили ребята. Черешня, клубника, абрикосы, смородина — в ход шло все. Особенной популярностью неизменно пользовалась клубника. К следующему году мы решили подготовиться основательно и разбили дополнительные грядки клубники у нас в саду. Бабушка научила нас, как выращивать ягоды, и давала советы по уходу за нашим огородом. Мы с Бердиа и Катей трудились над урожаем, Арчи, Ика и Лиана занимались развозом и продажей ягод на пляже. Деньги мы собирали вместе и делили поровну между всеми участниками предприятия. Родители не возражали, им нравилось наше увлечение. А у нас появились свои карманные деньги. Теперь мы тоже могли угощать одноклассников всякими вкусностями, покупать подарки нашим родителям и откладывать понемногу — каждый на свои цели.

Тогда я не знал, на что откладываю деньги. Еще с ранних лет у меня была синяя пластиковая копилка-звезда. Кажется, мне подарила ее мама. Она закрывалась на маленький металлический замочек. Ключ хранился у мамы, но я быстро научился открывать копилку скрепкой. Внутри копилки мама клала деньги, подаренные родственниками мне на день рождения, туда же я сбрасывал заработанные и сэкономленные мной самим деньги. Это были мои первые собственные средства. Не помню, чтобы когда-то мне хотелось их на что-то потратить. Мне нравилось часто открывать копилку и пересчитывать ее содержимое. Я получал удовольствие от осознания, что сумма монет и бумажных денег в копилке неуклонно растёт.

— Карду, а давай переплывем на турецкую сторону?

Мы с Арчи сидели на мысе Сарпи и болтали. Небо было затянуто серыми низкими тучами, с моря дул прохладный ветер и моросил дождь. Все остались дома. Никто не захотел ехать на Сарпи, кроме Кати, но бабушка не позволила ей отправиться с нами на море в такую погоду. Мы с Арчи были вдвоем.

— Ты шутишь? Как мы переплывем — это же вон как далеко, — на самом деле я боялся не дальности расстояния, а глубины моря. Даже не самой глубины, а того, что может там таиться.

Это случалось со мной всегда, когда я заплывал достаточно далеко. В своих силах я никогда не сомневался. Но как только я понимал, что заплыл достаточно далеко от берега и подо мной может уже тридцать, а то и все пятьдесят метров глубины, сердце начинало тревожно биться. Вода в Черном море недостаточно прозрачная, и, отплыв на некоторое расстояние от берега, перестаешь видеть что-либо под собой. Только темно-зеленые мутноватые воды с примесью песка, поднятого со дна. Заплывая еще дальше, не видишь уже и песка — только вода, из темно-зеленой переходящая в черную морскую пучину.

— Я бы хотел переплыть. Мне нравится плавать, — немного помолчав, добавил Арчи.

— Больше, чем футбол?

— Ну…В футболе вся моя жизнь, ты знаешь. Но и плавать мне нравится.

— Сколько здесь? Километров десять?

— Не-е-е-ет, тут все тридцать пять, а то и немногим больше.

— Откуда ты знаешь?

— Отец рассказывал про одного советского пловца, который переплыл море вот отсюда, — Арчи указал на берег поодаль от них. — И во-о-о-он дотуда, до турецкой стороны.

— Думаешь, это правда?

— А то! Он хотел убежать из Советского Союза. Говорят, специально переехал из Сибири в Батуми за несколько месяцев до побега. Готовился, тренировался. Тут была хорошо охраняемая граница. Здесь же еще был Союз, а вон там уже, — он снова махнул рукой в сторону Турции, — уже свободный капиталистический мир. Но он был профессиональный пловец, кандидат для олимпийской сборной.

— Зачем же он бежал?

— Свободы хотел. Представь, как тяжело было жить в Советском Союзе. За границу не выехать, денег не заработать. Живешь в постоянном страхе. Тише воды, ниже травы.

— И что с ним стало?

— Его сразу арестовали в Турции. Думали — русский шпион. Никто и предположить не мог, что простой человек может вот так взять и проплыть тридцать пять километров, минуя патруль, не попавшись ни под один прожектор.

— Тут и прожекторы были?

— Конечно. Это же граница. Он плыл, а они светили — хотели высветить его и расстрелять, как врага. В Советском Союзе его заочно осудили на смертную казнь.

— А потом?

— Ну он вроде как сидел в турецкой тюрьме. Но там потом поняли, что он никакой не шпион, и отпустили его. Он вроде как и сейчас жив. Живет себе где-нибудь в Америке или в Англии. Я, если честно, не знаю.

Мы помолчали, затем Арчи добавил:

— Я бы хотел сделать что-то такое же, запоминающееся. Что-то выдающееся. Ну вот взять хотя бы этот залив. Переплыть его — это же какой вызов. Но для этого, конечно, тренироваться надо каждый день.

— Так он твой герой?

— Ну-у-у, — протянул Арчи. — Не то чтобы герой. Но он заряжает меня. Вдохновляет своей силой воли и храбростью. А у тебя есть такой пример?

Я задумался. Спорт и спортивные достижения не привлекали меня всерьез. Мне нравилось слушать разные истории от Арчи или смотреть фильмы про спортивные подвиги. Но сказать, чтобы они вдохновляли меня, я не мог. Мне больше нравились фильмы и истории других персонажей.

— Знаешь, я недавно посмотрел фильм «Бойлерная». Не смотрел?

— Нет. О чем он?

— Он про Уолл-стрит, про брокеров.

— Что за Уолл-стрит?

— Есть такая улица в Америке. На этой улице стоит Нью-Йоркская фондовая биржа. Там работают брокеры, они покупают и продают акции. Зарабатывают большие деньги, пытаясь угадать, какая акция пойдет в рост, а какие акции подешевеют в ближайшее время.

— И чем тебя вдохновляют брокеры?

Я задумался.

— Ну знаешь, они делают то, чего не могут другие. Они находят способ, как убедить других вложить деньги в акции. Это не просто. А еще они богаты и живут хорошей жизнью. Ну это же сложно. Ты только представь: надо убедить другого отдать свои деньги с большим риском. И неизвестно, окупятся твои вложения или нет. Это же тоже своего рода мастерство.

— Ну не знаю, Карду. Возможно. Но мне бы, наверно, это не приносило удовольствия.

А вот мне почему-то казалось, что это невероятно круто, а потому, наверно, я бы получал от этого удовольствие такое же, как Арчи получает, выходя на футбольное поле. Кроме того, мне нравилось представлять себя, садившегося в дорогую машину или — а кто знает? — в частный самолет. Я ни на секунду не сомневался, что так оно все и будет: большой дом, дорогая машина, путешествия в разные страны, красивая, безбедная жизнь. Я точно знал, что моя жизнь будет успешной.


## Глава 4. Июль 2002 года. Батуми

— Интересно, кем мы все будем через десять лет? И где мы все будем? — вдруг спросила Лиана.

Ее голос разнесся по террасе в тишине прохладной июльской ночи. Черное небо уже осветили блестящие огонечки звезд. Мы знали, что уже совсем поздно, но нам было так хорошо сидеть здесь и разговаривать обо всем на свете. Ика и Бердиа давно ушли, Катя тоже отправилась спать. В нашем доме ни в одном из окон не горел свет — все было тихо и спокойно. Остались только мы с Арчи и Лиана.

Никто не торопился отвечать на повисший в воздухе вопрос. Арчи лениво развалился на подушках в качелях, глядя в темноту. Лиана сидела между мной и Арчи. Я искоса посмотрел на нее. Какая же она красивая! Ни у кого еще я не видел таких шелковых длинных волос, такой прямой и узкой спины, такой тонкой шеи. Сейчас в темноте мне был виден только ее стройный гибкий силуэт, и он очень волновал меня. Интересно, Арчи тоже замечает ее красоту?

— Сейчас нам пятнадцать. Через десять лет будет двадцать пять, получается? Здорово было бы собираться вот так здесь же и через десять, и через двадцать лет, — так же тихо произнес я.

Лиана развернулась и посмотрела мне прямо в глаза. Меня окатила волна горячего воздуха. Боковым зрением я заметил, что Арчи по-прежнему смотрит перед собой, глубоко задумавшись. Лиана же продолжала бурить меня своими черными глазами. Что это? Что хочет она сказать мне? Вдруг краем глаза я заметил, как Арчи вздохнул и выпрямился на подушках. Почувствовав это движение, Лиана тут же развернулась к нему.

— Я буду футболистом. Сначала выйду из юношеского состава, потом буду играть в высшей лиге. В «Динамо» или в «ВИТ-Джорджия», не знаю. А может, повезет и в российском клубе буду играть. Потом попаду на какой-нибудь чемпионат мира или Европы, и в трансфертное окно меня кто-то и выкупит.

— Кто, например? — спросила Лиана.

— Ну ты спросила! Как я могу это знать?

— Ну ясно, что не знаешь. Но ты бы где хотел играть?

— Хотел бы в «Манчестере». Или в «Реал Мадриде». Да знаешь, где бы ни играть, лишь бы играть. Люблю я футбол. С ним и свяжу жизнь.

На самом деле в том, что Арчи будет хорошим футболистом, не сомневался абсолютно никто. Мы все знали — в футболе у Арчи большое будущее. Он обладал невероятной выносливостью, скоростью, силой. Арчи на уровне интуиции чувствовал противника и предугадывал его маневры. Идеальная комбинация для бомбардира. И при этом Арчи не просто хороший игрок, он исключительный игрок. Тот самородок, найти который мечтает каждый тренер. Но самое главное было не это. Арчи живет футболом. Это его страсть. И это давало ему сил.

Дядя Михаил — отец Арчи — привел его на тренировку первый раз, когда сыну было 5 лет. Я до сих пор не мог простить своему отцу, что тот не догадался отдать в футбол и меня тоже. Может, и я мог бы претендовать на звание спортивной звезды? Абсолютно все — родители Арчи, мои родители, бабушка и дедушка, — вообще все всегда восхищаются Арчи и его успехами. Девчонки всегда обращали внимание сначала на Арчи и уж только потом — на меня. А ведь мы оба могли бы стать футболистами. По крайней мере у меня был бы хотя бы шанс.

— Чувство, которое я испытываю на поле, — продолжил после некоторой паузы Арчи, — его вот я ни на что не готов променять. Знаете, на поле я забываю обо всем. Есть только мяч и противник. Ты фокусируешься только на игре, но знаешь, что весь стадион следит за тобой — твой тренер, друзья, родные, просто болельщики. И нельзя их подвести — они верят в тебя. Нельзя подвести самого себя, ведь ты сам тоже поставил себе какие-то цели. У меня есть цель, и я ее добьюсь любой ценой. Ведь это все в моих руках.

— Точнее, в ногах, — рассмеялась Лиана.

Пока она смеялась, я думал только о том, что мой двоюродный брат уже окончательно определился со своим будущим, нашел свою страсть и идет в выбранном направлении. И, судя по всему, ничто в мире не способно его остановить. Я же еще пока только обдумываю свою цель.

— Да, в ногах именно, — спокойно ответил Арчи. — Смысл в том, что если у тебя есть цель — ты ее добьешься. Найдешь способ — как. И любая даже самая тяжкая тренировка тебе по плечу. Ведь ты знаешь, ради чего все это. Ты получаешь удовольствие от боли, которая разливается по твоим мышцам после тренировки. И все зависит только от тебя. Ты сам — хозяин своей жизни.

Арчи, насколько я его знал, не любил неудачи и поражения, а поэтому делал все возможное и невозможное, чтобы их избежать. Он делал максимум того, что может сделать человек для достижения задачи, и это приносило плоды. Я видел это, знал справедливость сказанных им слов. Так почему я все никак не определюсь со своими целями? Почему не начну двигаться хоть в каком-либо направлении. Вот и мать всегда ставила мне в пример двоюродного брата: «Арчи — молодец! Карду, тебе бы быть посерьезнее». Арчи столько же лет, сколько и мне, но он уже не просто думает о будущем, он его строит. А я… Я тяжело вздохнул.

— В общем, буду новым Пайчадзе, — закончил Арчи.

— Это тот футболист, о котором снял фильм твой дедушка? — обратился я к Лиане.

— Да. Лучший футболист Грузии всех времен. Фильм, правда, не был особо популярен.

Я знал, что Лиана очень любила своего деда и часто навещала его в Тбилиси.

— Круто, Арчи. Все будет…

— Арчи, — перебила меня Лиана. — А как ты понял, что любишь футбол?

— Люблю и все. Я всегда его любил.

— Ну ведь когда-то ты же должен был понять, что любишь его?

— Ты знаешь, я уже и не знаю. Сколько себя помню — я всю жизнь в футболе. Смутно помню, как родители решали, в какую секцию меня отдать. Помню, отец всегда хотел, чтобы сын был «звездой футбола». Именно так, — ухмыльнулся Арчи. — Звездой. Он часто любит говорить: «Мой сын — будущая звезда мирового футбола».

Арчи немного помолчал.

— Ты знаешь, футбол — это то, что у меня получается. А я люблю делать то, что получается. Отец всегда очень рад моим победам, успехам, забитым мячам. Помню один случай. У нас был матч против другой команды в Кутаиси. Мы поехали в Кутаиси, сыграли матч, и сразу — обратно, домой. Представляете, да, четыре часа в душном автобусе в одну сторону, четыре часа в другую. Захожу домой. Мама и папа на кухне, к ужину готовятся. Мама спрашивает: «Арчи, милый, ты устал? Голодный? Хочешь кушать?» А папа знаете что?

— Что?

— «Арчи, какой результат?» — Арчи залился звонким смехом. — Какой результат, представляете? Вот что волновало папу. Зато с каким удовольствием я сказала ему: «Два-ноль в нашу пользу». А он: «Кто забил?» «Я», — говорю. «Все два?» — «Все два». Вот тогда радости было. Папа даже достал вино. Мы до-о-о-о-олго тогда сидели за ужином вместе. Папа тогда много спрашивал про игру, про матч, про мои тренировки. И интересовался. Не часто у него так много времени бывает, чтобы вот так посидеть, поговорить, поспрашивать меня. Я помню, мама убрала со стола, ушла в комнату. А мы все сидели с папой вдвоем. Я и не помню, когда еще папа вот так со мной сидел так долго вдвоем.

Арчи сделал паузу. Молчали и мы.

— Я просто делаю то, что получается. Ничего другого я и не пробовал. Ну а ты, Лиана? Ты тоже уже определилась? — неожиданно переключился Арчи на Лиану.

— Да, — медленно произнесла она после небольшой паузы.

Она посмотрела на меня. Снова этот странный ее взгляд. Как он обжег меня! Я мог поклясться, она никогда раньше так на меня не смотрела.

— Я определилась.

Я почувствовал странное возбуждение от ее слов. В районе солнечного сплетения разлилось жгучее тепло. Оно появилось так неожиданно и так же внезапно пропало. Всего секунду! Показалось? Нет? Лиана нравилась мне, я всегда был в нее влюблен с самых детских лет, но держал это в тайне ото всех. Она была нашей подругой — нашей общей подругой, и, мне казалось, я не имел права любить ее. А что же скажет Арчи, когда узнает? И стоит ли ему рассказывать? Ведь Лиана и его друг тоже. А вдруг… Вдруг Лиана нравится и ему? Может, мне все это просто показалось?

— И что же это? — Арчи прервал ход моих рассуждений.

— Что? — переспросила Лиана, отворачиваясь от меня.

— Ну, ты сказала, что определилась. И что это?

— Все-то тебе расскажи. Потом узнаешь!

— Тоже хочешь быть писателем, как твой отец?

— Он прежде всего сценарист, — поправила Лиана.

— И писатель. Я читал его мрачную книжку. Как она там называется?

— Ты прекрасно знаешь, как она называется. — Лиана нащупала рукой подушку и запустила ею в Арчи. — И ничего она не мрачная.

— О, еще какая мрачная! Депрессивный Достоевский отдыхает по сравнению с великим Иосифом Табидзе.

— Прекрати, Арчи, — вступился я за отца Лианы. Между собой мы с Арчи часто подшучивали над ним и его книгами, но Лиана этого не любила, хоть и старалась нам не показывать. Часто читал в газетах, что произведения Иосифа — очень глубокие и сильные, полны драматизма и поднимают важные темы. Я читал пару его произведений и нашел их полными безысходности и тоски. Лиана рассказывала, что временами на отца накатывала меланхолия и тогда дома совершенно невозможно было находиться, так как сильная энергетика отца распространялась на всех членов семьи. Лиана говорила про отца, что он очень громко молчит. Но случалось это не часто и обычно заканчивалось написанием новой серьезной главы или даже разделом книги.

— А ты, Карду? Ты думал о своем будущем? — Лиана взглянула на меня.

Теперь под ее взглядом я чувствовал себя иначе. Как-то странно и нервно. Ее мнение вдруг стало для меня очень важно. Что если я скажу, что еще не думал о будущем, не определился с профессией? Знаю только то, что непременно буду очень успешен. Но это же не ответ, и я понимаю это. Это не звучит как план и не так убедительно, как у Арчи. А что тогда она будет думать обо мне? Вот рядом Арчи — уже звезда, уже успешен, уже идет вперед. Как для нее выгляжу я на фоне двоюродного брата?

Я ответил на ее взгляд вызовом.

— Думал. И тоже определился.

Она усмехнулась.

— Будешь держать это в секрете?

— Нет, почему же? Я буду брокером. Буду продавать и покупать ценные бумаги, а потом открою свою брокерскую фирму.

Я снова поймал на себе взгляд Лианы. На этот раз она смотрела на меня с интересом.

— Ты уже знаешь, с чего начнешь?

— Да. Знаю. Но вот это я буду держать в секрете.

— Это еще почему, — засмеялась Лиана. — Боишься, не сбудется?

— А то! — с усмешкой отбил ее колкость я.

— Вот теперь представьте, — перебил нас Арчи. — Через пять—семь лет мы все сидим снова тут в той же беседке. Я только что прилетел из Манчестера, ты из Лондона. Мы встречаем тут Лиану...

— Почему это тут? — вмешалась Лиана.

— Потому что ты не рассказала нам, чем будешь заниматься и где.

— Я тоже прилечу из Лондона. — Она бросила этот свой взгляд на меня.

— Ого! Да вы, может быть, даже попадете с Карду на один рейс.

— Может, и попадем. — Теперь уже она весело улыбалась Арчи. — Если Карду захочет на этот рейс.

Я не мог найти себе места. Что она говорит? О чем она говорит? Говорит ли она просто про будущее, про рейс, про самолет или она прямо здесь и сейчас?.. Что? Что здесь и сейчас? Ну вот еще. Я отмахнул все это.

— А почему нет? Я всегда буду рад повидаться с друзьями. И с удовольствием полечу с тобой на одном рейсе, — как можно более равнодушно ответил я.

Лиана фыркнула и отвернулась к Арчи.

— Продолжай.

— Так вот, мы все прилетаем сюда, встречаемся, рассказываем друг другу про жизнь, перемены, события. Я — успешный футболист. Карду — преуспевающий брокер, а ты, Лиана, прилетишь сюда с мужем и кучей маленьких деток.

— Куча маленьких деток через 5 лет? — заулыбалась она. Я искоса посмотрел на нее. Нет, ничего подозрительного. — Ну это уж совсем вряд ли. Сначала бы университет окончить.

— Интересно, он вольется в нашу компанию? — усмехнулся Арчи.

— Кто? — спросил я.

— Муж Лианы.

— Уверена, вольется, — весело отозвалась Лиана.

— С чего вдруг?

— Ну, это же я его выберу. Он будет похож на меня и будет разделять мои ценности и образ жизни. А значит, он понравится и вам.

— Здорово же будет, правда? — продолжил Арчи. — Сохранить вот это все во взрослой жизни. Здорово будет иметь рядом с собой людей, с которыми можно разделить свои детские воспоминания.

— Да, здорово, — мечтательно повторила Лиана.

Все задумались. Наверно, об одном и том же. Молчание прервала Лиана.

— Что будем делать завтра?

— Сарпи?

— Может, придумаем что-то другое?

— Давай завтра на Сарпи, а потом придумаем что-то другое. Для чего-то другого надо встать пораньше и приготовиться. А уже довольно поздно. — Арчи зевнул. — Может, по домам?

— Не хочется пока, — отозвался я.

— Я тоже еще не хочу спать, — ответила Лиана.

— Как хотите, а я, пожалуй, пойду. Карду, проводишь Лиану один?

— Да, конечно.

Арчи попрощался с нами и исчез в доме.

Я был сам не свой. Остаться с Лианой наедине сейчас — все, чего я хотел, и все, чего я боялся. Мы сидели молча. Она смотрела на звезды и о чем-то думала, я любовался ее профилем, длинными волосами и пытался понять, что чувствую к ней. И насколько это серьезно. В Питере я встречался с парочкой девчонок и до этого. Ничего особо серьезного: гуляли вместе, целовались, ходили в кафе и кино. Я никогда не относился к этому как-то серьезно. Но я понимал, что с Лианой так нельзя. Во-первых, я знаю ее с детства, с самых ранних лет. И ее чувства, переживания важны для меня. Во-вторых, она мой друг, а я не хотел терять такого близкого друга, как она, в том случае, если что-то пойдет не так. И если все-таки что-то пойдет не так, это внесет раскол в нашу банду. В-третьих, мы будем на глазах у всех и все будут судить меня, нас. Этого я не хотел. Надо было, конечно, все обдумать. Но как можно думать, когда она так красива?

— Ты правда хочешь стать брокером? — вдруг спросила Лиана. В ее голосе не было и намека на то, что я чувствовал в нем прежде. Показалось мне или нет? Было это или нет?

— Да, почему нет?

— Не знаю, ты раньше никогда не говорил об этом.

— Ты не спрашивала.

Она помолчала.

— А почему именно брокером?

— А почему нет? У них интересная работа: они всегда должны быть в курсе всех событий, они понимают значение этих событий, умеют их анализировать и делать выводы, рискуют, просчитывая все ходы наперед. Это занятие только для сильных. И потом они неплохо зарабатывают.

Лиана молчала. Она больше не смотрела на меня.

— Ну а ты? Что ты выбрала?

— Увидишь, Карду. Так с чего ты начнешь?

Мы просидели так еще какое-то время, болтая ни о чем. Я больше не встретил ни того горячего ее взгляда, ни особенного тона в голосе, ни двусмысленности в словах. Лишь когда я пошел провожать ее домой, она спросила:

— Карду, а почему Лондон?

— Отец говорит, что лучше бы мне учиться в Лондоне.

Она вдруг остановилась, развернулась ко мне и просто произнесла:

— Возьмешь меня в Лондон с собой?

Сердце снова подпрыгнуло и забилось. Я не стал даже думать, что она имеет в виду. Не хочу. Мне было все равно: шутит она или нет. Мне было все равно, что подумает она обо мне.

— Возьму, — чуть слышно отозвался я.

Она улыбнулась той самой особенной улыбкой и ушла вверх по тропинке к своему дому.

## Глава 5. Июль 2002 года. Батуми

Арчи тихо закрыл за собой входную дверь и бесшумно поднялся на третий этаж. Он взял одеяло из их с Карду спальни, перенес его на пол лоджии, распахнул окно и устроился поудобнее. Спать еще не хотелось. Ему просто нужно было остаться наедине с собой, со своими мыслями.

С улицы до него доносились приглушенные голоса Лианы и Карду, стрекот сверчков. Удивительно, как это там в саду Лиана озвучила вслух тот вопрос, который занимал и его, Арчи, мысли. «Кем мы будем через десять лет?» А кем они все будут? Этот вопрос тревожил его, наверное, больше других. Он все чаще задумывался о своем будущем.

Для всех вокруг был очевиден тот факт, что он, Арчи, станет футболистом. И если и не великим, то тогда рядовым хорошим футболистом грузинской или российской высшей лиги. Что уже было очень неплохо. Это означало высокий уровень дохода до поры до времени, а потом можно и в тренерство уйти. Или начать свой бизнес. Футбол открывал дорогу ко многим полезным знакомствам и позволял заработать тот стартовый капитал, с которого можно начать практически любое дело. Ну а если повезет и он станет игроком европейского клуба, это вообще означало безбедную, красивую и успешную жизнь. И Арчи знал, что все это не пустые надежды или неосуществимые мечты. Он четко видел, что все это тут, на кончиках пальцев. Стоит только приложить усилия, еще больше усилий.

Никто не сомневался в его карьере футболиста. Никто, кроме него самого. Эти сомнения, эта неуверенность в себе так сильно одолевали его, что порой он не знал, как с ними справляться. Да, конечно, внешне он ничем не выдавал этих чувств, но все это было в нем. Оно сидело прямо под сердцем и постоянно теребило его, не давая покоя. Арчи лгал, когда говорил, что любит выходить на поле. Он этого просто терпеть не мог, ведь выход на поле означал неизвестность. Он любил уходить с поля и уходить непременно победителем. Если команда выигрывала благодаря его забитым мячам — это было отлично. Тогда все в мире казалось осуществимым: не было границ и барьеров, он был всесилен и верил в то, что будет новой звездой мирового футбола и войдет в историю, как Пеле или Марадонна. В такие моменты он видел себя исключительным, особенным, тем человеком, которому подвластно все. Он был лучшим. Он был примером, был звездой. В дни победы он видел ясно и четко, что нет ничего невозможного, что любой цели можно добиться. Он планировал тренировки, думал об усилении нагрузок, о том, что еще поможет ему быстрее продвигаться к поставленной цели. В такие моменты он не чувствовал боли и усталости. Он был готов трудиться снова и снова.

Но потом наступал новый день, а вместе с ним — новые сомнения, новые страхи. Он был героем вчера — это верно. Вчера был матч, он вышел победителем, он имел право быть героем. Но сегодня все приходилось начинать сначала. Сегодня снова надо было доказать себе, что он — исключительный. На горизонте появилась новая игра, а вслед за ней — неизвестность. Вдруг эту игру он уже не сможет выиграть? Как долго он оставался талантливым футболистом в своих глазах? Ровно один вечер. Пока не наступало утро и не приходилось выходить на поле снова.

А ведь еще бывали и дни поражений. Если Арчи не мог показать себя на поле, не забивал мячи и команда проигрывала — хуже дней невозможно было и представить. Он мгновенно терял всякую веру в себя. В нем не оставалось ни капли надежды на будущее, на карьеру. Он начинал паниковать. В его голову тут же проникали мысли о том, что он самозванец: что на самом-то деле ему везло, а он сам ничего не умеет. Просто никто этого пока не заметил. Но в серьезном футболе люди заметят. Вот так просто: девяносто минут, и ты никто. Ты больше не звезда, не исключение из правил, не талантливый спортсмен. В дни поражений он бичевал себя со страшной силой.

Не любил он поражений еще и потому, что каждый проигрыш означал разочарованный взгляд отца. Отец... С футбола мысли медленно перетекли к отцу. Арчи поежился, зажмурился и глубоко вздохнул.

Отец привел его в футбол в раннем детстве. Арчи толком и не помнил, как это было. Помнил, что папа как-то сказал маме: «Мальчик должен чем-то увлекаться, чему-то посвящать свою жизнь. Думаю, надо отдавать его в футбол. Всегда мечтал иметь сына — звезду мирового футбола». Как-то так они сами за него решили, что это будет футбол. И Арчи полюбил футбол.

Отец не бывал на его матчах, не интересовался тренировками: он много работал и редко бывал дома к ужину. Но его всегда сильно волновал результат. Отец живо интересовался его прогрессом и развитием, перспективами, возможным будущим в футболе. Иногда Арчи казалось, что он для отца всего лишь инструмент доказать, что и в воспитании сына он лучше других. Отец всегда хвастался достижениями Арчи при своих друзьях и партнерах, им же он говорил о том, как ему повезло воспитать такого сына. Но ни разу он не сказал этого Арчи в глаза. Он никогда не выразил нежности, уважения, признания. Даже простой симпатии или похвалы Арчи не получал. А любил ли его отец? Да, конечно, любил и любит. И если рассудить рационально — отец не может его не любить. Столько сил, стараний, времени и энергии отец вкладывал в его развитие. И он по-своему переживал за сына.

Но ему, Арчи, хотелось бы другой любви от отца. Он с завистью смотрел на то, как отец Карду относится к своим детям. Вот он искренне любил своих детей. Всегда интересовался их жизнью, всегда ласково целовал Катю, крепко обнимал Карду, с уважением жал ему руку. Он всегда интересовался их мнением, их эмоциями и чувствами. Он снисходительно относился к их слабостям, прощал им ошибки и поддерживал в минуты падений. А вот его собственный отец не допускал даже мысли о поражении. «Будь первым. Не можешь быть первым — будь лучшим» — так любил говорить его отец. Да, быть может, именно поэтому Арчи и добивался всего того, чего добивался. Может быть, без этого стремления угодить отцу ничего бы и не вышло. Вот только нужно было Арчи совсем не это. Ему хотелось, чтобы его любили просто так. Без побед и заслуг, без забитых голов. Любили простой и теплой любовью.

Арчи вздохнул. Так кем же он будет через десять лет? Новым Пайчадзе? Зачем он только вообще о нем вспомнил. Пайчадзе довольно рано получил травму и не мог продолжать выходить на поле. Не то что Пеле. Тот четыре раза участвовал в чемпионате мира и три из них становился чемпионом. «Арчи, кем ты будешь? Где и как ты будешь жить в 2008, 2018 годах? Что судьба для тебя готовит?» — он задавал себе этот вопрос не раз. А вдруг он не сумеет оправдать ожидания других? Вдруг он просто не сможет?

## Глава 6. Август 2002 года. Батуми

У меня было драгоценных четырнадцать дней в запасе. За эти две недели я должен был во что бы то ни стало выяснить, что происходит между мной и Лианой. День и ночь я не мог думать ни о чем другом. Я думал о ней, представлял нас вдвоем, мечтал о том, что могло бы быть между нами, пытался понять, какие чувства я испытываю. Лиана совершенно не облегчала мне задачу: почти всегда она вела себя как прежде, ничто не выдавало в ней интереса ко мне, если он, конечно, вообще существовал. Но порой взгляд ее черных как смоль глаз обжигал мне грудь. От такого взгляда мне становилось жарко и сладко. И длился он всего ничего — одно лишь мгновение, долю секунды. Хотя мне казалось, что время замирало, и это мгновение длилось вечно. В дни, когда Лиана одаривала меня этим особенным взглядом, я не спал до утра. Как мог я спать, когда память так остро помнила огонь в ее глазах.

В эти дни Лиана захватила весь мой ум и все мое существо. Она была абсолютно особенной и исключительной. В ней было столько жизни, радости и энергии, что казалось, воздух рядом с ней пропитан счастьем. Иногда мне казалось, что каждая клеточка ее кожи излучает частичку тепла и света. Мне всегда становилось уютнее рядом с ней. В те минуты, когда она бросала свой особенный, только для меня предназначавшийся взгляд, я физически ощущал электрический импульс между нами. Воздух мгновенно менялся, в нем повисало тяжелое и томящее напряжение, сладкой истомой отдающее где-то в грудной клетке. Мне было так интересно с ней! Она, наверно, прочитала сотню книг и знала все на свете. Как много она знала о литературе, искусстве, истории и кино. Единственное, о чем она не любила рассказывать, — это семья. И особенно ее отец. О нем она почти не говорила. Да я и не спрашивал — я любовался ее красотой и слушал ее нежный, приятный голос.

Чувства к Лиане я держал в строгой тайне. Я был абсолютно убежден, что мне не стоит раскрывать их Арчи. От этого на душе было совсем скверно. Прежде я никогда не скрывал от Арчи ни малейшего события своей жизни. Мы делились друг с другом абсолютно всем. И этот случай — исключение из всяких правил нашего с ним общения и дружбы. Такая ситуация еще больше тяготила меня. Днем я переживал от неизвестности: разделяет ли Лиана мои чувства к ней, а ночью томился от чувства, что предаю нашу с Арчи дружбу своим молчанием. В таких настроениях и пролетели мои последние дни грузинского лета в этом году.

Наконец, случилось неизбежное — день, за которым следовал мой отъезд. Мы, как обычно, позавтракали в кругу семьи с бабушкой и дедушкой и отправились на встречу с друзьями. Бердиа, Ика и Лиана уже ждали нас на месте.

— Ну что, на Сарпи? Последний раз в этом году? — весело бросила Лиана вместо приветствия. Во мне все сжалось от этих слов. Последний раз. И она даже не грустила! В ней не было ни капли тоски или печали.

Пока мы крутили педали велосипеда до пляжа, перед моими глазами проносилось это лето. Вот мы приезжаем с родителями на Варшанидзе, 74. Вот Арчи, Лиана, Бердиа. Лиана знакомит меня впервые с Икой. Вот мы проводим первый вечер вместе и наперебой рассказываем друг другу все, что произошло за девять школьных месяцев. Мы все приятно возбуждены, еще не осознавая в полной мере, что перед нами почти два месяца свободы и радости, два месяца жаркой Грузии. Вот мы в пять утра собираемся на утреннюю рыбалку. Вот мы с Арчи не можем уснуть на террасе, смотрим на звезды и до самого рассвета болтаем о жизни, о семьях, о планах, о ценностях, обо всем самом важном и не очень. Вот мы с Бердиа сидим вдвоем на Сарпи в дождь: никто не поехал тогда с нами, и мы вдвоем сидели под моросящим дождем, смотрели на волны и говорили; говорил в основном Бердиа, а я слушал, улыбался его мечтам. Вот мы с Катей собираем в саду абрикосы. Вот бабушка с дедушкой идут рано утром с нами в город; мы покупаем много продуктов и потом все вместе готовим завтрак. Вот Катя плещется в море и зовет меня к себе; мы дурачимся вместе и к нам присоединяются Ика и Лиана. Вот Лиана впервые обжигает меня своим взглядом. Вот я провожаю ее до дома, а она спрашивает про Лондон.

Сегодня особенный день. Конец наших грузинских каникул — это пик нашей свободной жизни, самый эмоциональный и трогательный день за все два месяца. Он и грустный, и по-своему приятный. Сегодня мы будем купаться до заката, до глубокой ночи сидеть все вместе в беседке, обсуждать планы на этот учебный год и давать друг другу разные обещания, а мы с Арчи и вовсе не будем спать — мы будем болтать до утра.

После нескольких веселых заходов в море и шумных заплывов я отправился на скалу — любоваться морем и запоминать эти счастливые минуты. Я забрался на камни, уселся поудобнее, прижал колени к подбородку и стал смотреть на горизонт, где сине-зеленые воды моря сливались с тяжелым свинцовым небом. Я не боялся обгореть, так как солнце скрылось за серыми облаками. Мою спину, еще мокрую от недавнего плавания, приятно обдувал прохладный ветер с моря. Начал капать мелкий теплый дождь. Вдруг я услышал, как булыжники скатываются вниз и с плеском падают в море из-под чьих-то ног. Я обернулся, и сердце ухнуло вниз. Лиана. Она шла по камням прямо ко мне.

— Не против? — бросила она, даже не взглянув на меня. Весь ее взгляд был сосредоточен на камнях под ногами. Забираться на скалу было неопасно, но иногда неприятно — булыжники были неровные, местами острые и при любом неосторожном движении больно кололи ноги. Лиана аккуратно прыгала с камня на камень, ее длинные мокрые волосы разметались по спине, а на ее ногах, руках и груди блестели невысохшие капельки воды. Такая гибкая и грациозная она была, даже забираясь на скалу, что я не мог отвести от нее глаз. Вот она добралась до камня, на котором я сидел, устроилась рядом, также поджав колени к подбородку, и уставилась вдаль.

— Какие планы?

— Завтра летим в Питер. Потом через два дня в Барселону с Бердиа и нашими родителями. А потом все, школа, — я криво улыбнулся. — Конец веселью.

— И что будем делать?

Я не понял ее вопроса и немного помедлил перед ответом.

— Просто жить?

Она помолчала, ничего не ответив на мою вопросительную интонацию. Я тоже молча ждал. Она заглянула мне за спину, потом оглянулась. Мы сидели с другой стороны скалы так, что нас было видно только с моря, а не с берега. В море сейчас никого не было — все отдыхали после последнего заплыва. Вокруг совсем тихо и безлюдно. Только волны шумно и гулко накатывали на скалы. Дождь усилился, и вдалеке послышались раскаты грома.

Я не смотрел на Лиану. Неожиданно меня снова обдало жаром от осознания, что она так близко, что никто сейчас не видел нас — мы были совершенно вдвоем. Я медленно повернул голову в ее сторону. Она смотрела на меня прямым взглядом своих черных глаз. Вдруг одна ее бровь вопросительно поднялась вверх. Все во мне тут же отозвалось на этот жест.

— Так что мы будем делать? — тихо произнесла она.

— Я… — хрипло начал я. Но она не дала мне закончить. Лиана плотно прижалась своими губами к моим. Я оцепенел, потерял способность двигаться и мыслить.

— Лиана, — только и смог выдохнуть я, когда она отстранилась.

— Что мы будем с этим делать? — повторила она.

— Мы будем с этим жить. И ждать, когда увидимся снова.

Теперь уже я поцеловал ее. Долгим, медленным поцелуем. Я целовал ее и не верил, что делаю это. Лиана — подруга моего детства, близкий товарищ, а еще — самая красивая и замечательная девушка на земле. Я целовал ее, а она хотела, чтобы я ее целовал. Не могло быть большего счастья на земле, чем просто знать это.

— А ты умеешь ждать? — спросила она сразу после поцелуя.

— Да, я умею ждать.

— Вот и посмотрим.

Я бы отдал все что угодно в тот вечер за возможность проводить Лиану домой одному. Но попросить об этом Арчи так и не отважился. Я по-прежнему не хотел открыться ему. Ведь он оставался здесь еще почти на месяц. Он будет с ней рядом, а я — нет. Я ревновал, злился и уже заранее тосковал. Разумеется, Лиану мы провожали вместе.

Возле самого ее дома она крепко обняла меня на прощание и поцеловала в щеку.

— Обещай писать и звонить мне, Курдиани! — весело крикнула она, убегая вверх к своему дому. — Я буду скучать по тебе!

Я смотрел ей вслед, пока дверь дома за ее спиной не захлопнулась. Мне хотелось позвонить ей, крикнуть ей, чтобы она вышла еще хотя бы на одну минуту, еще раз поцеловала и обняла меня. Но я не сделал этого. Уже придя домой, я отправил ей одно короткое сообщение: «Я буду ждать тебя. Не сомневайся».

На следующее утро я простился с Батуми, и мы с Катей отправились в Питер. Так закончились эти грузинские каникулы, и началась наша с Лианой долгая и красивая история.

Сегодня, спустя столько лет я помню тот день так отчетливо, словно кадр из киноленты. Я вижу тонкую как тросточку Лиану, легкой поступью шагающую по гравию. Смотрю, как она закрывает за собой дверь, оставляя меня у невысокого забора наедине с большим и светлым белым домом ее отца Иосифа Табидзе.

## Глава 7. 1975 год. Батуми

— Погоди минутку! Не открывай глаза! — по его голосу Лали слышала, как Герман улыбался. Она очень любила, когда муж в таком настроении. — Лали, потерпи еще немного!

Лали понятия не имела, куда он ее вез. Сына Иосифа они оставили у бабушки в Тбилиси, а сами улетели в Батуми. По дороге из аэропорта в такси муж повязал легкий шарф ей на глаза и предупредил, что впереди ждет приятный сюрприз. Лали была замужем за Германом уже 7 лет, но этот мужчина не переставал ее удивлять. Первым же сюрпризом в их совместной истории стало то, что он сделал ей предложение выйти за него замуж. В самом этом событии, в принципе, не было ничего необычного, если не принимать во внимание тот факт, что Герман — один из самых талантливых кинорежиссеров Советского Союза и предложение он ей сделал на их первом свидании. А она — 17-летняя молодая, но уже известная балерина с перспективой работы в Большом, согласилась на него сразу, не раздумывая. Так и начались их отношения — с замужества.

Жизнь с Германом была легкой и интересной. Легкой — потому что Лали никогда по-настоящему не любила его. Ценила — да, была бесконечно благодарна — да, получала удовольствие от общения с ним — да, восхищалась его талантом — да. Ей нравилась та жизнь, которую они вели, — жизнь артистической богемы Советского Союза. Ей нравилось быть женой известного режиссера. Но настоящей, искренней любви к мужу она не питала и хорошо осознавала это. Однако в этом было много плюсов. Лали никогда не ревновала Германа к поклонницам и актрисам его фильмов, не устраивала сцен, не обижалась и не плакала. На том и строилось их семейное счастье: Лали закрывала глаза на бесчисленное множество протеже мужа, а он, постоянно чувствуя вину перед такой доброй и нежной женой, осыпал ее подарками и вниманием.

— Вот мы и приехали.

Муж бережно снял шарф с ее лица. Лали пригладила густое черное каре, оправила брюки-клеш, недавно привезенные Германом из московского ЦУМа, и вышла из такси. Пахло травой, знойным летом и морской солью. Перед Лали предстал низкий ступенчатый забор, за которым виднелся фруктовый сад. От самой калитки, возле которой они стояли, вверх поднималась тропинка, ведущая к большому светлому двухэтажному дому с просторными балконами. От дома веяло летней прохладой и негой. Лали смогла разглядеть небольшую террасу, качели и несколько скамеек. Что за чудесный дом! Ее брови взлетели вверх, и она перевела удивленный взгляд на Германа.

— Что это, дорогой?

— Тебе нравится?

— Он очень красив. Он... он такой большой! Такой уютный и светлый. А эти колонны, эта резьба... И какой сад!

— Ты еще не видела его внутри! Внутри он еще лучше. Но ты обставишь его сама, как пожелаешь.

— Герман, я не...

— Моя хорошая, теперь это наш летний дом. Твой, мой, Иосифа и кучи других деток, которые у нас обязательно будут. Только представь: в старости мы будем сидеть вон на той террасе, а вокруг нас будет огромная шумная семья.

Лали такие мысли пришлись по душе. Она была не против большой семьи, но особенно сильно ей нравился этот дом — такой светлый, такой приветливый дом.

— Герман! Какой же это прекрасный дом! Я так счастлива.

Муж взял ее за руку, отворил калитку и повел ее вверх по дорожке.

— В этом саду ты будешь ходить босиком по траве, ведь твоим маленьким трудолюбивым ножкам нужен покой и отдых. Тут мы будем собирать фрукты к завтраку: в июне — груши и яблоки, в июле — абрикосы и персики, в августе — инжир, в сентябре — виноград. Мы высадим здесь любые фрукты и ягоды, которые ты пожелаешь, моя маленькая. А здесь, — Герман остановился посередине дорожки и показал рукой на огромную террасу, — мы будем завтракать и обедать.

— А ужинать?

— А на ужин мы будем спускаться к морю в ресторан.

— Мы совсем не будем ужинать дома? — щурясь на солнце, спросила Лали, радуясь все сильнее и сильнее тем картинам, которые Герман рисовал в ее голове.

— Ну конечно же будем! Летом по выходным мы будем приглашать всех наших друзей на ужин, вино и танцы.

— Герман, но мы же тут никого не знаем! — возразила Лали, хотя воображение уже рисовало эти красивые теплые июльские ночи, веселье и смех гостей, и она — хозяйка этих приемов. Возбуждение охватило все ее тело.

— Дом большой — будем приглашать важных членов партии из Тбилиси, Москвы. Ну и конечно, мы познакомимся с соседями. Кажется, они — хорошие люди.

— Ты уже знаком с ними?

— Нет, но, видимо, мы познакомимся с ними сейчас. — Герман кивнул в сторону калитки, к которой как раз подошла грузинка лет 30—35 с маленькой девочкой. Герман помахал им рукой. Девочка тут же прижалась к ноге женщины и обхватила ее руками, но глаз не отвела, а с любопытством рассматривала Германа и Лали.

— Гамарджоба! — поздоровалась на грузинском женщина. У нее был красивый голос с едва слышной хрипотцой. — Вы наши новые соседи?

— Гамарджоба! Ваши летние соседи — это уж точно, насчет зим я не уверен, — весело отозвался Герман. — Заходите же, не стойте у ворот. Как вас зовут? Вы здесь живете?

Женщина поправила прядь каштановых волос, выбившуюся из-под легкого летнего шарфа, толкнула калитку и пошла вверх по дорожке.

— Меня зовут Тинатин Курдиани. А это, — она опустила ласковый взгляд своих темных глаз на девочку, — моя дочка Анна. Анна, поздоровайся с нашими новыми соседями.

Девочка немного выступила вперед из-за матери и тихо поздоровалась, не спуская глаз с Лали.

— Мы живем в 74-м доме: переехали сюда из Москвы. 74-й — это следующий после вашего. Мы с дочкой гуляли и увидели вас, решили зайти, поздороваться. Этот дом давно пустовал.

Лали рассматривала гостей. Тинатин была одета очень просто, но дорогая ткань ее платья, золотые серьги с крупными изумрудами, летний шелковый платок на волосах выдавали в ней состоятельную грузинскую интеллигенцию. Кроме того, Тинатин была красива и очень ухоженна — вряд ли ее руки касались домашней работы. Малышке на вид было не больше семи. Она продолжала с любопытством таращиться на Лали, и та подмигнула ей в ответ. Девочка удивленно моргнула, улыбнулась, но застенчиво скрылась за юбкой матери.

— Ваш муж, случайно, не известный всему Советскому Союзу кардиолог Карду Курдиани? — поинтересовался Герман.

Тинатин рассмеялась:

— Да, так о нем говорят.

— О! Очень рад знакомству с Вами и вашей очаровательной малышкой. Меня зовут Герман Табидзе, а это — моя жена Лали. Большинство наших друзей и знакомых — пациенты вашего мужа.

— Не думала, что кино и балет так опасны для сердца, — с улыбкой ответила Тинатин.

Все рассмеялись.

— Не то слово! Мое вот, например, вообще было навсегда похищено. — Герман скосил глаза на Лали, поднял ее руку к своим губам и ласково поцеловал. Лали польстило внимание мужа, и она довольно заулыбалась. — Вижу, вы слышали о нас.

— О, конечно! Я видела ваши картины, они прекрасны. А вы, Лали, просто великолепны. Ваша «Медора» в Корсаре очень грациозна и нежна. Вам подходит эта партия.

— Благодарю, вас, Тинатин. Всегда лестно слышать отзывы о своей работе, тем более такие высокие.

Тинатин улыбнулась Лали открытой и искренней улыбкой.

— Мой муж и сын вернутся из города через час. Не хотите ли заглянуть к нам на обед? Мы будем рады гостям, — предложила она.

— Большое вам спасибо! С огромным удовольствием. Мы с женой как раз осмотрим дом к этому времени и присоединимся к обеду.

— Будем вас ждать! — Тинатин подняла руку в знак прощения, взяла дочь за руку, и они удалились вниз по тропинке.

Когда Лали повернулась к мужу, он уже рассматривал дом.

— Какие милые люди, правда?

— Не просто милые, дорогая, а очень полезные. Помимо того что ее муж действительно является одним из лучших кардиологов, как говорят, он еще и близок к партийной верхушке. Сюда в Батуми к нему на прием летает вся наша политическая элита. Я, к слову сказать, слышал, что он — крестный Мананы Шеварднадзе, дочки Эдуарда Шеварднадзе, которому прочат большое политическое будущее. Это очень полезное соседство, Лали.

Лали взглянула на мужа. Зачем он все-таки купил этот дом? Ради нее, Иосифа и, как он сам говорит, будущих детей или потому, что он заранее знал соседей, знал, что сможет завести полезные знакомства тут, заручиться поддержкой нужных людей, а возможно, даже снять какую-нибудь картину по заказу партии? В принципе, это ей было не важно — теперь помимо большой квартиры в Тбилиси у нее был новый роскошный дом в Батуми. Она будет прилетать на море и просто наслаждаться летом в своем собственном доме.

Однако где-то в глубине души все-таки зародилось зернышко беспокойства. Если Герман ищет поддержки у сильных мира сего, значит, он не уверен в своих собственных силах. Лали давно начинала подозревать, что с талантом и способностями мужа что-то происходит. Это конечно же нельзя было назвать творческим кризисом. Возможно, просто спад, временное затишье. Но что-то явно происходило как со способностями Германа, так и с ним самим.

Карьера его развивалась стремительно. Он, едва окончив театральный институт имени Шота Руставели, стал режиссёром киностудии «Грузия-фильм» и уже через несколько лет — директором этой студии. А в 27 лет, в год, когда они поженились, Герман снял фильм, который позже был удостоен специального упоминания в Каннах как «Лучший фильм с вымышленным сюжетом». И это на самом крупном западном кинофестивале! Тогда Лали так гордилась своим мужем! И еще больше гордилась тем, что такой человек как Герман Табидзе выбрал именно ее в спутницы жизни. Герман получал награду за наградой, повышал свой социальный статус и доход, расширял круг общения и купался в лучах славы. Однако в последнее время картины стали выходить реже, а отзывы от неистового восторга перешли в сдержанную похвалу. Критики и газеты пока не замечали этого, разве что одна-две негативные заметки да пара пересудов у них за спинами. Но Лали этого было достаточно. Она чувствовала: толика правды в этом есть.

— Лали, о чем ты думаешь?

Она улыбнулась мужу одними глазами. Гнать, гнать от себя эти мысли хотя бы сегодня! Они оба на пике славы в красивом прибрежном городе осматривают их новый белоснежный дом. Сегодня ничто не испортит ее настроение.

— О тебе, милый. О том, как мне повезло с мужем.

Они улыбнулись друг другу, но каждый — о своем.

Через час Герман и Лали уже сидели в большой беседке у дома Курдиани, который был намного больше их собственного нового дома. За столом сидели Тинатин, Карду, их 12-летний сын Акакий, или Ика, как его называли все обитатели дома, его сестренка Анна и Лаура — мать Тинатин. Блюда к столу выносила помощница по хозяйству. Лали чувствовала себя великолепно: она, звезда советского балета, и ее муж — известный кинорежиссер, сидели в 10 минутах ходьбы от своего нового роскошного дома у моря, пили сладкое красное вино в компании лучшего советского кардиолога и его семьи и наслаждались вкусной едой. Все было прекрасно в этот момент. В эту секунду она любила свою жизнь больше, чем когда бы то ни было.

— Тинатин, вы говорите, что давно здесь живете? — Лали взяла свой хрустальный фужер с вином и откинулась на прохладные подушки. Вся ее поза была такой богемной, такой расслабленной и непринужденной.

— Лали, дорогая, зови меня просто Тинатин. Да, мы переехали в этот дом сразу, как только родился Ика, — 12 лет назад. Пока Карду работал в Москве, мы с Икой и моими родителями жили здесь. Карду переехал к нам только через 2 года, когда был благоприятный период для перехода в кардиологию Батуми. А вот Анна уже родилась здесь.

— Почему вы решили переехать именно сюда?

— Это наш родной город. Мы оба тут родились. Кроме того, тут прекрасный климат для детей. А почему вы решили переехать из Тбилиси?

— Я решил сделать жене подарок. — Герман положил свою широкую ладонь на руку Лали.

— Не думаю, что мы переедем сюда, — Лали взглянула на мужа и улыбнулась ему, — хотя, конечно, здесь очаровательно. Думаю, мы будем приезжать сюда летом и в перерывах между работой.

— Это очень замечательно. Вам тут понравится. До моря совсем недалеко, люди очень теплые и радушные, у вас отличный участок земли. Пока дом стоял без владельцев, Ика и Анна частенько бегали туда за фруктами и ягодами, — рассмеялась Тинатин. — А у вас есть дети?

— Пока только один — Иосиф. Он сейчас в Тбилиси у бабушки.

— Как замечательно! Сколько Иосифу лет?

— Он ровесник Анне — ему 6 лет. Мы планируем приехать в следующий раз вместе.

— Анна, дорогая, ты слышала? Скоро у тебя появится друг Иосиф.

— Уверена, они подружатся!

Лали нравилась эта семья. В ней не было показной нежности как между ними с Германом, но складывалось ощущение прочного фундамента из взаимоуважения и любви. Казалось, Карду с женой прекрасно дополняли друг друга: строгий, молчаливый 46-летний доктор и живая, общительная, мягкая хранительница очага — Тинатин. Он был старше ее на 11 лет, но это не сильно бросалось в глаза — оба они выглядели очень молодо и свежо. С ними было действительно интересно. Карду был начитан и образован, он знал много из истории Советского Союза и мира, увлекательно говорил про свою работу. Тинатин же все время шутила и разбавляла интеллектуальную беседу мужа любопытными историями из жизни улицы или города, рассказывала про своих детей и годы, проведенные в Москве, живо интересовалась их с Германом работой. Обед с Курдиани был комфортным, насыщенным, веселым и по-семейному теплым. Пожалуй, у Лали еще не было таких интересных знакомых, как они. Дети производили на Лали не менее приятное впечатление, чем их родители. Ика был вежлив, сдержан и беспрекословно слушался отца, а Анна была живой любопытной девчушкой с огромными карими глазами. Брат и сестра были полной противоположностью ее собственного сына — Иосифа, который не любил общения со сверстниками и всегда отдавал предпочтение книгам и одиночеству или взрослой компании. Смог бы он подружиться с Анной? Лали бы этого очень хотелось.

Пока Герман и Карду обсуждали положение дел в Тбилиси и в Грузии в целом, Лали осторожно наблюдала за обоими Курдиани. Могла ли у нее быть похожая семья? Семья, в которой она бы нежно любила своего мужа и была бы его опорой и поддержкой, его тылом. Тинатин рассказала Лали, как познакомилась с Карду: она была анестезиологом в его отделении. Сначала они просто работали вместе, общались, узнавали друг друга. Затем стали все больше оставаться наедине и проводить время вдвоем. Тинатин, смеясь, сказала, что они с Карду полюбили друг друга головой, рационально, потому что это было «правильно». Не было у них какой-то волшебной романтики. Просто им было хорошо и интересно вдвоем. А уже потом из этого рационализма выросла настоящая теплая дружба и крепкая семья, основанная на глубокой любви. Тогда ее будущий муж подавал большие надежды, но никто и представить не мог, что он станет таким блестящим врачом и займет столь высокое положение в обществе. Лали спрашивала себя, могла бы она выйти замуж за простого кардиолога, пока еще незнаменитого и несостоятельного? Конечно же нет. Лали всегда хотелось особенной жизни. Той жизни, которой она жила сейчас.

— Когда вы планируете приехать снова? — поинтересовался Карду.

Лали посмотрела на мужа: она не имела представления о его планах. Еще сегодня утром она была хозяйкой только одной квартиры в Тбилиси, а теперь у нее есть дом у моря. Эта мысль приятно согревала.

— Мы улетаем сегодня в Тбилиси ночным рейсом. У меня дела. Но к следующим выходным мы планируем вернуться снова.

— Понимаю.

— Вы знаете, с другой стороны от вашего дома на Варшанид-зе, 70 стоит дом моего друга и товарища Важи. Важа Натишвили. Может, вам доводилось слышать о нем?

Герман отрицательно качнул головой.

— Важа — главный архитектор Тбилиси. Очень мудрый, глубокий человек и интересный собеседник. Вам будет о чем с ним поговорить. Как раз к выходным они собираются приехать с семьей в Батуми.

— Тоже на лето? — поинтересовался Герман.

— Не-е-е-ет. — протянул Карду. —Важе исполнилось 62 года в этом году. У него сын, ровесник Ики. Важа решил, что пора на покой — растить парня. Вот и перебирается из Тбилиси в Батуми. Кто знает, Герман, может, и вы с супругой и сыном когда-нибудь полностью осядете в Аджарии.

— Не скрою, Карду, такие планы у меня имеются. Мы с Лали хотим завести еще одного ребенка.

— О, это прекрасно! — вмешалась Тинатин. — Лали, ты готова оставить балет? Сколько тебе сейчас?

— Мне 24 года. Конечно, я понимаю, что второй раз я не смогу вернуться в балет после рождения ребенка — будет уже слишком поздно. Но я всегда смогу тренировать детей, заниматься педагогикой и продолжить свою карьеру в ином ключе.

По правде говоря, Лали нисколько не пугали мысли расстаться с балетом. Она очень любила балет, потому что он приносил ей известность и вводил в определенные круги. Но если то же самое ей будет давать муж, то она легко могла бы расстаться с балетом и жить жизнью советской элиты.

— Да, моя жена не может представить себя без балета.

— А ты, Тинатин, чем сейчас занимаешься? У тебя сейчас есть работа? — спросила Лали.

— О да. Моя работа — это дом, семья, муж, дети. Сейчас я занимаюсь воспитанием Ики и Анны, уходом за домом, поддержанием нашего быта. Я делаю все, чтобы мой муж мог сосредоточиться на своей работе и ни на что не отвлекаться.

— Я всегда говорю, что без моей Тинатин я бы не был тем, кто я есть сейчас. Я был бы либо выдающимся хирургом, либо хорошим отцом и мужем. Она же помогает мне быть и тем и другим, освобождая мое время для медицины и давая мне необходимую поддержку и покой. Герман, ты, наверно, не поймешь меня. В кино и творчестве нужны эмоции и страсти. Они вдохновляют. А вот в изучении работы сердца нужны покой и гармония, ничто не должно отвлекать.

— Карду сейчас как раз занимается очень большим и важным исследованием, — вставила Тинатин.

— Тинатин, не надо, — мягко прервал ее Карду.

— Карду, ну что вы, так интересно! Расскажите подробнее, — попросила Лали.

— Сейчас я изучаю ГБО — гипербарическую оксигенацию, выражаясь профессиональным языком. Это применение кислорода под высоким давлением в лечебных целях. Этот метод позволит проводить сложные операции на сердце и помогать практически безнадежным пациентам. Конечно, в будущем ГБО можно будет применять и в других областях медицины, но пока я изучаю общие свойства, а также положительное влияние именно на сердце человека. Как понимаете, здесь нужна высокая концентрация на работе. И Тинатин помогает так организовать нашу жизнь, что я абсолютно ни на что не отвлекаюсь. В моей жизни есть только сердце человека и моя семья. У тебя же наверняка все наоборот? Для вдохновения тебе нужны страсть, эмоции, чувства? — спросил он Германа.

— Да, абсолютно верно. И в этом мне также помогает моя красавица жена.

Все рассмеялись.

— Ну что ж, предлагаю наполнить бокалы за наших прекрасных жен!

Через несколько часов Герман и Лали уже сидели в самолете на пути в Тбилиси. Дом произвел на жену именно такое впечатление, которого Герман и ожидал, — она была совершенно поражена, обрадована и приятно удивлена. Как широко распахнулись ее оленьи глазки, когда она вышла из такси и впервые увидела его подарок. Герман скосил глаза на соседнее кресло и посмотрел на жену. Как же ему повезло с Лали! Она была невероятной красавицей. Красота ее не была ни роковой, ни страстной. Она была нежной и мягкой, женственной. Лали выглядела как маленькая девочка: ее лицо не покидало наивное выражение детского восторга, а хрупкая фигура балерины напоминала подростка. Глядя на Лали, никто бы и не сказал, что у нее уже взрослый 6-летний сын.

Герман нежно провел пальцем по щеке спящей жены. Какой бы прекрасной и ласковой она ни была, как бы сильно он ее ни любил, а любил он ее очень сильно, Герману все равно хотелось других женщин. Просто потому что они существовали. Просто потому что он был мужчиной. Он с ними встречался, флиртовал, проводил ночи, иногда влюблялся. Догадывалась ли Лали об этом? Уж во всяком случае, она никогда и виду не подавала. И этот дом — очередное признание его вины перед ней, его попытка искупить ту боль, которую, возможно, он ей причинял. Герман был не готов потерять жену, но и менять что-либо в своей жизни он тоже не хотел. Кроме того, Герман всегда мечтал иметь большую семью. В его мыслях в далеком будущем он — старый, глубокоуважаемый, известный режиссер, а возможно (кто знает?), и министр просвещения Грузинской ССР — всегда окружен детьми, их женами и мужьями, внуками. Рядом с ним его Лали — все такая же нежная и красивая. Они будут проводить вечера в беседке, разговаривая о жизни, былом и грядущем, науке и политике, мировой литературе и драматургии. Вот что хотел он построить. И без Лали это никак не случится.

## Глава 8. 1975 год. Батуми

Семейные ужины были традицией в семье Натишвили. Ни один вечер не мог пройти без совместного ужина за большим столом. Было в этом что-то фундаментальное, прочное. Каждый вечер мать готовила вкусную еду, а Давид помогал ей накрывать на стол, расставлял красивый сервиз и хрустальные бокалы под вино. Отец ежедневно приходил к ужину без опозданий. К его приходу дом уже наполняли запахи свежеиспеченного хачапури, дымящегося харчо и чего-нибудь на второе. Мать обычно весело и громко шутила, Давид улыбался и подыгрывал ей, в квартире играло радио. В таком расположении духа их и заставал Важа по возвращении из проектного бюро или ЦК. Как бы много важных дел ни было у него, отец Давида никогда не пренебрегал этим временем в кругу их небольшой семьи. За едой отец и мать рассказывали события прошедшего дня, делились новостями и обсуждали важные решения, при этом мнение Давида обязательно внимательно выслушивалось и принималось к сведению. Это давало ему ощущение значимости, делало старше в собственных глазах.

Но сегодня день был особенный. Они и раньше часто приезжали в этот дом, в этот город. Часто ужинали на этой кухне, за этим столом. Но теперь первый раз они делали это как постоянные жители Батуми. Давид был рад переменам и знал, что отец с матерью тоже. За столом чувствовалось легкое радостное возбуждение.

— Дорогой мой, как тебе чахохбили? — обратилась к Давиду мать.

— Вай мэ, мамико! Как всегда! — было так вкусно, что Давид отвечал с полным ртом еды, не в силах оторваться от ужина.

— Важа, а ты что скажешь?

— Скажу, что ты прекрасная хозяйка и твое чахохбили тоже. Валя, налей нам вина.

Мать взяла в руки кувшин и разлила киндзмараули по двум бокалам.

— И мне! — попросил Давид.

— Давид... — начала было мать, но отец оборвал ее:

— Пусть его! От одного глотка хорошего вина еще ничего плохого не было.

Мать принесла третий бокал и плеснула Давиду немного вина.

— Ну что ж, — начал отец, поднимая бокал. — Я прожил уже достаточно, чтобы понять, что настоящее счастье мужчина испытывает только в семье, где его любят и ждут, поддерживают и понимают. Я многое пережил и могу сказать, что жалованье, должность, положение в обществе не заменят ласки и теплоты, домашнего уюта. Деньги не обнимут холодной ночью. Товарищи из трудового коллектива не пройдут с тобой огонь и воду. И потому этот бокал я подниму за то, чтобы в нашем новом доме всегда царили уважение, поддержка, любовь и дружба. Не важно, в каком городе мы живем, как мал или велик наш дом, важно, что мы вместе.

Все трое звонко чокнулись фужерами и осушили их до дна. Давиду вино пришлось по вкусу: сладкое, теплое, вязкое.

— И запомни, Давид, самое главное в этой жизни — это семья и дружба.

— Да, отец.

Давид взглянул на отца, и ему вдруг подумалось, что на самом деле Важа уже очень стар: его когда-то черные волосы покрывала седина, лицо его раздулось и одряхлело, под глазами свисали тяжелые, серые припухшие мешки, а меж бровей пролегала глубокая морщина. Отец отер ладонью пот, проступивший на лбу и на горбатом широком носу, вздохнул и потянулся за хачапури. В его черных глазах, всегда спокойных и уверенных, промелькнула грусть. Должно быть, вспомнил свою первую жену. Давид знал, что совсем давно у отца была другая жена. Она была молодая, лет 16—17, кажется, и умерла в родах. Ребенок тоже умер. Говорили, отец тогда долго не мог прийти в себя. Много лет прошло, перед тем как он встретил мать.

— Сегодня вечером мы останемся дома или пойдем к Курдиани? — поинтересовался Давид, все еще не сводя глаз с отца.

— Карду сказал, что в 72-м доме теперь живут Герман и Лали Табидзе с ребенком. Они вроде как планируют провести здесь лето.

— Тот самый Табидзе? — подняла свои густые брови мать. Ее круглое смуглое лицо еще сильнее округлилось от удивления.

— Что за Табидзе? — живо поинтересовался Давид. — Что за ребенок? Девчонка?

— Герман Табидзе — известный режиссер. Одна из его картин была представлена на Каннском фестивале. А Лали — его жена — балерина.

— Да, да, я видела ее Джульетту. Удивительно пластичная и гибкая! Такая красивая. Совсем молоденькая и выглядит как девочка.

— А между тем ее сыну уже шесть!

— Совсем маленький, — с деланым равнодушием констатировал Давид. На самом деле ему было не все равно. Давиду не хотелось принимать в свою дружбу с Икой кого-то другого. Но новенький был еще совсем спляк, по мнению Давида, и никак не мог угрожать их дружбе с Икой. — Будет Кате с кем проводить лето.

Мать почему-то улыбнулась.

— Так мы пойдем к ним, отец?

— А ты хочешь?

— Было бы неплохо.

— Тогда пойдем. Они звали нас сегодня.

Когда уже стемнело, Давид с отцом и матерью отправились к Курдиани. У них было шумно, весело и, как всегда, людно. Большинство гостей располагались в беседке на улице, кто-то отошел в дом, пообщаться в тихой обстановке, везде бегали дети. Сразу после приветствия и знакомства с новыми соседями Табидзе Давид и Ика ушли из общей беседки в сад. Наконец, они могли поговорить, разделить совместную радость от того, что Давид теперь будет жить в Батуми, что они будут ходить в одну школу, а может, и в один класс, обсудить все, о чем так долго рассказывали друг другу в письмах весь школьный год.

— Как тебе эти Табидзе? — после долгой и радостной беседы обо всем самом важном спросил наконец Ика.

— Они выглядят как хорошие люди. — Отец всегда учил Давида хорошо отзываться о любых людях и не выказывать неуважения. Но Табидзе Давиду и правда приглянулись. — Мать говорит, Лали — известная балерина.

— Да. Видел, какая красивая? Она очень молодая. А он — режиссер. Тоже известный.

— Ты видел его фильмы?

— Нет, но отец говорит, что он даже показывался на каком-то заграничном фестивале, и это очень почетно.

— А сын?

— Мне его только представили и все. Ему шесть, но он выглядит намного старше. Сидит со всеми вместе в беседке. Аня пыталась с ним поиграть, но он не захотел. Серьезный такой.

— А вот и Аня. Что ты здесь делаешь, малыш?

— Ика, Ика, можно мне с вами? Мама разрешила. — Аня задыхалась от бега. Ее волосы, убранные в косу, растрепались, в платье застряли листья.

— Ты не хочешь поиграть с Иосифом? Он же твой ровесник. С ним тебе будет интереснее, чем с нами.

— Он плохой мальчишка! — выпятила нижнюю губу Аня.

— Аня, так нельзя говорить, — одернул ее брат. — С чего ты этак говоришь? Что он сделал такого нехорошего?

— Он сказал, что ему не интересно бегать по мокрому саду с малышами, что лучше послушать взрослых.

— С малышами? — Давид и Ика рассмеялись.

— Ты же говорил, ему шесть?

— Да, он назвал меня и Надю малышами.

— А где Надя?

— Она с родителями только что ушла.

— Ну, Иосиф не хотел обидеть вас. Не расстраивайся, кроха. Лучше идем с нами. А позже мы все вместе еще раз познакомимся с Иосифом и подружимся, вот увидишь.

— Нет, не хочу, — не унималась Аня.

— Аня, так нельзя. Он тут совсем никого не знает. Он еще гость в этом городе. Представь, как ему одиноко и сложно? Ты бы лучше помогла бы завести ему друзей, сама бы с ним подружилась. Я уверен, он хороший мальчик.

— Хорошо, — потупив взгляд, тихонечко произнесла Аня. — Я попробую.

«Любой гость — от Бога» — так учил Давида отец. Не важно, кто этот гость: высокий чиновник или простой прохожий. Помочь, гостеприимно принять, подсказать, угостить, разместить на ночлег, показать город… Хороший грузин должен поступать так.


## Глава 9. 1975 год. Батуми

Иосифу нравился их новый светлый дом. Здесь было просторно и тихо. У него была своя большая комната, рядом с которой был его собственный туалет и ванная. Он любил просыпаться пораньше, забираться с книжкой в кресло на нижнем балконе и ждать, когда бабушка проснется, приготовит завтрак и громко позовет его «Ио-о-о-ося!». Утром, пока весь дом спал, было так хорошо! В саду ощущалась утренняя прохлада, на траве еще лежала крупная роса, вокруг пахло абрикосами и морской солью. Было тихо-тихо, только сверчки пели свои песенки где-то глубоко в траве. Иосиф любил начинать день вот так. Он уже полюбил Батуми за возможность бывать одному, читать книжки, наслаждаться природой и часто бывать в обществе взрослых, когда родители брали его на вечера к Курдиани. В общем, дом в Батуми нравился ему много больше их квартиры в Тбилиси.

А еще ему нравилась мама в этом доме — она тут была всегда очень радостна и весела. Этого нельзя было не заметить. Даже походка в ней менялась — она словно порхала по этому дому. В Тбилиси было не так. В Тбилиси мама всегда куда-то спешила, всегда была чем-то озабочена. Но как только они садились в самолет и летели в Батуми, мама как будто бы расслаблялась, забывала обо всем и предвкушала прекрасное время в их летнем доме. Она часто говорила «наш летний дом». Когда они садились в такси, мама говорила водителю: «В аэропорт, пожалуйста. Мы летим в наш летний дом». Или в аэропорту на вопрос, куда вы летите, она неизменно отвечала: «В Батуми. В наш летний дом». Должно быть, маме здесь было действительно хорошо, ведь она так часто говорила про этот дом.

Тут он почти всегда бывал один или с бабушкой. Мама и папа не часто приезжали сюда и ненадолго оставались. Даже если родители приезжали в Батуми, они все равно проводили большую часть времени вдвоем или в гостях. С соседскими детьми он так же почти не общался — ему это не особо нравилось. Разве что иногда они завязывали с ним разговор на пляже у моря. Особенно часто заговаривала с ним маленькая Курдиани — соседская девочка Аня. Аня совсем его не интересовала — она была очень маленькая, шумная и никогда не могла усидеть на месте. Кроме того, она не читала книг, не любила учиться и была очень привязчива. Глядя на нее, Иосиф всегда думал о том, что она, будучи его ровесницей, очень сильно отличается от него самого. Почему он так сильно не любил ее? Может, потому, что вокруг нее всегда было так много других детей и было так шумно? А может ли так быть, что он не любил ее, потому что завидовал ей? Ведь он никогда не был центром внимания, не заводил друзей, и она олицетворяла все то, что делают другие и чего не делает он.

Из дома раздалось привычное «Ио-о-о-о-о-ося-я-я!». Иосиф выбрался из кресла и заспешил в столовую, где мама и папа уже сидели за столом, а бабушка расставляла еду. Так здорово, что сегодня можно позавтракать всем вместе, ведь мама и папа тоже прилетели на выходные. Родители, как обычно, разговаривали о чем-то своем и прервались, только чтобы поздороваться с ним.

— Доброе утро, сынок! — ласково сказала мама. — Иди поцелуй меня.

— Доброе утро, — поприветствовал папа.

Иосиф поцеловал маму в щеку, поприветствовал папу и бабушку и уселся на свое место за столом. Родители вернулись к прерванной беседе.

— А как идет работа над фильмом?

— Неплохо. Очень даже неплохо!

— Милый, ты точно решил, что это должен быть именно документальный фильм?

— Да, это прекрасная идея! Как много ты знаешь документальных фильмов о грузинских футболистах?

— Ни одного, который был бы представлен на Каннском фестивале.

— Ну, милая... Не все измеряется Каннским фестивалем.

— Да, но ведь это высшая награда.

— Заграничная, не забывай этого! Нужно стремиться завоевать внимание и любовь внутри Союза.

Мама вздохнула.

— Это будет потрясающая картина! Весь Советский Союз будет смотреть мой фильм, — с энтузиазмом продолжал папа.

Иосиф завороженно слушал отца. Он ни капли не сомневался в том, что так оно и будет. Вон как папа уверен, как возбужден и увлечен своей идеей. Папа знает, что делает.

— Так почему бы не сделать его художественным? Ты также можешь снимать фильм про своего футболиста, но это уже будет художественная картина, с интересным сюжетом и глубокой мыслью. Картина, которая поможет людям увидеть степень твоего таланта. И этот фильм не скучно будет смотреть. И потом его также смогут отметить в Каннах.

— Это должен быть именно документальный фильм, Лали. Ну как ты не понимаешь! Он будет греметь! Ты будешь женой самого известного режиссера Советского Союза! Вот увидишь. Ты же этого хочешь, правда?

Тут мама звонко рассмеялась. Она протянулась через весь стол, обхватила папу за шею и поцеловала его в щеку. Иосиф вдруг захотел навсегда запечатлеть этот момент. Вот они все сидят так дружно и хорошо: он, бабушка, уверенный папа и веселая, счастливая мама. Какой же красавицей была его мама! Иосиф даже придумал, как он запечатлеет этот момент: он запишет это все, и пусть это останется на бумаге. А когда папа и мама уедут в Тбилиси или Москву, он будет перечитывать то, что записал, и на душе его будет так же тепло, как и сейчас.

Иосиф дождался, когда закончится завтрак, помог бабушке убрать все со стола. А потом взял бумагу и карандаш, устроился поудобнее в своем кресле на нижнем балконе и начал писать.


## Глава 10. Ноябрь 2002 года. Санкт-Петербург

Вернувшись из Барселоны, я с новыми силами приступил к учебе, правда, теперь мое внимание привлекали только некоторые предметы: английский язык, экономика, математика, а в свободное время я штудировал всю доступную мне литературу по фондовым рынкам, ценным бумагам, фьючерсам и опционам. Я хотел знать все. Я изучал новости, покупал экономические и политические журналы, с интересом слушал рассказы отца о работе и разговоры его друзей на вечеринках. Моя жизнь вдруг наполнилась смыслом, и каждое действие, каждый мой шаг были нацелены на осуществление мечты. Я хотел как можно скорее встать на ноги, быть независимым и успешным для того, чтобы мы с Лианой были вместе. Днем я учился, а вечера я проводил за телефонными разговорами или интернет-чатами с Лианой. Учеба, фондовые рынки и Лиана — больше меня ничего не интересовало.

Мы часами разговаривали с ней по телефону. Мне было интересно все: что происходит у нее в школе, что им задают на дом, с кем она ходит гулять на выходных, в чем она одета, какие книги читает, что думает о том или ином событии. Каждый вечер я с нетерпением ждал девяти — то время, в которое мы обычно созванивались, затем бежал в комнату за телефоном, усаживался поудобнее на своем диване, обхватывал трубку и набирал заветные цифры ее номера. После первого же гудка она снимала трубку, и я понимал — она тоже ждала. «Привет, Карду», — произносили ее губы, растянутые в улыбке. Я слышал ее, я представлял эту улыбку — самую дорогую для меня улыбку. И мы начинали болтать. От ее легкого, веселого голоса мне всегда становилось теплее. «Расскажи мне, Карду, как прошел твой сегодняшний день?» — и я с радостью начинал перечислять все события прошедшего дня, стараясь не упустить ни одной детали. Мы жили жизнями друг друга, и мы знали друг о друге все. Или почти все. Лиана по-прежнему не говорила много про свою семью и избегала тем о своем отце и его работе.

Удивительно, но мне хватало ее одной. Она жила почти в трех тысячах километров от меня, но это не мешало мне любить ее. Потому что никто не мог сравниться с Лианой. Лиана была умная, начитанная, интересная, глубокая, веселая, нежная. Она была самой красивой девушкой из всех, что мне довелось встречать. А еще она, сама того не зная, дала мне цель и стимул в жизни — то, чего мне так остро не хватало и чего я так сильно искал. Она давала мне силы двигаться дальше, заряжала меня энергией и вдохновляла. Общаясь с ней, я сам чувствовал себя другим — взрослее, умнее, опытнее. Одним словом, она давала мне ощущение собственной значимости, собственной исключительности. Она расправляла крылья за моей спиной. Почему она выбрала меня? Что такого она разглядела во мне? Я и думать об этом не хотел. Главное, что она ждала меня. А я — ее.

— Лиана! Помнишь как-то я говорил, что отец хочет отправить меня учиться в Лондон?

— Помню. Ты еще пообещал взять меня с собой.

— Отец хочет, чтобы по окончании этого учебного года я сдал экзамены и поступил в колледж. Он не хочет, чтобы в одиннадцатом классе я продолжил обучение в Лондоне.

Лиана ничего не отвечала. Я весь напрягся в ожидании ее ответа. Вдруг она заговорила, а я почувствовал веселый задор в ее голосе:

— Так, значит, все-таки Лондон?

Я тихонько выдохнул с облегчением: меньше всего я хотел бы сейчас ссориться с ней.

— Ты уже все узнал? Какие предметы сдавать, куда поступать, где жить?

— Мы пока не думали об этом. Отец хочет, чтобы высшее образование я получал в Лондоне, а для этого нужно окончить колледж.

— Ну, раз так, то давай думать, в какой колледж мы поедем учиться.

— Мы?

— Ну, конечно.

Спокойная уверенность в ее голосе придала уверенности и мне. Я вдруг понял: это наш шанс жить в одном городе, видеться каждый день и проводить столько времени вместе, сколько нам пожелается. Больше не будет этих телефонных разговоров, переписок по СМС, длительного ожидания встреч. Лиана всегда будет рядом со мной. Мое сердце забилось чаще. Мир мгновенно стал ярче, светлее, радостнее.

— Лиана! — в нетерпении вскричал я. — Как здорово ты все придумала! Мы будем видеться каждый день!

Она звонко рассмеялась:

— Ну это мы еще посмотрим! Вдруг ты не сможешь сдать английский.

С той минуты все наши действия были подчинены только одному — поступлению в лондонский колледж. Я усиленно занимался день за днем, минуту за минутой, прерываясь только для того, чтобы поговорить с Лианой. И даже наши телефонные разговоры были о том, как мы продвигаемся к этой цели.

Лиана решила не говорить родителям о решении уехать в Лондон до момента, пока она не сдаст экзамены. Она не сомневалась — родители поддержат ее решение. Финансовых проблем в семье успешного писателя и сценариста Табидзе конечно же не было. Лиана, как, впрочем, и я, не видела никаких трудностей.

Мы верили, что наше будущее в наших руках. И действительно, что могло нам помешать?

А пока мы мечтали, нам оставались только эти нескончаемые телефонные звонки.

## Глава 11. Ноябрь 2002 года. Батуми

Лиане нравились их телефонные звонки. Во время них она испытывала чувство полёта, свободы. Она могла говорить, говорить и говорить, а он внимательно слушал ее час за часом, день за днём. Ей нравилось, что появился наконец кто-то, кто готов ее слушать и с кем она может быть такой, какая она есть, не притворяясь. Можно было быть естественной и не надо стараться заслужить внимание, он уже давал ей это внимание и даже больше: он жаждал его отдавать всем сердцем, всей душой. Любила она эти разговоры ещё и потому, что они уносили ее совсем в другой мир — мир грёз и мечтаний, мир, в котором он заберёт ее отсюда, в котором он возьмёт за руку и приведёт в свой дом, защитит и никогда не обидит. Пока он говорил, а она слушала, или, наоборот, она говорила, а он слушал, ей не надо было тревожиться за отца. Тревога приходила позже: она обступала Лиану со всех сторон, стоило ей только повесить трубку.

Сегодня, когда Карду позвонил ей, она была сама не своя: за ужином папа был угрюм и все больше молчал. Мама тоже не проронила ни слова. Лиана гадала: уйдёт ли он сегодня ночью? Или останется дома? Она так переживала и так волновалась, что во время звонка голос ее был неестественно прыгуч, речь — тороплива и сбивчива. Слова спешили, налетали друг на друга, толпились и обрывались прямо в середине. Воздуха в легких предательски не хватало, чтобы закончить предложение. О! Только бы он не заметил, только бы не узнал ее *такую*. Но он, казалось, не замечал, и ее это успокаивало.

Они болтали о Лондоне. Воображали, как пройдет перелет, как разместятся в кампусе, как будут ходить друг к другу в гости, как будут вместе заниматься. Представляли, как каждый из них обставит и украсит комнату в кампусе, какое постельное белье выберет, где будет стоять письменный стол и что будет висеть над ним. Еще составляли план изучения города, спорили, куда отправятся в первую очередь, что хотят посетить.

Когда разговор был окончен, Лиане было совершенно спокойно. Она разделась, легла в постель и сразу провалилась в сон. Но почти сразу проснулась вновь: внизу громко хлопнула входная дверь. «Это отец! Он уходит!» — пронеслось в голове у Лианы. Она моментально вскочила с кровати, подбежала к окну. Точно! Вот он уже закрывает за собой калитку их невысокого забора и спешным шагом удаляется прочь.

Лиана знала, что в эту ночь, как и во все такие ночи, она не сомкнет глаз ни на минуту. Она забралась на подоконник и стала ждать. Она почувствовала, что дрожь пробивает все ее тело. Что это? Холод или страх? Спустя несколько часов она все сидела у окна, поджимая колени к себе, кутаясь в тоненькой ночной рубашке. Спать она не шла — не могла. Беспокойство мешало ей уснуть. И ещё стук собственного сердца. Оно чудовищно громыхало, и Лиане казалось, что мама слышит его в соседней комнате.

Под утро отец показался на тропинке. Она вся подобралась, словно зверек, готовившийся отразить нападение хищника. Прислушалась. Вот он вошел, скинул ботинки. Мама спустилась к отцу, и на кухне они начали разговаривать о чем-то вполголоса. Но ни слов, ни интонаций было не разобрать. Они почти никогда не повышали голоса после *того* раза, никогда больше не ссорились после *той* ночи. Тем не менее Лиана чувствовала — что-то не так. Ей показалось, что мама плачет. Или это папа? Сердце ее разрывалось от жалости, но ещё больше — от тревоги. Она не знала, что ожидать. Заснуть она смогла бы лишь тогда, когда все в доме погрузится в сон, когда и отец, и мать, без сомнения, будут спать. Вот тогда ей можно будет ни о чем не волноваться. Тогда только она будет знать, что *тот* раз не повторится.

В *тот* раз все было также, но тогда ей было лет шесть-семь — она не помнила точно. Отец пребывал в одном из своих самых мрачных состояний. О нет, он не всегда был таким. Он умел быть и веселым, и разговорчивым, и интересным, и смешным. Но иногда на него что-то находило, и он весь как будто погружался в молчание и тоску. Так случилось и теперь. А когда после ужина отец собрался и ушёл, Лиана спросила у мамы:

— Куда пошёл папа?

— Не переживай, — ответила мама, ласково гладя ее по голове. — Он прогуляется перед сном и вернётся обратно.

Прошёл час, а он не вернулся. Прошло два — и он не вернулся. Лиана ложилась уже было спать — но он все не возвращался. Невероятное беспокойство охватило Лиану. Все ее нутро сотрясала мелкая, тихая дрожь.

Она не могла спать.

А потом на дорожке перед домом показалась фигура отца. Шёл он неровно, покачиваясь, с трудом соблюдая равновесие. Вдруг Лиана услышала страшный грохот внизу — это отец долбил в дверь.

— Нана, открывай! На-на-а-а-а-а.

Сердце Лианы подпрыгнуло к самому горлу, ладони вспотели, а по щеке покатилась немая слеза. Лиана услышала, как мама босиком бросилась вниз.

Дверь с шумом распахнулась, отец заорал на весь дом:

— Чем ты занимаешься, пока я пишу? Что ты делаешь, когда я, не жалея глаз, пишу романы и эти поганые сценарии, чтобы тебе было что есть и где жить, чтобы ты и твоя дочурка щеголяли в платьях?

Лиана слышала, как мама уговаривает отца быть тише, ведь она, Лиана, спит. Зачем будить ребенка?

— А пусть твоя дочь слышит, что ты шляешься по дворам с кем попало. Мне все-е-е-е рассказали. Видели тебя с ним вдвоём! А-а-а-а? Что теперь ты скажешь?

— Как тебе не стыдно?! — возмутилась мать, и в ту же секунду Лиана услышала, как что-то сильно шмякнуло.

Неужели?! Из глаз текли беззвучные слёзы.

— Ты не думаешь о том, как о твоём муже будут говорить? — рычал отец. — Не думаешь, что твоего мужа не будут уважать. Тебя видели! Мне все рассказали.

Лиана слышала, как мать пыталась возражать, но снова раздался этот липкий, страшный шлепок. Мама вскрикнула и заплакала.

А отец... Отец начал крушить все вокруг. Лиана не помнила в точности, как и почему он рушил их дом, она лишь слышала дикий грохот, его звериный крик, похожий на рёв хищника, и мамин плач. Лиана была не в силах это вынести. Она спрыгнула с кровати, спотыкаясь и трясясь от страха, спустилась по лестнице, подбежала к отцу и замерла. Что ей делать?

— Лиана, марш в комнату! — закричала мать. — Немедленно.

Лиане стало страшно. Она увидела, как по лицу мамы из рассечённой брови стекает струйка крови.

— Мамочка! — закричала Лиана. — Папа, папа, умоляю, не бей маму. Я буду хорошо себя вести, я клянусь, клянусь, только не бей маму.

Он оттолкнул ее и прорычал:

— Иди в комнату.

Лиана не в силах была сдвинуться с места. Ноги словно вросли в паркет.

— Я сказал — быстро в комнату! Ты ещё тут будешь мне перечить. Я твой отец!

Лиана почувствовала, как начинает задыхаться, а отец размахнулся со всей силы и ударил по шкафу. На шкафу висел подвесной слоник-марионетка. Эту игрушку он подарил ей как сувенир из прошлой поездки по работе в Москву. Он с любовью выбирал его, вёз из другой страны и с такой нежностью подарил. Она часто играла с марионеткой, а когда заканчивала — неизменно вешала слоника на шкаф — так он ей нравился.

И вот от удара отца струны марионетки порвались, поранив ему руку в кровь, а кусочки розового слоника разлетелись вдребезги по коридору, запрыгали по полу, покатились под шкаф. Лиана онемела от ужаса. На ватных, негнущихся от страха ногах она побежала к себе в комнату, залезла на кровать и накрылась с головой одеялом. Она не спала в ту ночь. Она плакала что было мочи и молилась, чтобы папа не убил маму. Она думала о том, сможет ли простить его когда-нибудь, если все же убьёт, и как же дальше жить на свете — без мамы?

Когда в доме все стихло, она выбралась из своего убежища — посмотреть. Ей казалось, ни кусочка не осталось на месте. Разбитая посуда, разломанная мебель, капли засохшей крови на полу. И кусочки ее розового слоника, которые ей уже никогда не собрать в единое целое. Она села на пол, взяла в руки кусочки слоника и горько заплакала. Интересно, жива ли мама?

Наутро отец и мать закрылись на кухне и долго разговаривали. Спустя много времени они наконец открыли дверь и позвали Лиану на кухню.

— Лиана, — мягко спросила ее мама. — Скажи, ты хочешь, чтобы папа жил с нами? Или лучше без него?

Щеки Лианы запылали. Как могла она, как могли они заставлять ее отвечать на такой вопрос? Она подняла глаза на отца — тот молча ждал. Ну как же несправедливо было ждать от неё ответа! Что могла она сказать? Нет, нет и нет, она больше не хотела жить с папой, ведь жить рядом с ним — значит постоянно опасаться того зверя, что может выскочить из него в любую секунду. Но как может она сказать такое вслух? Что если папа перестанет любить ее после этого и никогда больше не захочет увидеть? Что если мама будет несчастна без папы? Что, если от ее ответа зависит их — ее мамы и ее папы — счастье?

— С папой, — тихо ответила Лиана, не поднимая глаз.

Нет, мама и папа больше никогда не повышали голоса. Никогда не ругались громко и никогда не устраивали сцен. Но Лиана, казалось, на всю жизнь запомнила ту ночь. Ночь, полную ужаса и страха, ночь, когда она поняла: здесь она не в безопасности.

## Глава 12. Ноябрь 2002 года. Батуми

Нана лежала в постели и смотрела в потолок. В доме было настолько тихо, что ей казалось, будто она слышала удары собственного сердца. Дочь Лиана давно спала в своей комнате, мужа Иосифа еще не было дома. Она перевела взгляд на настенные часы. Четверть четвертого. Нана обхватила себя руками, пытаясь успокоить. Все тело ее пронзал холодный, липкий страх.

Где мог быть сейчас Иосиф? Она звонила ему в одиннадцать, затем снова в двенадцать, затем в час, а потом перестала. В такие дни муж не брал трубку. Это был очередной период депрессии, случавшийся с ним всегда после особенно бурного периода яркого эмоционального возбуждения. Последние несколько дней муж почти не выходил из своего кабинета. Он даже спал там на маленьком диване у письменного стола, укрывшись халатом или чем-то еще. Нана знала, что он работал и не хотел отрываться, что это очередной прилив вдохновения, что именно сейчас под ударами его пальцев по клавиатуре рождается новый роман. Но также Нана знала и другое: Иосифа накрывает волна черной депрессии, захватывает и тянет за собой в мрачную бездну безысходности и отчаяния. Она знала это по его хмурому молчанию и посеревшему взгляду, замеченному ей в те редкие минуты, когда Иосиф спускался в кухню поесть.

Сегодня он также спустился вниз около десяти часов вечера. Она скользнула из своей комнаты за ним, думая, что муж пойдет на кухню. Но он широким шагом пересек гостиную, быстро накинул куртку и вышел из дома. Она бросилась за ним, но успела увидеть, только как его высокая фигура скрылась за небольшим забором из камня.

— Иосиф! Иоси-и-иф!

Напрасно она пыталась позвать его: муж не обернулся. Слышал ли он ее?

Тогда Нана вернулась в дом и стала ждать. Как ждала она его все 17 лет их совместной жизни.

Нана перевернулась на бок и тяжело вздохнула. Главное, перестать нервничать. С Иосифом ничего плохого не случится. Не случалось же раньше? Вот и сейчас обойдется.

О том, что Иосиф страдает маниакально-депрессивным расстройством, Нана догадалась через несколько месяцев после знакомства с ним. В день, когда она впервые его увидела, Иосиф был очень приветлив, весел, общителен и интересен. Он предстал перед ней как человек редкого интеллекта и воспитания: харизматичный, обходительный интеллектуал с исключительным чувством юмора. Рассказами об истории и политике, необычными фактами и их интерпретацией он увлекал ее в свой удивительный мир, открывал новые горизонты и расширял кругозор. Вниманием и обходительностью он пленил ее юное сердце. Она вся трепетала под взглядом его глубоких карих глаз, тонула в его обаянии.

Но со временем пришлось познать и другую сторону ее возлюбленного. То был невнимательный и грубый человек, по большей части пребывавший в мрачном молчании. Очевидно, он понимал всю степень контраста, которую представлял собой, а потому в тяжелый период старался избегать Нану. Тогда они не виделись неделями. Но если вдруг им случалось встретиться посреди его депрессии, то Нана сполна ощущала ее влияние на Иосифа. Он часто злился без повода, раздражался по пустякам или замыкался в себе. Это были словно два разных человека: светлый и темный, радостный и мрачный, общительный и замкнутый, любимый и отталкивающий. С первым она была безоговорочно счастлива. Осознав это однажды, она приняла его всего. Приняла со всеми недостатками, с переменами настроения, с депрессиями и замкнутостью. А приняв его, она полюбила всем сердцем.

Итак, Нана смирилась. Дальнейшее было лишь вопросом знаний. Она читала все, что могла найти о недуге Иосифа. Медицинские справочники, газетные статьи, мнения врачей. Нана искала способ облегчить жизнь как свою, так и мужа. И это оказалось очень не просто. Расслабиться Нана не могла практически никогда, потому как просто не знала, чего ожидать от мужа. Даже самый светлый и радостный день мог превратиться в начало депрессии.

А затем родилась Лиана. Тогда Нане пришлось балансировать между мужем и дочкой. Она хорошо научилась поддерживать хорошее расположение мужа и его настроение как можно дольше, но еще лучше она научилась скрывать от Лианы его недуг. Их семья казалась счастливой и прочной. Но с каждым годом держаться Нане становилось все сложнее. В ней нарастало напряжение и копился стресс. Иногда ей казалось, что вот-вот и силы покинут ее. Что она не сможет продолжать. Но до тех пор, пока любовь к мужу жива, сил все время оказывалось достаточно, чтобы прожить еще один день, и еще, и еще.

Тихо скрипнула входная дверь. Сердце Наны заколотилось как бешеное, страх сильнее сковал ее сердце. Она усилием воли заставила себя покинуть кровать и спуститься по лестнице.

Нана увидела, как Иосиф тихонько разулся, стараясь не сильно шуметь, прошел на кухню и тяжело опустился на стул. Руки его беспомощно свесились. Сгорбленный он сидел и смотрел в пустоту прямо перед собой, как вдруг он уронил голову на грудь, и до чуткого слуха Наны донеслись его горькие рыдания. Сердце ее заныло от жалости и страха. Не раздумывая, Нана бросилась к мужу, упала перед ним на колени, обхватила голову своими руками и принялась ласково гладить его черные жесткие волосы.

— Милый мой, дорогой, что случилось?

Рыдания теперь сотрясали все его тело. Его пальцы дрожали, красивые губы искривились в жалкой гримасе, временами он задыхался и давился собственными слезами. Она успокаивала и ласкала его, обнимала и целовала. Наконец, сердце Наны не выдержало.

— Скажи же хоть что-то! Я не могу сидеть и видеть тебя таким. Пощади же меня.

— Я — ничтожество, Нана, — тихо выдавил из себя Иосиф. — Я безответственный отец и бессовестный муж. Я недостоин вас с Лианой.

— Иосиф, не говори так. Все это глупая ложь, ты и сам знаешь. Мы любим и ценим тебя. Ты наша опора. Мы знаем, как много ты работаешь, чтобы мы ни в чем не нуждались, и как тяжело приходится тебе.

— Ты не понимаешь... Ты не знаешь, что я наделал.

— Так расскажи же мне!

— Ты будешь презирать меня, ты уйдешь от меня. Лиана перестанет меня любить. — Весь он снова задрожал.

Только теперь Нана увидела. Он был пьян. От Иосифа исходил запах сигарет, алкоголя и порока. Он весь был растрепан. Волосы спутаны, рубашка расстегнута и сильно измята. И вдруг она ахнула.

— Где твои часы, Иосиф?

Муж не придавал значения вещам, считал, что это просто материальный объект. Но часы были для него исключением. Классический Breget из белого золота. Он купил себе эти часы, когда один из его романов получил первый серьезный успех. Это был долгожданный подарок за труды. Это была память о первой победе и начале долгого пути писателя. С часами Иосиф не расставался никогда.

— Я буду любить тебя, что бы ни произошло. Ты можешь мне все рассказать, — тихо прошептала Нана, глядя мужу прямо в глаза.

Нана видела, как больно было мужу, как он мучился в эту минуту. Видела, как сожаление и раскаяние раздирают его душу. Она слишком хорошо его знала. Как хотелось ей утешить Иосифа, пролить лечебный бальзам своей нежности на его раны и снять терзающие муки.

— Я был в казино. И я… я проиграл.

— Милый, ну вот видишь. Все хорошо. Мы все это решим. Это нестрашно. — Она говорила тихо, вкрадчиво, ласково, а в это время леденящий холод уже разливался по ее телу и страх сжимал горло своими мерзкими липкими пальцами. — Как много ты проиграл?

— Сто семьдесят тысяч долларов. И часы.

Это было целое состояние.

## Глава 13. Апрель 1979 года, Тбилиси

Сердце Иосифа стучало так сильно, что, казалось, вот-вот выпрыгнет из груди. Он уже давно сидел в своей комнате, заперев плотно дверь, и слушал, как скандалят родители. Скандалы теперь случались все чаще и чаще. Они начались сразу, как вышел папин документальный фильм. Фильм не имел того успеха, которого все от него ждали. Но больше всего разочаровалась мама. Сначала это были небольшие ссоры по пустякам. Мама расстраивалась и плакала, говорила папе, что он не оправдал ее надежд, что ему нужно больше работать над стилем, что она обеспокоена будущим их семьи и что если так пойдет и дальше, то им будет просто не на что жить. Затем папа стал отвечать на ее слезы криками и срывами. Ссоры постепенно перерастали в скандалы. Иосиф уже и не помнил, как это — жить без постоянных скандалов, ссор, упреков и плача.

Обычно Иосиф старался отвлечься, не слышать того, что происходило за стеной, и просто писал, полностью концентрируясь на своих рассказах. Собственные рассказы уносили его прочь от этой действительности, в которой мама расстраивалась, а отец злился на себя за то, что подводил семью, и на маму за то, что она не поддерживала его. Однако в этот раз Иосиф просто не мог взять карандаш: руки его дрожали, ладони потели, и он чувствовал, как учащается его пульс, дыхание становится прерывистым, как гулко сердце бьется где-то в груди. Иосиф весь поджался как кролик, и дрожал мелкой дрожью. Ему было по-настоящему страшно. Он боялся, что родители снова начнут драться, что отец не рассчитает силы и причинит матери серьезный вред. Но больше всего он боялся, что мама уйдет. Он так сильно любил ее, так нуждался в ней, а она так редко одаряла его своей лаской и вниманием в ответ. Что же будет, если мама уйдет совсем? Заберет ли она его с собой? Позволит ли видиться с отцом? В том, что рано или поздно мама уйдет, Иосиф совсем не сомневался. Он даже иногда страстно желал этого: только бы скандалы стихли. Вот так он и жил — то боясь, что мама уйдет, то желая этого больше всего на свете.

— Сначала этот идиотский документальный фильм, который с треском провалился, теперь еще это!

— Он не провалился!

— Не провалился? Да его никто и смотреть-то не стал. Тебя поддержали только твои партийные друзья. А точнее собутыльники!

— Лали, аккуратно! Думай, что ты говоришь и о ком ты это говоришь! Их поддержки вполне достаточно.

— Более объективная публика не заинтересовалась твоим фильмом.

— Более объективная? О чем ты?

— Знаешь, Герман, есть в мире страны, где искусство ценится само по себе, а не в связи с политической идеологией.

— Да о чем ты?!

— Твой фильм был хоть как-то поддержан только потому, что он идеологически правильный! Не более того! В мире он никому не интересен!

— Ты все еще про свои Канны! И что с того, Лали? Свет клином сошелся на этих Каннах?

— Нет, но ты обещал мне другую жизнь!

— Ты плохо живешь?

— А я не знаю, что будет завтра после выходки этой жалкой актриски!

— Лали, замолчи!

— Будешь ее защищать?

Отец молчал.

— И это накануне твоей новой премьеры! Я так ждала этот фильм! Так ждала его триумфа! Ты обещал мне успех! Ты говорил мне, что этот новый фильм уж наверняка будет настоящим шедевром. Я мало терпела твоих шлюх?

— Лали!!!

— Что Лали, что? А ты думал, я слепая? Ты думал, все эти годы я ничего не замечала? Но это уже перебор, Герман! Ты спишь с актрисой, играющей главную роль в твоем фильме. И все бы ничего, но эта гадина лично распространяет листовки и призывает выйти на демонстрацию!

Иосиф знал о том, что происходило сейчас в Грузии, в основном из разговоров взрослых и имел представление, о каких листовках идет речь. Он слышал о том, что в университетах многие курсы преподают на русском языке и это вызывает определенное недовольство. Слышал он также и о том, что официальным языком в республике, возможно, станет русский. Такие разговоры ходили. Отец говорил, что большинство его друзей, представлявших грузинскую политическую элиту, настроены враждебно этой мере и собираются бороться против нее, начав с демонстрации протеста. Иногда Иосиф слышал и другие слова, кроме «демонстрации». Многие теперь опасались, что Москва крайне негативно отреагирует на происходящее, и боялись последствий.

— Тебя больше всего волнует не то, что я с ней сплю, а то, что она организует протестные демонстрации? — отец зло рассмеялся. — Скажи же, Лали? В тебе нет ни капли ревности! Ни капли задетого чувства! Только страх, верно?

— А ты не подумал о нашем будущем? Ты не подумал о том, во что может вылиться эта демонстрация, чем она может закончиться, как Москва отреагирует на это на все? И как это скажется на тебе, судьбе твоих фильмов и твоей семье?

— Лали, мои друзья в партии…

— Твои друзья в партии сами не знают, на что идут! Никто не знает, чем все это может обернуться! Неужели ты веришь в то, что Москва пойдет на уступки?

— С каких это пор тебя стали интересовать партийные дела и судьба грузинского языка? С каких пор ты стала разбираться в политике?

— С тех самых пор, как любовница моего мужа начала принимать в них активное участие.

— Это твои московские друзья, к которым ты стала так часто летать, научили тебя?

— Я переживаю за свою жизнь!

— Довольно, Лали.

— Довольно? Довольно?!! И это все, что ты можешь мне сказать?

— Что ты хочешь услышать от меня, Лали?

— Я выходила замуж за успешного, талантливого режиссера.

— Что же поменялось с тех пор?

— Талант. Куда он делся, Герман?

На кухне раздался страшный грохот и звуки бьющегося стекла. На мгновение крики стихли. Этого сердце Иосифа выдержать не смогло. А вдруг отец убил мать? Или это она выхватила нож и…

— Мамочка, перестаньте, — с диким криком бросился он на кухню.

— Не вмешивайся, — рявкнул отец. — Возвращайся в комнату.

— Папа. — начал было Иосиф, но, встретив взгляд отца, не решился продолжить.

Перед тем как уйти из кухни, его внимательные глаза успели вырвать из картины общего хаоса перевернутый посудный шкаф, разбросанные по полу осколки тарелок, чашек, блюдец и маму, отвернувшуюся к окну и не смотрящую на него.

— Ступай, Иосиф, — уже чуть спокойнее ответил отец.

Иосиф послушно отправился в комнату. Однако на этот раз он плотнее прижался к стене, чтобы слышать все, что будет сказано отцом и матерью дальше. Отец говорил намного тише и спокойнее.

— Лали, послушай меня. Я говорил, что люблю тебя. Ты одна имеешь для меня значение. Для меня важна ты, Иосиф, семья.

Да, я виноват перед тобой. Перед вами обоими. Позволь мне все исправить. И… и эта женщина не причинит вреда ни мне, ни моему фильму, ни моей семье. Я обещаю тебе, что этот фильм перевернет весь кинематограф и будет не просто упомянут на Каннском фестивале, а удостоится награды.

Мама ничего не отвечала.

«Скажи же хоть что-то, мамочка. Прости папу, он так любит тебя».

— Лали?

— Герман, я устала, — наконец тихо произнесла Лали. — Я просто хочу, чтобы все было как раньше.

— Прошу тебя, давай все забудем. Осталось совсем немного до окончания работ над фильмом. Бери Иосифа, летите в Батуми, а я прилечу следом, и мы вместе будем ждать выхода моего фильма в нашем доме. Умоляю, Лали.

Мама опять молчала.

— Ну скажи же что-нибудь, Лали.

— А как же школа?

— Я тебя умоляю, Иосиф лучший ученик. Он наперед знает программу этого класса. Пара недель в Батуми ему не повредят. Кроме того, он очень любит Батуми.

— Я отправлю Иосифа с бабушкой в Батуми, — начала мама и замолчала.

— А ты?

— А я хочу некоторое время побыть одна. Я полечу в Москву.

Сердце Иосифа снова заколотилось с удвоенной скоростью. Он понятия не имел, что это означало. Он только понимал, что так не должно быть, что это не обычная история, что раньше так не было и что последствия могли быть самыми непредсказуемыми.

— В Москву? Опять, Лали? Что значат эти твои постоянные поездки в Москву? — растерянно произнес отец.

— Я же сказала, я хочу побыть одна, Герман.

Через пару дней Иосиф с бабушкой прилетели в Батуми. Накануне вечером мама простилась с ними и обещала скоро приехать. Иосиф не знал, полетит она в Москву или все же останется с отцом в Тбилиси, но не решался спросить. Эта неопределенность и неизвестность тревожила его. Ему было так неспокойно, что даже соленый воздух прибрежного Батуми, запахи и звуки любимого летнего дома не могли отвлечь его от этих переживаний. Как мог он отвлекаться на море, солнце, сад и вкусные бабушкины завтраки, когда мама так несчастна и так далеко? А вдруг он вообще больше никогда не увидит маму?

Вечером Иосиф открыл листок, написанный им четыре года назад и бережно хранимый все это время. На этом листке навсегда сохранилось описание того завтрака, где мама и папа были счастливы, любили друг друга и не ссорились.

Он аккуратно развернул сложенную вчетверо бумагу и стал перечитывать строчки, старательно выведенные его рукой. Воспоминания и образы лезли в голову, толпились и нагромождались одно на другое. Вот Иосиф смеется, вот мама ласково его целует, вот папа с любовью смотрит на маму... То были самые счастливые, светлые дни, до краев наполненные любовью, радостью, весельем и легкостью. Как же невыносимо больно осознавать, что так больше не будет. Не будет никогда! И Иосиф так бессилен. Ничтожно абсолютно бессилен. К горлу подступил ком, в глазах защипало. Он все читал и просил Бога, если тот только есть, чтобы все было как раньше. Он умолял Бога вернуть покой в дом, а взамен обещал очень-очень хорошо себя вести.

Иосиф так сильно старался хоть что-то изменить! Но Бог не слышал его. Богу было мало его стараний. Он не давал этим страшным скандалам прекратиться, не давал высохнуть слезам мамы и не давал успеха отцу. Чего же ему нужно было еще? Иосиф упал на колени посреди своей комнаты в летнем доме: «Господи, молю тебя, возьми у меня что хочешь — я отдам тебе все. Только пусть мама и папа снова полюбят друг друга». Теперь лицо Иосифа заливали слезы, струящиеся из глаз, тело его сотрясали судорожные рыдания, в подушечках пальцев сильно кололо и губы сводила судорога: «Молю тебя, сделай же что-нибудь!»

Так раз за разом Иосиф доводил себя до исступления. Ему казалось, что если он сильно попросит и если только Бог существует, то все возможно. Кто знает, может быть, даже возможно снова вернуться к тому завтраку.

# Глава 14. Декабрь 2002 года. Батуми

Вокруг была настоящая зимняя сказка. Город преобразился так, что его едва можно было узнать. Как будто кто-то нарочно выкрасил его сине-белым цветом. Ветер гнал темные сапфировые волны к заснеженному берегу. Они спешили, волновались, наскакивали друг на друга и разбивались белой пеной по мокрому песку. Пышные сугробы надежно укрыли набережную и тротуары. Под тяжестью снежных шапок пальмы гнули свои лапы-листья к земле. Многоэтажные высотки и низенькие ресторанчики, машины и автобусы — все было запорошено серебристыми искрами. Вдали возвышались могучие горные хребты, раскрашенные белым. В воздухе пахло мандаринами и выпечкой. Не было здесь пестрых ляписных украшений, новогодней суеты и спешки. Но со всех сторон, в каждом уголке витал дух наступающего праздника. Волшебное настроение целиком окутало город.

Новый год по традиции мы отмечали в Батуми. Каждый год мы все собирались под крышей большого гостеприимного дома дедушки Карду и бабушки Тинатин. В доме этом неизменно царила атмосфера душевного тепла и умиротворения. Сюда все приезжали без исключения: папа с мамой и мы с Катей, тетя Аня с мужем Михаилом и Арчи. Каждый незаметно старался положить свои подарки под елку, и с каждым днем подарков становилось все больше. Эти несколько праздничных дней мы проводили за разговорами, прогулками, застольями, приемом и посещением гостей.

Арчи с семьей еще не приехали, и первый вечер в Батуми мы провели за ужином узким кругом. На следующий день я отправился на прогулку с Лианой. Так волнительно и радостно было встретиться теперь.

Мы бродили по городу и разговаривали. Слова так и лились из нас без остановки, и, казалось, им не будет конца. Мы не могли наговориться, насмотреться друг другу в глаза, насытиться друг другом. Лиана была здесь, рядом, подле меня, но мне все равно было мало ее.

— Мы гуляем уже три часа, — неожиданно выдала Лиана.

— И правда, — смущенно улыбнулся я. — Ты не замерзла?

— Я очень замерзла и очень устала. Кроме того, уже смеркается. Пойдем к нам домой. Мама угостит нас горячим чаем.

Бывать дома у Лианы мне, разумеется, доводилось и раньше. Я любил их большой светлый дом, нравилась мне и мама Лианы — Нана. Нана была тихой, кроткой грузинкой с невыразительными чертами лица и черными как смоль волосами. Она не была красивой и не казалась мне привлекательной, но мягкость ее черт, кротость взгляда и тихий, нежный голос делали Нану очаровательной.

Я часто удивлялся, как у такой скромной и сдержанной женщины, как Нане выросла такая непокорная дочь. Лиана во всем была полной противоположностью матери. Яркая необычайной красоты внешность ее никого не оставляла равнодушным. Но ни столько красотой, сколько силой характера привлекала она людей. То была смелая, решительная молодая девушка, знающая, чего она хочет и как это получить. Все в ней было свидетельством силы и мужества.

Вероятно, что характер свой Лиана унаследовала от отца. Но знать этого наверняка я не мог, так как не часто видел его и совсем мало был с ним знаком. Лиана же об отце говорила мало и все больше про книги.

Лиана толкнула тяжелую дверь, и мы вошли в дом. Везде было тихо. Прихожая и гостиная соединялись лишь арочным сводом, а потому я без труда разглядел пышную елку в углу. Вся она была украшена новогодними игрушками: большими и совсем крошечными шарами, стеклянными хрупкими капельками, ажурными снежинками и различными фигурками животных и героев мультфильмов. Огоньки на ней не мигали. Кто же выключит гирлянду на елке в Новый год, если он дома? Я искоса взглянул на Лиану. Та спокойно стягивала с себя сапоги и зимнюю куртку.

— Ну что стоишь, — спросила она. — Раздевайся, будем пить чай.

Лиана быстро скользнула на кухню, поставила чайник и прошла в зал. Не зажигая общий свет в комнате, она включила только огоньки на елке. Комната тут же заиграла яркими цветами. Мягкий свет разноцветных огней отражался в шарах и капельках, сиял на снежинках. Приятный отсвет упал на пол и стены. Ветки и шарики отбросили тени. В комнате сразу стало уютно и радостно.

— Где твои родители? — спросил я, входя за Лианой в гостиную.

— Наверно, куда-то уехали, — легко пожала плечами Лиана. — Садись в кресло. Я принесу нам горячий чай.

Как только она скрылась в арке, я направился к книжному шкафу и начал рассматривать его содержимое. Классическая литература писателей здесь соседствовала с современной прозой, Достоевский расположился между Сартром и Сенкевичем, история, литература, философия — здесь было все. Вдруг взгляд мой упал на темно-коричневый переплет с бронзовыми буквами сбоку: «И.Г. Табидзе. Бездна». Я открыл книгу и начал читать.

— Что ты делаешь? — раздался едва слышный голос Лианы за моей спиной.

Сколько я читал? Пять минут или пятнадцать? Время совсем потеряло свой счет. Я захлопнул книгу, поставил ее на место и обернулся. В дверном проеме стояла Лиана. В полумраке и отблеске ярких елочных огней я видел только ее изящный силуэт. Она сменила теплые брюки и шерстяной свитер на легкое тонкое платье и распустила волосы. Я не мог видеть выражения ее глаз, но я знал — она пристально смотрит на меня, не мигая.

Она сделала шаг. Под тяжестью ее шагов скрипнул паркет. Лиана замерла на миг, как бы раздумывая, но тут же медленно пошла ко мне. Я стоял и смотрел не в силах ни пошевелиться, ни сказать что-либо. Я не мог оторвать глаз от воздушного платья, перетянутого черным шелком на талии. Лиана приблизилась ко мне настолько, что я уже мог чувствовать запах ее кожи и волос. Вдруг она закрыла глаза, и влажные губы ее коснулись моих. Сладкая истома горячей волной прошла через все мое тело, и я прижал ее так крепко, как только мог. Мне казалось, я чувствовал пульс ее, слышал биение ее сердца. Все мое нежное чувство к Лиане, все эти месяцы ожидания и тоски, всю любовь мою я вложил в этот долгий, нежный поцелуй.

— Лиана. — Я тихонько отстранил ее от себя, чтобы заглянуть в глаза.

Какой хрупкой и нежной она мне казалась теперь. Никогда прежде Лиана не была столь беззащитной, столь милой, как теперь в моих руках. Смущенный взгляд из-под опущенных ресниц, невесомое платье, шелк длинных распущенных волос на плечах.

— Лиана, — тихо позвал я еще раз. — Я хочу, чтобы ты знала. Это — навсегда. Я обещаю.

Она едва заметно кивнула. Я потянул темный пояс, и он упал к ее ногам. Я нежно прикасался губами к ее тонкой шее, хрупким ключицам, смуглым плечам. Она гладила мои волосы, и все ее тело горело под моими ладонями. Вот платье беззвучно скользнуло на пол. Я не в силах больше ждать сорвал с себя одежду и крепко-крепко прижал ее обнаженное тело к себе. И вдруг среди страсти и одолевавшего меня желания я услышал ее доверчивый, тихий шепот:

— Я доверяю тебе.

И я крепче прижал ее к себе.


То был день безоблачного счастья. День без тени, без сомнения, без печали. Это позже она будет штурмовать его обещание, проверять на прочность год за годом, потому что какая-то ее часть так и не поверит ему. Она будет делать это неосознанно, но все равно будет. Как бы она ни хотела поверить ему, как бы не уговаривала себя, что верит, она все равно будет считать, что ничего у них не выйдет, что рано или поздно он наконец увидит ее *такую*, узнает ее на самом деле, а когда узнает, то непременно устанет от нее, перестанет слушать, восхищаться ей, перестанет любить. А перестав любить — возненавидит.

Но это все впереди. А сегодня их счастье было абсолютным.


## Глава 15. Декабрь 2002 года. Батуми

Нана и Иосиф отправились в центр за подарками и покупками к Новому году. Праздник в этом году будет скромный. Родители Наны не смогли приехать к ним на Новый год, так как отец сильно простудился, плохо себя чувствовал и лежал с высокой температурой. Угрозы его жизни не было, но дорогу он бы не осилил. Отец Иосифа никогда не навещал их, к нему они поедут сами сразу после Нового года. Лиана очень любила дедушку и всегда с удовольствием навещала его в Тбилиси.

Покупки не доставляли Нане того удовольствия, которое она обычно испытывала, покупая подарки. Они еще не вполне оправились от того удара, который нанес их материальному положению проигрыш Иосифа. Долгов он не сделал — деньги, что были проиграны в казино, были их собственными накоплениями. Но новый гонорар за работу Иосиф должен был получить только летом, а пока им пришлось ужаться в расходах и жить на оставшиеся накопления и ее зарплату. Нана знала, что, если ничего серьезного не произойдет, они продержатся до следующего гонорара. Но экономить все равно приходилось.

Не испытывала она радости еще и из-за настроения Иосифа. Из затяжной депрессии он вроде бы вышел, но в радостное состояние пока еще не пришел. С тех пор как он проиграл в казино, она ни разу не видела мужа веселящимся или радующимся чему-нибудь. Он все время оставался задумчив и молчалив. Нана догадывалась, что мужа съедает чувство вины и раскаяния. Она так старалась развеять его тоску. Она не жаловалась и не роптала на потерю денег. Следующего гонорара хватит сполна, чтобы вернуть их положение. Поэтому она как умела поддерживала мужа. Лиане она и вовсе ничего не сказала, так как понимала, что для Иосифа было бы большим ударом открыть дочери свои пороки.

Неожиданно Нане пришла в голову мысль: а любит ли она все еще Иосифа? И тут же прогнала ее прочь. Конечно же любит. Выбирая его, она точно знала, что ей придется нелегко. Но жена — опора и поддержка мужа во всем. А значит, и любить его она должна всегда: в светлые времена и в темные. Мама часто говорила Нане, что у женщины должен быть один мужчина и на всю жизнь. И никак иначе свою жизнь Нана и не видела: в ее жизни был только Иосиф.

## Глава 16. Декабрь 2002 года. Батуми

Я посмотрел на Лиану. Она мирно лежала в моих руках. Я обнял и крепче прижал ее к себе.

— Лиана.

— Да, Карду?

— Я люблю тебя.

Лиана повернулась ко мне, и я увидел довольную улыбку на губах.

— Давай уже пить чай, — только и ответила она, весело смеясь.

Мне нравилось наблюдать за ней на кухне: как она ставит чайник, как ищет кружки, раскладывает по тарелкам печенья, как разливает чай. Я ловил каждое ее движение, и все в ней меня очаровывало.

— Когда ты улетаешь обратно в Питер?

— После Рождества, седьмого января.

— Я уеду раньше, к дедушке Герману в Тбилиси.

— У вас такой большой дом, почему вы не перевезете его сюда? Ему бы не было так одиноко в пустой тбилисской квартире, да и климат для здоровья тут куда лучше. Море все-таки.

— Дедушка ненавидит этот дом, — буднично ответила Лиана.

— Правда? Почему?

Лиана пожала плечами. — Не то чтобы я знала подробности. Просто дедушка говорит, что с этим домом связаны самые печальные воспоминания в его жизни. Он не любит говорить об этом. Он до сих пор не может перенести, что так и не стал великим режиссером.

— Не смог стать? Ты шутишь? Он снял много фильмов. И вот этот еще, ну тот, что был упомянут на Каннском фестивале...

— Не упомянут, а удостоен специальным упоминанием, — поправила меня Лиана. — Так-то оно так, но это только одна картина. По-настоящему хорошей, можно сказать великой, картины он так и не создал. Не смог. И сейчас он не известный режиссер, а всеми забытый пенсионер в своей маленькой квартире в Тбилиси.

— А бабушка? Ты никогда не рассказывала о ней.

Лиана вздохнула, глядя в чашку с ароматным, душистым чаем.

— Хотела бы я знать, Карду. Дедушка был женат на балерине Лали Табидзе. Ты не поверишь, но это практически все, что мне известно о ней. Папа не рассказывает о ней. Да и в целом у нас в семье не принято о ней упоминать. И мама просила не расспрашивать. Когда я спрашивала у дедушки, он всегда отвечал: «У меня нет жены». Вот и все.

Лиана немного помолчала.

— А знаешь, как я вообще узнала о том, что моя бабушка — известная балерина? У него дома я нашла газетную статью про Каннский фестиваль. В ней упоминались супруги Табидзе — режиссер и его жена — балерина. Вот так вот.

Она посмотрела на меня и улыбнулась.

— Но как же можно жить и не знать про собственную бабушку?

— Как? — Лиана неожиданно рассмеялась. — Да очень просто. Многие ничего не знают про собственных отцов. Ика вон вообще недавно узнал, что у его отца был младший брат, который умер еще младенцем.

— Ну да, — отозвался я.

— Ладно, садись. Попьем уже чай. Я очень голодна.

Так мы болтали еще некоторое время. Мы строили планы на будущее, которое должно было наступить уже через каких-то шесть месяцев, обсуждали подготовку к экзаменам, переезд, удивление всех наших друзей, когда мы объявим им, что едем учиться вместе. Лиана спросила, увидимся ли мы до экзаменов, а я обещал ей постараться приехать весной, на майские.

Мы виделись каждый следующий день, пока Лиана вместе с семьей не отправилась навещать дедушку Германа в Тбилиси. Эти несколько дней были радостными, счастливыми и безоблачными. Время с Лианой было невероятно волшебно, и я не мог от нее оторваться. Она всегда улыбалась. Всегда была радостна и весела и просто излучала счастье. По крайней мере так мне казалось тогда. Ведь другой Лиану я не видел.

В один из таких дней Лиана лежала в моих объятиях, пока нас никто не видел, а я любовался ее красотой. В тот момент в моей голове пронеслась мысль: «Неужели так же хорошо нам будет и через десять лет?»

— О чем ты сейчас думаешь? — спросил ее я.

— О том, что через десять лет мне будет так же хорошо, как и сейчас.

По моему телу пробежала дрожь. Вот она — моя судьба, мое будущее, моя цель в жизни. Вот все, что я искал и нашел.

Через пару дней Лиана уехала, но мне совершенно не было грустно. В этом чувстве не было смысла, так как я обрел умиротворение и ясно видел наше с ней будущее.

## Глава 17. Август 2018 года. Санкт-Петербург

В доме у родителей шли последние приготовления к свадьбе. Мама и Катя улетали в Батуми завтра, за неделю до свадьбы, чтобы закончить все необходимое на месте. Свадьбу решили праздновать в Батуми, так как там жили все родственники Ики и часть наших. Кроме того, грузинская свадьба — это всегда особенное событие.

Но вот я не испытывал воодушевления по поводу предстоящего события. Во-первых, потому, что мне предстояло лететь в Батуми. Я не был там восемь лет. Ровно столько прошло с момента трагедии. Я так и не нашел в себе, силы приехать в тот дом, в тот сад. Во-вторых, я не представлял себе, как держаться с Арчи. Я не собирался прощать ему его поступок. Но главной причиной, конечно же была сама эта свадьба.

Ика был членом нашей компании, и я знал его достаточно хорошо. Он был ровесником Бердиа — на два года младше меня. Простой неплохой парень. Но не было в нем какого-то стремления, желания вырваться из привычного круга и взять жизнь в свои руки. Он был довольно ленив и всегда надеялся, что все образуется в жизни само. И вот образовалось. Свадьба с Катей введет его в мою семью — семью достаточно состоятельную и благополучную, которая откроет перед ним много перспектив. Конечно, я не подозревал его в корыстных намерениях — Ика действительно любил мою сестру. Но не такого мужа я бы желал для Кати. Ика вряд ли будет человеком, сумеющим выстоять в шторм. Я не могу понять, как Катя, девушка умная и проницательная, образованная и интеллигентная, полюбила Ику. Что общего могло быть у них? Что так привлекло ее в нем?

А может быть, это просто досада от того, что не моя детская любовь перерастает в семью? Моей свадьбе так и не суждено было состояться. Может быть, дело в этом? Я отогнал прочь эти мысли.

— Карду, ты ничего не сказал про платье. — Катя с улыбкой смотрела на меня. — Оно нравится тебе?

— Ну конечно нравится. Ты будешь самой красивой невестой на земле. Иди ко мне, — я обнял ее и поцеловал в лоб. Сердце мое сжалось: моя младшая сестренка, этот нежный ребенок, какой я ее видел, выходит замуж через неделю.

— Мне кажется или ты грустный? Что не так? — Она взяла меня за руки и заглянула мне в глаза. — Это из-за Арчи?

Я отвел глаза.

— Карду, вам стоит помириться. Ты же знаешь, он не мог... Пока папа болел...

— Довольно, — резко оборвал ее я. Она потупилась. — Извини, милая. Я не хочу говорить об этом.

В комнату вошла мама.

— Что тут происходит?

Мы с Катей немного постояли молча, затем она вышла.

— Карду, родной, на свадьбе будет Арчи. — Она остановилась и выжидательно посмотрела мне в глаза. Я не отвел взгляда. — Бердиа рассказал своему отцу, что вы случайно столкнулись в Ницце и ты даже не пригласил его в дом.

— Мама, — начал было я.

— Не перебивай меня. Я знаю, ты винишь его. Но во всем, что случилось, виновата только Лиана.

Я сделал попытку прервать ее, но она подняла руку, сделав мне знак замолчать.

— Да, сынок. Лиана. Это ее вина. Слышишь? Арчи не мог. Ты знаешь это. Посмотри мне в глаза, — она обхватила мое лицо ладонями. — Милый, перестань жить прошлым. Ты должен жить дальше, должен простить брата. Вы не общаетесь восемь лет. Кому от этого лучше? Мне? Папе? Тете Ане? Сынок, прости брата. Они очень порядочный и хороший человек. Он ни в чем не виноват. Слышишь?

Я убрал ее руки от моего лица, взял ключи, деньги и вышел из дома. Мне нестерпимо хотелось пройтись.

Через некоторое время я заглянул в бар «Слон» на Рубинштейна — самой оживленной, «барной» улице Санкт-Петербурга. Заказал себе виски, достал телефон и решил написать Тее:

«Привет, как дела?»

Я не знал, ответит ли мне Тея. Мы практически не общались после того, как она улетела в Венецию. На прошлой неделе у меня была короткая поездка в Москву, но я не позвонил ей.

«Ого! Ну привет, незнакомец. Как поживает Ницца?»

«Знаешь, чего мне бы сейчас хотелось больше всего?»

«Бокала холодного "Розе"?»

«Нет. Мне бы хотелось сейчас завалиться с тобой в бар на Рубинштейна. И болтать с тобой до утра».

«Ха-ха, почему Рубинштейна, мой космополитный гражданин?»

«Потому что я в Питере».

«Что же ты не предупредил? Могли бы увидеться. Я бы приехала».

Я уставился в телефон. Она это сейчас серьезно? Мы не виделись один месяц, почти не общались… Приехала бы? Я задумался. С Теей было легко и интересно. Весело и радостно. Тея была красивая. Но встретиться с ней тут, зная, что она специально летит в Питер ко мне, означало бы начало чего-то большего, чем простая переписка. А я этого не хотел. Не мог себе этого разрешить.

«В другой раз обязательно напишу, Расскажи мне, что нового происходит в твоей жизни?» — просто ответил я.

После выпитой бутылки виски я все же отправился домой. Свет везде уже был погашен. Я тихо снял куртку, разулся и прошел к себе в комнату. С тех пор как я уехал, родители переделали ее в кабинет, но оставили здесь раскладной диван, на тот случай, когда я буду приезжать. Комната примыкала стеной к родительской спальне. Я лег и уже собирался спать, как вдруг мне показалось, что я слышу приглушенные голоса. Родители о чем-то спорили.

— Ты должен ему все рассказать. Мальчики не общаются восемь лет.

— Ты ставишь меня в безвыходное положение. Он мой сын. Я не могу рассказать ему это.

— Да? А смотреть на то, что твой сын не общается с сыном твоей сестры, ты можешь?

— Милая, он мог давно простить его.

— Да, мог. Но не хочет. Он простил бы его, если бы все знал. Он винит Арчи в случившемся.

— Я не могу. Прошло столько лет, что я ему скажу?

Мои веки отяжелели, глаза слипались, а голова налилась свинцом. Я не дослушал их разговора и провалился в глубокий пьяный сон.

Наутро голова болела нещадно, во рту был мерзкий привкус алкоголя и сигарет. Я открыл телефон. Надо бы перечитать все то, о чем переписывался вчера с Теей. В голове ничего не осталось. Я пытался вспомнить, как добрался домой. Пусто. Кажется, я слышал разговоры родителей. Они что-то говорили про Арчи. Или мне все это только приснилось?

## Глава 18. Июнь 1980 года. Тбилиси

Еще один учебный год наконец подошел к концу. Впереди были три летних месяца, а значит, и поездка в Батуми. В этом году он ждал ее как никогда прежде. Ему не терпелось оставить ненавистные стены тбилисской квартиры, пропитанные горькими слезами, криками, обидами и ссорами. Ему хотелось скорее сбежать от страха в свою тихую аджарскую гавань летного дома в Батуми.

К почти ежедневным скандалам родителей добавились проблемы в школе. Иосиф читал много книг, был любопытным и усидчивым, а потому знал много больше своих одиннадцатилетних одноклассников. Школьная программа быстро наскучила ему, а потому на уроках он не слушал учителей и не выполнял домашних заданий. За это он заработал нелюбовь учителей. Многие из них понимали, что мальчик умен и развит не по годам, но все равно требовали послушания и следования системе, а потому без устали наказывали его.

Исключением стали лишь история и литература. Литература учила его слову. Он познавал приемы и инструменты передачи идей. Черпал опыт у Достоевского, Гюго и Гоголя. Делал первые попытки изложения собственных взглядов и мыслей, зарисовывал первые сюжеты, получал взгляд со стороны от учителя, его критику, замечания и справедливую оценку. Тот поддерживал Иосифа и разжигал в нем жажду творить. История же стала неиссякаемым источником сюжетов для Иосифа. В одиннадцать лет трудно придумать достойный сюжет. Да и зачем? Все в этом мире уже случалось, все было. Главное: точно увидеть это, передать, изложить. Что чувствовал Александр Первый во время заключения Тильзитского мира с Наполеоном? Какие мысли одолевали жен погибших на Куликовом поле воинов? О чем думал и рассуждал сам с собой Ломоносов на пути из Архангельска в Москву? Он пробовал себя в историческом эссе.

Друзей Иосиф также не завел. Другие дети не любили его за то, что он, казалось, все знал, не прикасаясь к учебникам, за то, что не любил их игр и шумных компаний, за то еще, что не искал их расположения и общества. Он не был маленьким и хилым, напротив, Иосиф рос красивым, статным грузином с черными курчавыми волосами и большими грустными карими глазами. Над ним не смеялись, не издевались и не оскорбляли его. Его не понимали, а потому попросту избегали.

Итак, ровесники не принимали Иосифа в свою компанию, учителя с ним не общались, друзья родителей теперь почти не посещали их дом — родители были слишком заняты скандалами и ссорами, чтобы приглашать гостей. Единственным другом и его благодарным читателем стала маленькая Курдиани. Так он называл про себя Анну.

Поначалу он невзлюбил ее. Маленькая, неусидчивая, шумная и чересчур живая Анна отталкивала его своей энергией. Он старался избегать ее и не понимал, почему так активно она пытается с ним подружиться. Эта веселая, заводная девчонка находила его повсюду и всегда старалась завязать разговор. Бабушка Иосифа, едва завидев Анну, звала ее в дом, угощала чаем и всякими сладостями. Она очень любила девочку и хотела, чтобы Иосиф с ней подружился.

Понемногу Иосиф стал привыкать к присутствию Анны. Они стали вместе ходить на море, играть в саду и пить чай. Иосиф читал ей свои рассказы. Анна, никогда до того не знавшая ни про Наполеона, ни про Ломоносова, слушала его, затаив дыхание. Ей нравились его эссе, и это заставляло писать еще и еще.

Но по-настоящему Иосиф осознал ценность их дружбы по возвращении в Тбилиси. Там одиночество и тоска навалились на него с новой силой. Ему было тягостно находиться дома, тяжело ему было и в школе. Письма Анне стали тем островком удовольствия и радости, который помогал ему не потерять присутствия духа. Ее же письма в ответ давали ему сил переживать тревогу, больше писать и чаще улыбаться.

Иосиф подошел к столу и вынул последнее письмо Анны. Он не раскрыл его вчера, когда почтальон только принес его, потому что хотел оттянуть этот приятный момент. Вместо этого он долго любовался конвертом, а затем бережно убрал его в стол, откуда теперь в нетерпении вытащил. Он аккуратно разорвал конверт сбоку, стараясь не повредить письмо. Большие, размашистые детские буквы заплясали в его глазах, складываясь в слова, и в голове зазвучал голос Анны.

«Здравствуй, Иосиф!

Я рада была получить еще один твой рассказ вместе с письмом. Я так люблю читать твои сочинения! Пиши, пожалуйста, чаще.

Правда, кто такая Екатерина Медичи, я не знала. Поэтому все в твоем сочинении было для меня новым. А она правда была такой злой и жестокой, какой ты ее описал? Как можно было замучить и убить столько гостей, прибывших на свадьбу? Это бесчестно и подло. Я так плакала, когда читала о Варфоломеевской ночи. Ты так все написал, что мне было очень грустно. Как у тебя это получается? Твои сочинения трогают душу и заставляют грустить. Когда я читаю написанное тобой, мне кажется, что это я, а не Колиньи, стою посреди спальни, окруженная гвардейцами королевы. Но знаешь, я думаю, что все же согласилась бы принять другую веру. Лучше сменить веру, но остаться в живых, чем умереть. Если я умру, то какая мне будет разница, какой я веры? Это грустный и слезный рассказ, но он так понравился мне. Очень красиво.

Ты уже знаешь, о чем будет твой новый рассказ? Может быть, он уже готов? Мне хотелось бы прочитать и его.

А у меня столько всего есть тебе рассказать!

На прошлой неделе в моем хореографическом классе был выпускной концерт. Мы делали его для наших родителей и приглашенных гостей. Пришла моя мама и Ика. Жаль, ты не видел! Мы танцевали вальсы Штрауса. Всех девочек в группе разделили на две костюмные группы: у одних платья были розовые, у других — голубые. У меня было голубое платье. Оно мне так понравилось! А после концерта у нас было чаепитие.

Еще мы закончили учиться и получили итоговые оценки. Я все же не смогла избежать тройки по алгебре и физике. Мама была очень расстроена. Но, слава богу, учеба позади, можно забросить учебники на все лето и наслаждаться ничегонеделаньем.

А вот Давид и Ика учатся без остановки. Скоро им придется сдавать экзамены в университет. Они день и ночь проводят вместе в нашем саду, обложившись книгами. Ика говорит, они поедут в Ленинград. Ленинград, представляешь? Мама сначала была очень против, но папа и дядя Важа, отец Давида, смогли ее уговорить. Ика хочет стать лучшим хирургом. Он говорит, что врач — благородная и нужная профессия, ведь врачи спасают жизни людей. Он говорит еще, что у нас будет династия врачей: папа — кардиолог, он сам — будущий хирург, а когда у него появится сын — тот тоже будет врачом. В Ленинграде есть хороший медицинский университет, и Ика хочет поступить туда. А Давид будет поступать на архитектурный. Он хочет быть архитектором, как и его отец. Это он захотел уехать в Ленинград. Говорит, там красивые здания и улицы, и ему там будет лучше работаться. А ты был в Ленинграде? Я — еще никогда. Но теперь мне так хочется там побывать! Самой увидеть то, за что его так хвалит Давид.

Ика будет хирургом, Давид — архитектором, ты — писателем. А я совсем не знаю, кем хочу быть. Мне так много всего нравится, что я не знаю, чему себя посвятить. Мне нравится танцевать, но балериной мне быть уже поздно. Мне бы хотелось быть врачом, но я не люблю биологию. Химии у нас еще нет, но, боюсь, она будет слишком сложной для меня. Все вокруг — таланты. Врачи, балерины, режиссеры, архитекторы, писатели. А у меня нет глубоких талантов. И кем мне быть, я совсем не знаю. Как думаешь, как мне это узнать?

Теперь самая главная новость. Мы вместе с Натишвили поедем на Олимпиаду в Москву! Папа говорит, это будет так здорово! Мы будем смотреть какие-то соревнования и церемонию закрытия. Папа Давида Важа рассказал моему папе, что на церемонии закрытия будет какой-то сюрприз. И что сценарий церемонии очень хорош, намного интереснее открытия. Папа говорит еще, что вся Москва преобразилась к Олимпиаде: что город стал чище, красивее. А Ика сказал, что все это — показуха для иностранцев. Их же так много приедет и нельзя, мол, ударить в грязь лицом.

Иосиф, не едешь ли и ты на Олимпиаду? Быть может, если твои родители не против, ты мог бы поехать с нами? Может, мне спросить твою бабушку, когда вы приедете? Было бы так здорово, если бы и ты поехал!

Напиши мне все-все-все, что происходит у тебя. А лучше — не отвечай! Приезжай поскорее сам.

*Анна К.*
*1980 г., Батуми».*

## Глава 19. Июнь 1980 года. Тбилиси

Герман перечитывал свежую газетную статью вновь и вновь, останавливаясь по несколько раз на самых горьких строчках, задевавших его больше всего. Неужели он и правда так жалок, как писал автор этой разгромной рецензии на его фильм? Германа жег стыд. Неужели все вокруг, подобно этому критику, знают и видят, что он растерял чутье, ослабил хватку, потерял нюх и прочее, прочее, прочее. Неужели все обсуждают это, говорят об этом? Как там было написано? Герман пробежался глазами по газетной статье еще раз. А, вот оно: «Есть люди, которые с годами становятся умнее, снимают фильмы глубже и серьезнее, но это не про Табидзе. Относящийся к советской элите стареющий режиссер перестал чувствовать сюжет и кормит зрителя второсортными картинами».

Он думал, нет, он ждал восторженных отзывов, хвалебных рецензий, славы и высоких гонораров. Он был просто уверен, что эта картина принесет небывалый успех и сделает его по-настоящему знаменитым. А вместо этого он читает в свежей газете жестокую безжалостную критику. Он просто отказывался в это верить! Всего лишь мнение одного человека. Единичная точка зрения непрофессионального критика без чувства прекрасного и художественного вкуса. Не могут же все видеть так же, как и этот писака? Но что если… Что если и другие рецензии будут такими же разгромными? Что если все в один голос будут твердить, что талант Германа Табидзе остался далеко позади?

Он спустился вниз и вышел на террасу к Лали. Она сидела, лениво откинувшись на подушки, пила красное вино и смотрела вдаль.

— Лали, милая…

— Герман, давай не будем. Я не хочу сейчас разговаривать.

— Лали… — произнес он почти шепотом, умоляя. Она была нужна ему сейчас больше всех на свете! Если бы только она сказала, что верит в него и его картины, что любит его, несмотря ни на что, у него бы достало сил начать все сначала. Если бы даже она просто взглянула на него из-под пушистых черных ресниц, да улыбнулась своей детской, восторженной улыбкой, что так пленяла его. Если бы только она пролила живительный бальзам любви на его побитое, истерзанное, растоптанное самоуважение. На всем свете она одна могла поддержать и помочь подняться. Но ни жестом, ни словом Лали не коснулась его.

Герман стоял напротив, беспомощно свесив руки. Они безжизненно болтались вдоль тела словно тряпичная кукла. Униженный, пристыженный, он был слаб и беспомощен в эту минуту, не в состоянии найти в себе силы встряхнуться, собраться и стойко вынести обстоятельства. Не мог найти в себе мужества преодолеть, перешагнуть, стиснуть зубы и идти дальше. Поддержка любимой женщины сейчас была вопросом жизни и смерти. И вот сейчас его жена всего лишь в метре от него, а кажется, будто между ними необъятные вселенные и целые миры — так далека она теперь была от него. Он продолжал молча стоять у нее за спиной, ссутулившись и виновато понурив голову. Мелкая дрожь пробирала его изнутри. И чем дольше он вот так стоял за спиной у Лали, чем дольше она молчала, чем дольше не замечала его, тем ничтожнее и мизернее он себя ощущал.

«Ты же мужчина! Соберись», — сказал он себе. И тут же одёрнул: «Да какой я мужчина. Жалкий неудачник. Без таланта, без идей, без будущего».

И он принял этот вердикт, вынесенный самому себе, безоговорочно, безапелляционно. А уверовав, уже больше никогда не решался его оспорить.

— Завтра я улечу в Москву, — наконец произнесла Лали. Она даже не повернула в его сторону головы.

— Милая, ты так часто стала летать в Москву и...

Но Лали не дала ему закончить.

— Завтра я улечу в Москву, — повторила она жёстче. Эта фраза, тон её голоса, её движения и жесты — все в ней было враждебно, все было чуждо и незнакомо. Она больше не принадлежала ему, и он это чувствовал.

Лали встала, прошла мимо него, даже не взглянув, и вышла из комнаты. Он хотел было напомнить, что купил билеты на Олимпиаду. Билеты для всей семьи. Но остановился. Как же ему теперь показаться на люди? Как ехать в Москву, где все будут смотреть в его сторону и стыдливо прятать глаза, не в силах вынести его общество. Нет, на Олимпиаду он не поедет.


## Глава 20. Июль 1980 года. Москва

Иосиф отправился на Олимпиаду в Москву вместе с бабушкой в компании Курдиани и Натишвили. Отец поехать не смог, сославшись на плохое самочувствие. Чувствовал он себя и правда не важно, разумеется, Иосиф хорошо понимал причину этого. Он тоже читал и первую разгромную статью с рецензией на картину отца, и все последующие. Критики как один твердили, что этот фильм — одна из худших работ отца. Иосифу было жаль папу. Он так много работал, так старался и так много надежд возлагал. Иосифу нестерпимо хотелось поддержать отца, обласкать добрыми словами, побыть рядом, да просто обнять. Ему хотелось дать понять папе, что он, Иосиф, любит его таким, какой тот есть, и что ему совершенно не важно, какая картина вышла у отца: хорошая или плохая, отец всегда будет для него самым близким, самым дорогим человеком. А кроме того, один промах — не поражение. Папа еще мог создать великую картину, он верил в папу. Но Герман не желал ни с кем видеться, даже с сыном. Он покинул их летний дом и заперся в одиночестве в своей квартире в Тбилиси. Иосиф ничего не мог с этим поделать.

Несмотря на переживая из-за отца, Иосиф пребывал в приятном, радостном возбуждении. Во-первых, в Москве он встретится с мамой, и они вместе будут смотреть соревнования. Он очень скучал, ведь с маминого отъезда из Батуми прошло уже около месяца. Поначалу они часто созванивались, но теперь мама звонила не часто, а потому Иосиф считал дни и минуты до встречи с ней.

Другой причиной его приятного расположения духа были Курдиани. Ему нравилось проводить время с этим большим шумным, веселым семейством, наблюдать за каждым из его членов и представлять, что он — один из них. Он любил сидеть за столом и слушать споры Карду и его сына Акакия, нравилось, как ласково обнимала его самого Тинатин, когда, бывало, он заходил к ним на чай. Нравилось, как приветливы и внимательны они все были к нему. Но дороже всех ему была Аня. Веселая, активная, легкая, она приносила в его жизнь праздник. Она вся была девочка-праздник. С Аней они вместе исследовали Москву, пили вкусную черную газировку из баночек с названием «Пепси», внезапно заполонившую столицу, во все глаза таращились на иностранцев и обсуждали все вновь увиденное.

Голова Иосифа была до краев заполнена новыми впечатлениями и эмоциями, а потому, когда позвонила мама и сообщила, что не сможет присоединиться к ним с бабушкой на церемонии открытия, он расстроился не особо сильно. Тоска по маме капля по капле вытеснялась новыми радостными впечатлениями, знакомствами, зрелищами и услышанными историями. А ко всему прочему, Иосиф уже привык редко видеть родителей. Иосиф пожалел маму: ну как же она пропустит такое радостное и яркое событие в жизни страны!

За ужином Тинатин спросила бабушку:

— Когда же к нам присоединится красавица Лали?

И не успела бабушка опомниться, как Иосиф ответил за нее:

— У мамы важные дела в театре. Она не сможет быть на церемонии открытия.

— Какая бедняжка! Кто же работает в такой день? — возмутилась Тинатин.

От Иосифа не укрылся быстрый, короткий взгляд, которым обменялись Карду и Важа между собой. Встретившись друг с другом глазами, они тотчас же поспешно отвернулись друг от друга, словно стыдясь. Что такое? В чем дело? Иосиф не понимал, но подумал, что и они жалеют маму.

— Но мама не расстроена, — поспешил вступиться за маму Иосиф. — Она обязательно присоединится к нам позже. И мы все вместе пойдем смотреть соревнования атлетов. А в конце все вместе будем смотреть на церемонию закрытия. Мама сказала...

Но бабушка не дала ему закончить:

— Ну будет тебе, Иосиф. Кто знает, может, дела у мамы надолго, — тихо прибавила она.

— Нет, — упрямо отозвался Иосиф. — Мама мне обещала.


Церемония открытия была невероятной. По масштабу своему событие поражало Иосифа: еще никогда не доводилось ему вот так близко, практически на ладони, наблюдать столько танцующих, поющих, шагающих людей вместе. Стадион пестрел красками, флагами, людьми разных национальностей. Все вокруг пело, плясало, двигалось и смеялось. Смеялся и Иосиф вместе со всеми. Как нравилось ему все то, что происходило вокруг! Как нравилось ему общество, люди, шум и веселье. Он вдруг поймал себя на мысли, как это он раньше все больше любил уединенное одиночество. Сейчас, с Натишвили и Курдиани, с Анной рядом, он чувствовал себя так прекрасно, так хорошо и так светло. Ему не надо было опасаться, что кто-то из родителей вернется в плохом настроении и тогда на глаза им лучше не попадаться. Родителей рядом не было, а значит, никто и не мог прогнать эту радость и развеять счастье. Казалось, теперь так будет всегда.


Как обманчиво, как недолговечно наше «всегда». Уже наутро после шумного веселья церемонии этот яркий пестрый мир рухнул. Случилось это, как говорят, словно гром среди ясного неба, когда все собрались к завтраку в одном из столичных кафе. Карду Курдиани по обычаю прихватил в газетном ларьке свежую прессу.

— Что ты там хочешь вычитать? — смеясь спросила Тинатин. — Уж не высматриваешь ли ты свое лицо на фотографиях трибун?

Все рассмеялись. Действительно, газета была полна фото с вечерней церемонии.

— Дай и мне посмотреть, — протянула руки Тинатин.

— Погоди. Дай я прочту сначала сам, затем отдам тебе.

Карду просматривал газету, все делали заказ. Наконец и он приступил к еде, аккуратно свернув газету и убрав ее со стола.

— Ну, могу я взглянуть?

— Тинатин, позже, милая.

Но Тинатин уже потянулась за свертком. А затем неожиданно передумала и переключилась на общий разговор. Иосиф, да и никто вокруг, так и не приметили, как Карду едва ощутимо качнул головой и тревожно посмотрел на Тинатин. Она одна поняла мужа: газету ей трогать не стоило, как не стоило и привлекать к ней внимания.

Но как бы ни старались Курдиани, а вслед за ними и Натишвили, и бабушка, и даже Анна уберечь Иосифа от прессы, какой-то ее экземпляр все же попал парню в руки. Да и как он мог не попасть? Газеты были повсюду. Десятки фотографий, сотни лиц смотрели на Иосифа с больших хрустящих страниц. Но одно лицо сразу привлекло его внимание: большие красивые оленьи глаза с черными густыми ресницами, черное ровное каре и открытая детская улыбка. С фотографии на него смотрела мама, сидящая на одной из трибун. Заголовок под фотографией сообщал, что на фото дипломат Министерства иностранных дел СССР и советская балерина Лали Табидзе.

Кровь прилила к лицу Иосифа. Черный стыд огнем жег его душу. Мама обманула его, мама предала отца. Все, должно быть, теперь знают. Все, должно быть, смеются над ним и над его отцом. Как же могла она так опозорить семью? Как могла она обмануть своего сына? И как же так легко она променяла дитя свое и время с ним на этого министра? И тут же понял как: когда нет любви в сердце, тогда и не о чем сожалеть. Мама не любила отца. Как нелюбила и сына. Его, Иосифа, она не любила. Он, Иосиф, был нелюбим, брошен, отвергнут собственной матерью своей, женщиной, которая его породила.

Стыд, боль, обида, страх. Как же показаться теперь всем на глаза? Ведь они знают. Они понимают. Они знают, что мать бросила его, а значит, кто он такой? Разве может он теперь быть одним из них, сидеть за одним с ними столом, разговаривать, смеяться? Ведь даже мама быть с ним не захотела.

И как бы бабушка теперь ни уговаривала Иосифа, на соревнования он больше ехать не хотел. Встречаться с Натишвили и Курдиани — тоже. Делать было нечего: пришлось возвращаться с внуком в Тбилиси.

## Глава 21. Август 1980 года. Тбилиси

Лали звонила. Она настойчиво звонила Герману, Иосифу и его бабушке — матери Германа. Заслышав ее голос, они сразу разъединяли. Никто из семейства Табидзе не желал с ней разговаривать. Тем лучше. Это делало ее уход проще. Никаких оправданий, сожалений, театральных прощаний. Она соберет только самые необходимые вещи из их квартиры в Тбилиси и переедет в Москву, к своему новому ухажеру.

А она-то боялась, что сын будет переживать, что захочет видеть маму. Что не захочет отпускать. А вышло все совсем иначе — он и слышать ее не хотел. Тем лучше, тем лучше. Это все упрощало.

Хотелось ли ей проститься с сыном? Хотелось ли извиниться за то, что так и не приехала к нему на Олимпиаду? Хотелось ли продолжать видеть его? А для чего? Иосиф, как две капли похожий на Германа, лишь будет напоминать ей об ошибках прошлого. О неудачном браке без любви, о жизни, в которой она не была так уж счастлива. О потерянных годах. Она всегда знала, что в этой жизни ей уготовано что-то большее. Нет, будет лучше уйти из их жизни совсем. Навсегда. Пусть живут без нее.

Заранее зная, что не застанет в квартире ни души, она отправилась в квартиру в Тбилиси. Зайдя в нее, она прошла прямиком в их с Германом спальню, открыла большую дорожную сумку и не думая стала бросать в нее свои платья, платки, украшения и сумочки. Она брала только то, что муж привозил ей из ЦУМа, только то, что имело ценность в глазах широкой публики. Закончив, она обвела комнату взглядом.

Как странно. Эти стены, шкафы, полочки, наволочки — абсолютно все было так дорого ей раньше. Столько чувств и эмоций она испытала тут. Столько радости. Как любила она приходить в эту со вкусом обставленную квартиру. Как любила она сбрасывать туфли, расстегивать платье, накидывать легкий халат и, включив настольную лампу, читать. Как много дней, часов, минут и мгновений были прожиты в этих стенах. Как много они видели, как много знали. Но сейчас ни единый мускул не дрогнул в Лали. Ни одна струна в душе, ни капля чувства — ничего не трогало ее душу. Она ничего больше не чувствовала здесь.

Выйдя из квартиры, она посмотрела на запертую дверь и ключ в своей руке. Что ж… Пора двигаться в новую жизнь. Жизнь, где она любит и любима. Жизнь без измен, предательства и нелюбви. Жизнь без компромиссов с собой. Настоящую жизнь.

Она нагнулась и положила холодный металлический ключ под половицу. Ну вот и все. Прощай, Грузия.


По возвращении в Тбилиси Иосиф застал отца в самом подавленном состоянии. Отец не удивился несвоевременно раннему приезду сына из Москвы, не особо интересовался его путешествием, был рассеян и невнимателен. Дни напролёт он проводил в своей комнате, выходя лишь за едой. Что творились в душе Германа, Иосиф не знал. Со стороны казалось, что отец потерял всяческую веру в себя, надежду на счастье и достойное будущее. Фильм потерпел неудачу, жена предательски сбежала к другому, а имя Табидзе было вымарано в грязи охочими до славы критиками и ушлыми репортерами. Пытался ли он отыскать хоть какой-то путь, как жить дальше? Думал ли он о переживаниях сына? Уж точно не в эти первые дни.

Иосифу же казалось, что им двоим надо быть ближе друг к другу. Он выжидал момент, чтобы невзначай подойти к отцу и крепко обнять и поцеловать его. Только вместе, думалось ему, возможно перенести предательство и боль от утраты. Но момент все не наступал. Время шло, а Иосиф так и не находил удачного случая поддержать отца. Он боялся и смущался своего проявления чувств. Ему казалось, отец оттолкнёт, отвергнет его. А ведь отец — это все, что ему теперь оставалось.

В том, что мама больше не вернётся, Иосиф не сомневался. Как он страдал! Как скучал по маме! Как разрывалось его сердце от желания увидеть ее, поговорить с ней, обнять ее. Дни напролет он перечитывал клочок бумажки, навеки запечатлевший их счастливый семейный завтрак. «Господи, если ты есть, верни меня туда», — тихо шептал Иосиф, когда никто его не слышал.

Конечно, Лали звонила. Она тщетно пыталась связаться с ним, с бабушкой, а возможно, и с папой. Но он, Иосиф, отказывался говорить с ней. Да и что она могла сказать? Чем могла исправить ситуацию? Она оставила сына и мужа, променяла их на других людей публично, на глазах у всех. И все, должно быть, смеялись и потешались над ним и его обманутым отцом. Стыд был настолько сильным, что Иосиф не мог себе и представить, как снова приедет в Батуми, как посмотрит в глаза Анне, как снова переступит порог Курдиани. Нет, ничего уже больше не будет.

Но любовь, как это бывает, оказалась сильнее стыда.

## Глава 22. Ноябрь 1980 года. Тбилиси

«Дорогой Иосиф!

Это уже четвертое мое к тебе письмо. И я очень надеюсь, что ты ответишь. Я очень скучаю по тебе. Мне не хватает твоих писем и твоих рассказов. Присылай же уже скорее!

Нового у меня ничего практически и нет. Опять схватила тройку по алгебре. Мама сильно расстраивалась. А чего она так расстраивается? Как будто математика мне будет очень нужна в будущем. Что я буду делать-то с этой математикой?

Вчера Натишвили приходили к нам в гости. Но, по правде говоря, после отъезда Ики и Давида в Ленинград теперь такие застолья мне не особо-то и нравятся. Скучно. Взрослые разговаривают о своем, мне и делать-то нечего.

Брата мне не хватает. Он часто пишет и даже один раз звонил. Говорит, они с Давидом поселились вместе. Ему нравится университет и преподаватели, а на занятия он ходит с удовольствием. Мне тоже хочется скорее в университет. Там, наверное, интереснее.

Еще Ика написал нам, что познакомился с хорошей девушкой. Ее зовут Маша. Она из Ленинграда. Она старше Ики на два года. Она из хорошей семьи, и у нее есть младший брат Вова. Они дружат все вместе — Ика, Маша и Давид. Вот здорово будет, если Маша приедет к нам на каникулы!

Расскажи же мне что-нибудь о твоей жизни. Я совсем-совсем ничего о тебе не знаю. Напиши мне, Иосиф. А еще напиши мне рассказ про крейсер "Аврору"! Ика говорит, с нее началась революция в Ленинграде.

*Твоя Анна.*
*Батуми, 1980 г.».*


Письма хороши тем, что в них не надо смотреть друг другу в глаза. Бумаге можно сказать все, что не скажешь при встрече. А потому сердце Иосифа дрогнуло, и он снова взялся за карандаш и листок бумаги. И вот опять понеслись конверты из Батуми в Тбилиси, из Тбилиси в Батуми. Письмо за письмом, рассказ за рассказом, строчка за строчкой становились Иосиф и Анна ближе друг к другу. Он изливал бумаге все свои чувства без остатка и видел, как она открывалась в ответ. Она была для него всем теперь: его музой, его жизнью, его вдохновением, его слушателем, утешителем, его поддержкой и опорой, его надеждой и его влюбленностью. Она стала его первой, еще почти детской, но все же — любовью.

Мы редко забываем такую любовь. Ведь все это происходит с нами впервые. Мы открываем в себе новое, узнаем себя с другой стороны. Мы познаем муки неизвестности, терзания ожидания и блаженство встреч. Мы понимаем, что можем нравиться кому-то, а кто-то — нам. Нам начинает казаться, что нет роднее и ближе человека, чем тот, в кого мы влюблены. Никто не способен понять нас так, как этот человек. Для него хочется жить, с ним хочется провести всю свою такую еще долгую жизнь. И с ним хочется умереть в один день. Но мы не думаем о смерти. Ведь жизнь становится такой полной, такой настоящей, когда сердце наше наполняется любовью к тому, кто уже любит нас в ответ.

Но как не спутать дружбу с любовью? Особенно если тебе всего лишь двенадцать.


## Глава 23. Июнь 2003 года. Батуми

— Лиана, дочка, я так горжусь тобой. — Нана обняла Лиану, в глазах у нее стояли слезы. — Милая моя, ты умница. Но, доченька, мы никогда не обсуждали, что ты поедешь учиться в Лондон. Я не могу себе представить, что ты будешь жить там совсем одна. Я должна все обсудить с твоим отцом. Но я думаю, что будет лучше дождаться, пока тебе не исполнится восемнадцать лет.

— Но, мама, что в этом плохого? Я буду жить в кампусе. Кроме того, я поступила в один колледж с Карду. Мы будем учиться вместе.

— Лиана, тебе всего шестнадцать...

— Мне почти семнадцать, — перебила ее Лиана.

— Хорошо, но ты просто не можешь взять и уехать одна в другую страну.

— Я бы хотела учиться в Университете Лондона. Мы же можем себе это позволить?

— Лиана, Лондон — очень дорогой город. За год мы с папой сможем подготовиться, да и тебе уже исполнится восемнадцать...

— Но, мама, какой смысл терять этот год? Я уже поступила в колледж. Я уже могу начать свое образование в Лондоне.

— Я поговорю с твоим отцом.

— Я поговорю с ним сама.

— Нет. Оставь этот разговор для нас с папой, пожалуйста. Нам надо вдвоем все обсудить.

Лиана была вне себя от ярости. Она поступила в колледж! Сдала все экзамены! Как родители могли не поддержать ее в этом? Лиана выбежала из кухни и побежала наверх, в кабинет к отцу. Распахнув дверь, она увидела пустой кабинет: отца не было дома. Ну ничего, она поговорит с ним об этом. Уж он-то точно ей не откажет.

Лиана металась на кровати всю ночь, ни на секунду не сомкнув глаз для сна. Она ждала отца и хотела поговорить с ним сию же минуту, как тот придет.

Иосиф вернулся только под утро. Лиана услышала, как он прошел в кабинет. Лиана бесшумно прошла за ним. У двери она немного помедлила. Постучала. Ответа не последовало. Тогда Лиана толкнула дверь и вошла.

— Папа, пожалуйста, не прогоняй меня. Мне надо сказать тебе кое-что очень важное. Выслушай меня.

# Глава 24. Июнь 2003 года. Батуми

Иосиф сидел за своим столом в кабинете и думал о том, почему жизнь сложилась именно так? Да, со стороны казалось, что его жизнь идеальна. По большому счету, ему действительно было грех жаловаться, у него было все: мягкая, любящая его жена, умная, красивая дочь, которой можно гордиться, высокий доход, романы, которые читают тысячи людей.

Но все эти годы он жил и знал, что никому он не нужен на самом деле. Он был не нужен матери, которая его бросила. Он был не нужен отцу, который закрылся в своем горе после потери жены и карьеры. Он не был нужен той единственной, о которой мечтал все эти долгие годы. Почему Анна, которую он любил с детских лет так страстно, так пылко, не полюбила его в ответ? Нет, он абсолютно никому не был нужен. Никогда. Нана любила его, но она не могла заменить ему Анну. Он столько бы отдал за то, чтобы Анна встречала его каждый вечер, за то, чтобы она любила его, за то, чтобы Анна была матерью Лианы. А еще за то, чтобы стать частью семьи Курдиани.

Иосиф понемногу минута за минутой скатывался в свою черную бездну. Он уже видел, как она раскрывает свои черные объятия, и не противился этому. Чувство это было давно ему знакомо и привычно. Боль и отчаяние съедали его изнутри. Безысходность, бессилие сводили с ума. Не в силах больше выносить это, он сорвался с места и вышел из дома прочь. Хотел он только одного — забыться.

Но сделать этого Иосифу не удалось. Вино, выпитое им в кабаке, лишь усилило тревогу и распалило его чувства. Он никак не мог избавиться от неприятного, липкого ощущения, что жизнь проживается зря. Что как будто кто-то пишет черновик его жизни. Но на чистовик времени уже не осталось. Листы запачканы, ошибки сделаны, и, даже если дальше он будет писать свою жизнь чисто и праведно, листы в прошлом уже измараны. И поправить это уже невозможно. А ведь он старался. Он пытался начать жизнь с чистого листа, пытался начать новую главу своей жизни, простив и отпустив себе все ошибки. Но он ошибался и оступался вновь, марая все новые страницы. Как тошно было от этого, как невыносимо больно. Как устал он от себя и от своей неидеальной жизни.

И вот в такие темные минуты Иосифа посещали уже совсем иные мысли. Раз он уже оступился, раз он уже вымарал свою книгу жизни, извалял ее в грязи, так почему бы не разрушить все до конца? Раз он уже такой плохой сын, муж, отец, так пусть все летит к чертям. Дать волю всей силе эмоций, дать этой проклятой бездне разверзнуться у него в душе и позволить себе утонуть в этих мрачных водах. Пусть все мосты горят!

И он осушил бутылку вина. А затем другую. Он плакал и смеялся, не стесняясь быть замеченным. Он изливал душу случайным посетителям и совершенно не боялся быть узнанным. Под конец он не выдержал и набрал номер Анны. Разумеется, она не ответила. Тогда он набрал еще и еще и набирал до тех пор, пока слезы не залили его телефон.

Он вдруг вспомнил, как испортил свадьбу Анны. Она, такая красивая, такая нежная, в белом воздушном платье стояла перед своим женихом. Они уже собирались поцеловаться, как вдруг Иосиф, пьяный и обезумевший от горя, вскочил с места и бросился к ней. Он упал на колени перед ней на глазах у всех гостей, на глазах у ее будущего мужа. Он уже и не помнил, что тогда говорил. Кажется, просил прощения, признавался в любви, молил отменить свадьбу, ведь он так сильно любит ее. Он вцепился руками в подол ее платья и не отпускал. Наконец, Акакий — брат Анны — оттащил его и вывел подальше. Иосиф никогда не вспоминал этот постыдный эпизод, стараясь стереть его из сознания. С тех самых пор он обходил дом Курдиани стороной.

Иосиф оставил кабак и отправился бродить по теплому июньскому городу. Он останавливался, рыдал, издавая громкие всхлипы, и смотрел в небо. «За что, Господи? Почему не даешь ты мне то, что так хочу я? Почему не даешь моей беспокойной душе тихой гавани? Меня оставляли все, кого я любил в этой жизни: отец, мать, Анна. За что мне все это? Почему я чувствую эту черноту внутри? Пожалуйста, сжалься, Господи. Пошли мне спокойствия!»

Так взывал он к небу. Уже под утро силы покинули его, он понемногу стих и успокоился. Истощенный, ослабленный, Иосиф отправлялся, наконец, домой. Обычно после таких ночей ему становилось легче. И еще несколько месяцев он мог жить на светлой стороне своей личности, мог испытывать радость и счастье.

В эту ночь, зайдя домой, Иосиф сразу направился в кабинет. Он не хотел тревожить Нану. Он тихо прилег на диван, готовясь уснуть, когда дверь его кабинета приоткрылась, и он увидел Лиану.

— Папа, пожалуйста, не прогоняй меня. Мне надо сказать тебе кое-что очень важное. Выслушай меня.

## Глава 25. Июнь 2003 года. Батуми

— Папа, выслушай меня.

Какое бледное у нее было личико. Она вся дрожала. Неужели не спала всю ночь? Ее карие глаза казались почти черными на потерявшем все краски лице. Какая же красивая у него дочь, вдруг подумалось Иосифу. Такая красивая и уже такая взрослая.

— Ты знаешь, что через год я должна буду поступать в университет. Я очень хочу учиться в Лондоне. Это все, о чем я мечтала весь этот год. Но, чтобы поступить в университет в Лондоне, я должна обязательно окончить английский колледж. Весь этот год я училась и готовилась, а месяц назад я написала мотивационное письмо. Вчера я получала в ответ приглашение на собеседование. Папа, можно мне поехать на собеседование? Если я его пройду, меня возьмут в колледж.

Иосиф не мог вымолвить ни слова. Эта маленькая сильная девочка не просто придумала свое будущее, не просто распланировала, она в тайне ото всех начала его исполнять.

— Лиана, девочка моя. Иди ко мне, я обниму тебя. Как я горжусь тобой.

Он обнял дочь, крепко прижав ее к себе, как вдруг волна ужаса прокатилась по его спине. Но на что ему отправить дочь в Лондон на собеседование? Билеты, перелет, проживание. Одна она поехать не может, значит, нужны еще билеты на Нану. Иосиф прекрасно знал, что до гонорара денег у них совсем не осталось. Конечно, скоро придет гонорар и тогда денег им хватит сполна и на собеседование, и на учебу. Но как дотянуть до гонорара?

— Папа, ты разрешишь мне поехать?

У Иосифа перехватило дыхание. В горле стало так сухо, что слова раздирали его словно шипы.

— Ну конечно, Лиана, конечно. Иди спать и ни о чем не беспокойся.

— Спасибо, папа, спасибо!

— Ну все, иди.

Иосиф аккуратно разжал объятия дочери и легонько отстранил ее от себя. Какой счастливой была его дочь сейчас!

Когда за Лианой закрылась дверь, Иосиф стал судорожно думать. Денег у них нет. Он пытался отыскать в голове способ отправить дочь в Лондон. Должен же быть этот способ! Но его воспаленный, одурманенный алкоголем мозг не мог найти подходящего варианта. Все его мысли крутились только вокруг одно способа раздобыть необходимую сумму. Он пытался гнать от себя эти мысли, но они были сильнее его.

Иосиф встал, вышел из дома и отправился в казино.


## Глава 26. Июнь 2003 года. Батуми

Иосиф снял небольшую сумму денег с карты и обменял их в кассе на фишки. Карточку с оставшимися деньгами он бережно спрятал во внутренний карман пиджака, дав себе слово играть только на те фишки, что были у него в руках. Иосиф хорошо помнил то чувство вины и раскаяния, которое преследовало его долгие месяцы после прошлого проигрыша. С тех пор он ни разу не был в казино. Повторять все это снова он был не намерен. В этот раз все было совсем иначе. Он отдавал себе отчет, что в его руках будущее его дочери, что от его сегодняшнего самообладания зависит очень многое.

В покер Иосиф играл плохо, в блэк джек не играл вовсе. Поэтому он прошел все карточные столы насквозь и прямиком направился к рулетке. Иосиф выбрал стол, за которым сидело всего четыре человека: трое мужчин и молодая девушка — спутница одного из игроков. Она не играла, а молча с интересом наблюдала за ставкой своего приятеля и металлическим шариком, со звоном проносящимся по барабану. Когда Иосиф присоединился к столу, ни один из игроков не обратил на него внимания. Он посмотрел на экран и внимательно изучил последние результаты. Затем какое-то время понаблюдал за рукой дилера. Тот с завидным постоянством бросал мячик в зеро шпиль. Немного подумав, Иосиф поставил ставку на красное.

— Ставки сделаны.

Крупье размахнулся и бросил тяжелый металлический шарик на колесо. Тот зашуршал, проносясь по номерам. Затем звук стал громче — это шарик замедлял свою скорость. Наконец, он споткнулся о перекладину между номерами, звякнул, подскочил, ударился о 29 черное, отскочил на 28 черное и приземлился на двенадцать красное.

— Двенадцать красное.

Дилер сдвинул фишки проигравших в общую кучу, отсчитал выигрыш и подвинул его Иосифу. Фишки Иосифа удвоились. Краем глаза он заметил, как спутник молодой женщины забрал свой выигрыш с сектора зеро шпиль. Там коэффициент был значительно выше, а значит, и выигрыш был намного больше его собственного. Иосиф придвинул к себе выигранные фишки, а прежнюю ставку все также оставил на месте. Он играл на красном поле.

— Ставки сделаны. — Дилер размахнулся, бросил шарик и тот помчался по барабану, пролетая мимо цифр.

Иосиф отвернулся от стола. Он не в состоянии был выдержать напряжение этих нескольких секунд с момента броска до момента остановки шарика в лунке номера. Сейчас этот мячик решал, выиграть Иосифу или проиграть. Это был решающий момент. Напряженный момент. Иосиф предпочитал думать, что если он не будет пристально следить за игрой, не будет придавать ей значение, то злой рок обойдет его стороной и шаг за шагом, ставка за ставкой, он заберет свое. При этом он не рассчитывал на один большой триумфальный выигрыш, какой бывает у тех игроков, что ставят огромное состояние на один номер, скажем, одиннадцать черное и забирают выигрыш, в 35 раз превышающий начальную ставку. Такой игрок не проявит эмоций, он просто попросит обменять фишки на более крупные, выйдет из-за стола и направится к кассам — обменивать фишки на деньги. Нет, в такую удачу Иосиф не верил. Он всего лишь хотел понемногу, по чуть-чуть забирать свой выигрыш у судьбы.

— Семь красное.

Иосиф выдохнул с облегчением. Крупье вновь удвоил его ставку. Выигрыш отправился на стол, а прежняя ставка все также не сдвинулась с места. По-прежнему красное.

— Ставки сделаны.

Размах, бросок, шуршание, звон.

В этот раз Иосиф не отвернулся. Напряжение немного отпустило его. Он уже утроил свою первую минимальную ставку. Сейчас опасаться катастрофы не стоило. Он протер рукавом воспаленные слезами, алкоголем и усталостью глаза.

— Двенадцать красное.

Вот так. Все идет хорошо.

— Ставки сделаны.

И Иосиф снова играл на красном.

Теперь он уже смотрел не только на колесо. По мере того как напряжение отпускало его, он стал замечать людей вокруг. За столом играли уже шестеро. Молодой девушки и ее приятеля среди игроков не было. Он поискал их глазами — возможно, те просто захотели изменить стол, — но не нашел их в казино.

— Тридцать два красное.

Снова выигрыш.

Нужно было делать новую ставку. Вот уже четыре раза подряд дилер бросал в зеро шпиль. Выигрыш на этом секторе был существенно выше, но и ставка там была выше. Кроме того, ставить снова на красное рискованно. Слишком долго дилер кидал на красное.

Иосиф взял все четыре столбика с выигранными фишками и подвинул их на сектор зеро шпиль.

— Ставки сделаны.

Бросок.

Иосиф был абсолютно спокоен.

— Двадцать шесть черное.

Крупье отсчитал втрое больше фишек, чем стояло на столе у Иосифа, и придвинул их к его ставке. Иосиф быстрым движением придвинул выигрыш к себе, взял одну фишку с верхней стопки и бросил ее через стол крупье — на чай, в благодарность за хорошую игру. Тот поймал скользящую по сукну фишку, кивнул Иосифу и сбросил фишку в специальный бокс.

Иосиф отметил про себя, что если бы продолжил играть на красном, то потерял бы ставку. Удача была на его стороне. Небеса наконец решили сжалиться над ним. Но расслабляться пока еще рано. Выигрыш был невероятно мал по сравнению с тем, что требовалось для поездки Лианы. Ему нужно было больше. Он поставил ставку на красное.

— Ставки сделаны.

Выпало двадцать пять красное.

— Спасибо за игру, господа. Удачи, — крупье попрощался с игроками и перешел на другой стол. Его место занял новый крупье. Иосиф внимательно рассматривал его, пытаясь определить, чего ожидать от игры. Ставку он делать не стал, решив сначала понаблюдать за рукой.

— Десять черное.

Игра явно переменила свой ход.

— Двадцать два черное.

Иосиф по-прежнему не входил в игру.

— Зеро.

— Девять красное.

Рука крупье была не постоянна. В определенный сектор он не бросал. Постоянства в цвете тоже не наблюдалось. В четных или нечетных номерах — тоже. Кидал он попеременно то в правую, то в левую дюжину. Никаких подсказок Иосиф для себя не увидел, а потом снова поставил на красное.

— Тридцать красное.

Снова выигрыш.

Пора удваивать ставку. Иосиф не тронул выигрыш и оставил обе стопки фишек на красном.

— Напитки? — рядом возникла официантка. Напитки в казино предлагали бесплатно, но Иосиф отказался.

— Тридцать три черное.

Первый проигрыш. Иосиф неприятно поморщился. Проигрыш был несоизмерим с текущим выигрышем, но все же было неприятно.

Крупье смахнул его фишки в общий бокс.

Иосиф поставил на красное. Выпало черное. В чем дело? Надо сменить тактику. Иосиф переместил ставку на черное.

— Двадцать пять красное.

Иосиф расстроился. Как же так? Вот на столе лежит просто огромная куча денег. И она прямо сейчас без каких-либо усилий может стать его. Лиана отправится в Англию, жена будет довольна предстоящей поездкой, он уйдет отсюда героем, разом за ночь решившим все проблемы.

Никаких усилий. Нужно всего лишь угадать: красное или черное. Это же так просто: красное или черное?

Переживаний от мелких неудач Иосиф вынести больше не мог и не хотел. Его нервная система была напряжена до предела. Он весь был как оголенный провод. Он знает. Вот что надо делать: утраиваем ставку и ставим на красное. Выигрыш перекроет поражения и избавит его от переживаний еще на несколько ставок.

Фишки на красном.

— Зеро.

Ну как же он забыл? Как мог он забыть, что на рулетке не две вероятности при игре на цвете, а три! Как мог он совсем забыть про зеро? И почему он не угадал именно сейчас? Это же невозможно, не справедливо. Так не должно быть. Угадай он сейчас, все сложилось бы как нельзя лучше.

Тем временем крупье отсчитал большой выигрыш и придвинул его к потному толстому мужчине, сидевшему напротив. Иосиф бросил на него короткий взгляд. Тот ухмыльнулся и бросил неприятным сиплым голосом прямо Иосифу в лицо:

— Не везет, приятель?

Рядом со столом возник худощавый официант с подносом напитков. Иосиф взял бокал вина, залпом опрокинул его в себя и встал. Пора менять стол.

Все было в полном порядке. Он проиграл только то, что выиграл. Все деньги целы, семейный бюджет не пострадал. Иосиф взглянул на телефон — было пятнадцать минут седьмого. Жена и дочь скоро проснутся. Надо поторапливаться. Иосиф прошелся по залу, ища глазами крупье, которому бросил чаевые. Тот работал за столом с высокими ставками.

Иосиф поставил на красное все фишки, которые обменял в кассе.

Шарик зашуршал по барабану. Иосиф отвернулся от стола. Если он угадал, его выигрыш сразу удвоится. И тогда, имея этот запас, он продолжит играть. Если нет, не страшно. Сумма была небольшая, но ему придется перестать играть и поехать домой. В этом случае он не сможет помочь Лиане. Руки Иосифа вспотели, сердце тревожно заколотилось, на лбу и спине выступил пот. Красное, черное или зеро? Один из трех вариантов. Что может быть проще.

Итак, его ставка на красное.

— Четыре черное.

Иосиф хлопнул ладонью по столу. Он мгновенно вскочил, не успев даже опомниться, подбежал к кассе, вынул дрожащими потными руками пластиковую карту и снял все деньги, которые на ней были. Все их с Наной деньги. Если сделать только одну крупную правильную ставку — он спасен.

Красное или черное?

Даже не пересчитав фишки, он сдвинул все на черное. Зашуршал шарик. «Господи, если ты есть... Не ради меня, ради Лианы. Эта девочка так этого заслуживает». Он сцепил кисти рук в замок в молящем жесте и не отрывал глаз от стола. Как мог он забыть, что рулетка — игра дьявола?

— Двадцать пять красное.

Иосиф взвыл в голос. Он вцепился в волосы и начал тянуть их изо всех сил. Что же он наделал. Нана, Лиана, что скажут они ему? Как теперь показаться им на глаза? Единственный путь его — отыграться. Отыграться! Он еще может отыграться, чтобы вернуть хотя бы то, что потеряно, чтобы восстановить семейный бюджет.

«Бедная, бедная Лиана», — словно в лихорадке шептал он.

Его мысли переключились на дочь. Они с дочерью не были очень близки. Он любил ее всем сердцем, но боялся, что дочь увидит его таким. Увидит его неподдающиеся контролю эмоции, увидит его депрессии, пьянство, отчаяние и игру. Он очень боялся потерять ее уважение, лишиться авторитета.

Его маленькая сильная Лиана весь год усердно училась, строила планы, мечтала о Лондоне. Ему представилось ее бледное личико над учебниками. Представлялось, как она, не зная усталости, учится и старается, без сна и отдыха. Сколько дней и ночей его дочь провела без отдыха?

Так воспаленное сознание продолжало накалять его эмоции, искажая реальность, вызывая то чувство вины, то злость, то отчаяние. Он все представлял, как Лиана, склонившись над учебниками, учится, пока он пьянствовал и упивался депрессией, играл и пьянствовал, и вновь упивался депрессией, и вновь — пьянствовал, совершенно забыв о ней. Но теперь, теперь-то он сможет ей помочь. Просто надо решить: красное, черное или зеро.

Денег больше не было. В долг казино не разрешало играть. Он вышел из-за стола, поискал глазами толстого неприятного мужчину, выигравшего большую сумму денег, и, отыскав, направился прямиком к нему.

— Одолжи фишек?

— В долг не даю. Что у тебя есть?

— У меня есть только телефон. Но я верну тебе все с выигрыша.

Тот опять скривил губы в неприятной улыбке:

— Нет, дружище, так не пойдет.

Иосиф не знал, что ему делать. Вдруг неожиданно к нему подошел крупье. Тот самый крупье, что получил от Иосифа на чай.

— Господин, я могу одолжить вам денег. Отдадите с выигрыша, если нет — в кассе есть ваш паспорт и адрес, отдадите через неделю.

Иосиф невероятно обрадовался внезапному везенью. Он одолжил крупную сумму денег, как раз достаточную, чтобы отыграться.

— Зеро.

В случае выигрыша Иосиф получит все деньги, умноженные на тридцать пять. Это целое состояние. Сейчас ему повезет.

Шарик зашуршал, подскочил, ударился о бортик и замер.

— Семь красное.

Как в тумане, шатаясь, Иосиф вышел из-за стола. Одна роковая секунда. Одна непростительная ошибка, одно неверное движение — и огромное состояние улетело в общий отсек с фишками. На столе напротив него не осталось ничего.

Уже на улице его вырвало. Он ощущал неимоверное отвращение к себе, к этому дню, к жизни. Он ненавидел и презирал себя. Мелкий жалкий человек, не способный справиться со своими страстями и слабостями. Так Иосиф бичевал себя, пока шел пешком домой.

Вокруг него было обычное утро: ярко светило солнце, люди спешили по своим делам, машины сновали взад-вперед. У них у всех было обычное утро, обычная жизнь. У всех, но не у него. У него же в душе разверзлась бездна. У дома его вырвало еще раз.


Нана не находила себе места. Лиана вот-вот проснется, а Иосифа все еще не было дома. Вдруг она услышала, как с шумом распахнулась дверь. Она выбежала из кухни и застыла на месте. Муж бледный, с опухшими красными глазами, растрепанными волосами, в мятой, прокуренной одежде, покачиваясь, стоял у двери.

— Лиана, — не своим голосом заорал Иосиф. — Лиана!

Нана кинулась к нему. Она хотела его приласкать, успокоить, не дать ничего сказать дочери, но Лиана уже стояла на лестнице.

— Лиана, — чуть тише произнес Иосиф. — Твой отец — алкаш и игрок. Ничтожество, спустившее твое будущее в рулетку.

# Глава 27. Лето 2003 года. Батуми

Лиана слышала все, что происходило внизу. Она слышала, как отец плакал, звал ее, Лиану, проклинал себя, попеременно прося прощения и обещая все исправить. Она крепко обхватила руками свои колени и сидела на кровати, не шевелясь. Вниз спуститься она не решалась: не хотела видеть отца в таком состоянии, но еще больше не хотела, чтобы отец знал, что она видела его таким. Каким-то собственным только чутьем Лиана понимала, что отцу это будет нестерпимо больно.

Она пыталась собрать в единое целое кусочки информации, долетавшие до ее слуха снизу. Во-первых, отец проигрался в казино и, видимо, не в первый раз. Почему раньше она никогда не замечала этого? Почему ей и в голову не приходило, что отец играет в казино? Как она упустила такую серьезную вещь? Во-вторых, у них нет денег. Она еще не понимала масштаба проблемы, но уже знала точно — в Лондон она не поедет. Правда сейчас ее это не заботило.

Что заботило ее сейчас больше всего — это состояние отца. У него происходил какой-то припадок. Скорее всего, это алкогольная горячка, вызванная потрясением от проигрыша, бессонной ночью и большим количеством выпитого. Она хотела думать, что все это пройдет, когда отец протрезвеет и выспится. Но вдруг нет? Она никогда прежде не видела его в таком состоянии: безумный взгляд, спутанные слова, рыдания и бред. Ей так сильно хотелось ему помочь. Сделать хоть что-то, чтобы облегчить его терзания. Она очень хотела спуститься вниз, обнять, приласкать отца, успокоить, но понимала, что лучше этого не делать. Потерять лицо для грузина — тяжелое испытание. Потерять лицо перед своим родным ребенком — еще тяжелее. Лиана даже подумывала подговорить маму, чтобы они вместе рассказали отцу позже, что Лианы в то утро дома не было. Что разговор с ней просто привиделся отцу.

Но что если отец помешался? Что если это не горячка и бред, а помутнение рассудка, которое останется навсегда? Лиану замутило. Внутренности сжались, и противно засосало под ложечкой. При мысли о том, что отец может остаться таким, как сейчас, жить не хотелось совсем. Это рушило весь ее мир: жить в мире без прежнего папы она не хотела.

Слезы покатились по ее щеками, рыдания сдавили горло до боли. Дыхание стало частым, как у собаки, она чувствовала, что задыхается. Губы скривила судорога, кончики пальцев свело, и она не могла их разжать. Она продолжала плакать, задыхаться, раскачиваться на месте. Она не знала, как остановить это.

Успокоиться она смогла только тогда, когда в доме все стихло. Обессиленная Лиана закрыла глаза и мгновенно уснула.

Привычный мир, окружавший Лиану, начал меняться. И то, как он менялся, ей абсолютно не нравилось. Отец теперь почти не выходил из кабинета. Он старался не попадаться Лиане на глаза и почти перестал с ней разговаривать. Мама, измученная заботами о здоровье отца и нынешними материальными трудностями, была озадачена и почти не улыбалась. Семья переживала тяжелые времена. Лиана была предоставлена самой себе, и, казалось, никого не волновали ее переживания и ее драма.

А драма в ее душе разворачивалась неистовая. Она злилась, негодовала, пребывала в отчаянии. Мозг неустанно рисовал в ее воображении картины несостоявшегося будущего: вот они с Карду гуляют по Гайд-парку, вот они вместе едут в колледж, вот они целуются и обнимаются, смеются, смотрят кино, приезжают в Батуми. И так горько ей становилось от того, что все ее мечты были так близко, а теперь невозвратно далеки. Еще целый год ей теперь приходилось ждать. Только в следующем году она сможет попробовать еще. Но что если она не поступит? Что если у отца не будет денег? Тогда все кончено. Все непременно кончено.

Лиана стала часто плакать. Уже привычным стал вечерний ритуал: она шла в ванну, чистила зубы, умывалась, шла в спальню, брала плеер, включала грустную музыку и плакала, мечтая о всех тех событиях, которые теперь не наступят. Иногда они тихонько плакала себе в подушку. Иногда рыдания раздирали грудь, и она задыхалась от слез. Бывало, она доводила себя до неистовства, до полного истощения и тогда все лицо ее, руки и даже пальцы ног сводила судорога.

Наступил день, когда дальше тянуть уже было нельзя — надо было объявить Карду о том, что в Лондон она не едет. Она набрала его номер и стала ждать.

— Лиана, как я рад слышать тебя! Чемоданы уже упакованы?

Лиана сглотнула ком, застрявший в горле. Моментально она снова представила, каким чудесным мог бы быть этот день, если бы… Если бы что? Кого винила в случившемся Лиана? Отца за то, что проиграл деньги? Себя, за то, что не поделилась планами с родителями раньше? Маму за нежелание отпускать ее? Лиана и не знала толком. Она не искала виноватых, она кляла судьбу.

— Карду, я должна сказать тебе, что я не могу поехать в Лондон.

На другом конце — молчание. Слезы градом покатились из глаз Лианы. А что если он бросит ее? Прямо сейчас, по телефону, что если она ему больше не нужна. Лиана судорожно втянула воздух.

— Лиана, что случилось?

И тут она разрыдалась. Громкими шумными рыданиями, с приступами икоты, задыхаясь от собственных слез и стыдясь своего положения.

— Карду, мой папа болен. Маме нужна помощь, и ко всему прочему у нас некоторые финансовые сложности. Я не смогу… Маме нужна помощь… Я нужна им тут… — только и смогла выдавить из себя Лиана.


## Глава 28. Апрель 1983 года. Батуми

«Привет, Иосиф!

Жду не дождусь, когда ты наконец приедешь в Батуми! Прилетай сразу после своего выпускного! Ты никогда не думал, что это очень странно, что после девятого класса устраивается "выпускной"? Никто же никуда не уходит. В нашем классе все переходят в десятый. А у вас?

В нашем доме радость! Ика женится! Свадьбу решили праздновать в Грузии. Наконец, я познакомлюсь и с Машей, и Вовой. Они прилетят сразу после сессии — в конце июня. А свадьбу назначили на июль. Представляешь, как будет весело этим летом! Мне кажется, они славные. Ика так много рассказывает про

Машу. Кстати, Вова немногим младше нас — ему четырнадцать. Думаю, мы все подружимся! Здорово будет, правда? У нас дома уже распределили спальни — кто в какой остановится. Иосиф, ты же придешь на свадьбу, правда? Твой папа больше не бывает в Батуми, но тебя и бабушку мы пригласим. Ох, как же здорово это будет!

Ика говорит, что Вова, Машин брат, ни на шаг от него не отходит, представляешь? Во всем хочет быть на него похожим. Ика рассказывал, что Вова рассказывает в школе, что у него есть взрослый друг-грузин. Хвалится, что они вместе ходят в кино и на футбол. Мне кажется, это очень мило.

Я прочла твой рассказ. Знаешь, мне кажется, тебе уже стоит писать книги. У тебя так складно все получается. И так живо, так интересно, так хорошо. Мне нравится, что теперь ты пишешь не только про историю, а сам придумываешь сюжеты. Я думаю, ты будешь большим писателем! А потом можно будет и сценарии для фильмов писать. Ты никогда об этом не думал? Может, тебе поступить на филологический?

Очень скучаю по тебе и надеюсь на скорую встречу.

*Твоя Аня.*
Батуми, 1983 год».

Иосиф перечитал письмо ещё раз и сложил в верхний ящик стола. Там хранились все письма от Анны за все эти годы. А ещё там лежали его рассказы, его эссе и первые главы романа, который он тайком ото всех начал писать. Оставалось только лишь два месяца, и он увидит Анну. Он был взволнован. Иосиф ждал в нетерпении, ведь он, наконец, решился. Этим летом он признаётся Анне, что влюблён в неё вот уже многие годы. Будет ли это новостью для нее? Или она уже знает? Ответит ли взаимностью? Последние три года, прошедшие с той злосчастной Олимпиады, он искал ответ в каждом письме ее, в каждой строчке, в каждой встрече, в каждом взгляде. Два лета и три зимы он любил ее. Любила ли она его?

То, что между Иосифом и Анной существовала абсолютно особая, невероятная связь, не было секретом ни для них самих, ни для людей вокруг. Они были очень близки и делились друг с другом всем, что проживали: событиями, эмоциями, переживаниями. Летом дни напролёт проводили вместе: вдвоём ли, или в компании брата Анны Ики и его друга Давида, но непременно — вместе. Когда же Иосиф уезжал в Тбилиси, то писал ей подробные, длинные письма, в которые всегда неизменно вкладывал новый рассказ. Она отвечала лаконично, но крайне горячо и очень чувственно.

Сомнения одолевали Иосифа, и все же он ждал, он верил и надеялся, что она ответит взаимностью. Да и как могло быть иначе? Это же Анна! По правде говоря, он уже давно представлял себе их с Анной вместе. Он рисовал в воображении счастливые картины этого лета, где они с Анной уже не просто друзья, но двое влюблённых. И как кстати эта свадьба! На ней он весь вечер будет возле Анны, и всем станет ясно — он ее жених. Она будет танцевать только с ним, будет смотреть только на него, Иосифа. Он представлял, как женится на Анне, переедет в Батуми, и заживут они вместе в их большом, просторном доме, который теперь никогда не будет пустовать. И у него, Иосифа, обязательно получится то, что не вышло у папы.

Неожиданно в стопке конвертов и бумаг, принесённых почтальоном, Иосиф увидел ещё одно письмо — и тоже от Анны! Должно быт она отправила его всего через день или два после первого, а в Тбилиси они попали вместе.


«Ах, Иосиф!
Я знаю, знаю, что только писала тебе. Но мне так надо поделиться! Так надо рассказать. Мне сложно молчать, ведь хочется, чтобы весь мир знал! Мне кажется, я чувствую все то, что ты описывал в своих рассказах: бабочки в животе, а за спиной — словно крылья. Не могу спать, не смогу есть, не могу думать о школе.

Знаешь, каждый вечер перед сном я лежу в своей кровати и мечтаю. Случалось тебе мечтать перед сном? О чем же ты думаешь в такое время?

Раньше я и не думала вовсе: ложилась в кровать и засыпала. Но теперь я все думаю и думаю. Я представляю в своих мечтах самое смелое, самое сумасшедшее, что только может случиться.

Приезжай же скорее! Мне так надо увидеть тебя, так надо все тебе рассказать. Ты самый близкий мне человек. Я так рада, что ты у меня есть!

Обнимаю, твоя *Аня*.
Батуми, 1983 год».

Иосиф поцеловал письмо и крепко прижал его к груди. Она непременно ответит взаимностью! Он закрыл глаза и представил ее запах, ее улыбку, ее широко распахнутые глаза и слегка приоткрытые губы. Как сладко будет их целовать.

Он постоял так ещё немного, держа в руках письмо. А затем спрятал его в ящик стола и сел писать новую главу своего будущего романа.

## Глава 29. Лето 1983 года. Батуми

Иосиф с бабушкой прилетели в Батуми пополудни. Солнце уже высоко стояло над горизонтом. Каждый раз, прилетая сюда, Иосиф дивился яркости этого мира. Всего несколько цветов: глубокая морская синева, сочная зелень деревьев, мягким ковром укрывающая горы, прозрачно-голубой оттенок неба и чуть подрагивающий сизый у горизонта. Но как преображали они все вокруг. Словно ослепительный солнечный свет нежно прикасался к сердцу и оставлял свой теплый отпечаток в душе. Ступая на Аджарскую землю, Иосиф всегда ощущал себя легче, свободнее и счастливее.

Прилететь сразу после выпускного, как просила Анна, Иосиф не смог — задержали дела в Тбилиси. Вырваться получилось только спустя несколько недель.

Едва выгрузив чемоданы из такси, Иосиф направился в дом Курдиани. Тут царила атмосфера веселья и праздника. Ика с невестой и ее семьей уже прибыли в Батуми. В доме было шумно и людно.

— Иосиф! — радостно вскрикнула Анна, заприметив друга. — Иосиф приехал!

Она, сидевшая до того с высоким незнакомым Иосифу юношей — очевидно, Вовой, бросилась со всех ног к нему, крепко обняла за шею и нежно поцеловала в щеку.

— Приехал! — продолжала радоваться Анна.

— Гамарджоба, Иосиф! — раздавалось со всех сторон.

К нему подошла Тинатин и прижала его к себе:

— Мальчик мой, как ты вырос! Мы так рады тебе! Проходи же скорее. Мы как раз садимся обедать. А где твоя бабушка? Зови ее к нам!

Иосиф дивился, какими дружными они все выглядели. Одна большая семья, где все друг друга ценят, уважают и любят. Он украдкой наблюдал за ними. Пока Тинатин раскладывала дымящуюся еду по тарелкам, Карду разливал всем вино, а Ика рассказывал историю из своей студенческой жизни. Маша и Вова смотрели на него: она с лаской и нежностью, он — с интересом и восхищением. Отец Марии учтиво кивал, а мама помогала Тинатин. Тут же были и Давид с семьей. Все гудели, смеялись, общались. Иосиф взглянул на Анну. Она поймала его взгляд, улыбнулась и весело подмигнула в ответ. Так уютно и тепло было здесь. Иосифу вдруг отчаянно захотелось быть частью этой семьи. Он не будет больше ждать! Как только он сможет остаться с Анной вдвоем, то расскажет о своей любви. Сумеет ли он подобрать нужные слова?

День медленно уплывал за горизонт, горы отбросили тени, а сумерки понемногу спускались на город. В доме стало тише — все отдыхали после обеда.

— Прогуляемся к морю? — предложила Анна.

— Конечно, — отозвался Иосиф. Сердце вдруг подскочило к горлу, а кровь прилила к лицу. Все заготовленные слова и продуманная речь мгновенно покинули его голову. Что же он скажет ей? С чего начнет? Как откроет свои чувства?

— Мне так много надо тебе сказать, — начала она, нежно беря его за руку.

— И мне, — ответил он, глядя ей прямо в глаза. Голова кружилась, пульс стучал в висках. Вот он, момент, которого Иосиф так долго ждал. Секунда, другая. Сейчас. Он расскажет.

— Кто первый начнет? — улыбалась она.

Конечно же он! Конечно, Иосиф должен начать первый. Он открыл было рот, но слова комом застряли поперек горла. Она улыбнулась.

— Давай я. Мне так не терпится! Я так ждала тебя, чтобы все рассказать.

Какой счастливой она была в эту минуту. Она вся искрилась, сияла, горела! Столько жизни и радости было в ней.

Время словно замедлило ход. Сердце медленно выстукивало каждый удар. Бух! Пауза. Бух! Пауза.

— Иосиф, милый, я должна признаться тебе — я влюблена! Бесповоротно, безумно и страстно!

Бух! Пауза. Бух! Пауза.

— Я знаю, ты будешь так счастлив за меня. Я никому не открывалась еще. Ты единственный, кому я могу рассказать. Ты мой самый близкий, самый искренний друг. Его зовут Михаил, Миша. Он из города. Мы познакомились этой весной. Вот уже несколько месяцев я тайком езжу в город на встречи с ним. Ох, Иосиф, милый, если бы ты только знал, как я счастлива!

Земля не ушла из-под ног, небеса не разверзлись громом. Напротив: время снова побежало своим чередом, пульс приходил в равновесие, дыханье стало ровным и волнение рассеялось. Только кто-то как будто бы выключил яркость. Мир вокруг стал монохромным и тусклым. И лишь маленькая темная трещина пролегла по сердцу, расколов его пополам.

Он так никогда не признается ей. Но разве она и так не знала?


## Глава 30. Лето 2003 года. Батуми

Нана видела, что дочь сильно переменилась. Лиана была несчастна, хоть и старалась это скрыть от них с Иосифом. Нана спрашивала себя: а позволила бы она уехать дочери в Лондон учиться, если бы их финансовое положение по-прежнему оставалось безоблачным? Она не знала ответ. Ей было сложно представить, что ее еще несовершеннолетняя дочь уедет одна в Лондон. Да еще этот Карду. Нана все подмечала. Она видела, как горят глаза

Лианы, когда та говорит о нем. Видела она и то, как Лиана смотрела на парня, как держалась рядом с ним. Между ними явно что-то происходило, и ей это не нравилось. Не любила Нана семью Курдиани, но почему не любила — объяснить бы не смогла. Когда Иосиф перевез ее, уже жену, в этот дом из Тбилиси, Нана не особенно старалась подружиться с соседями, так как видела, что сам Иосиф не охотник до друзей. С соседями Иосиф не общался. Так и повелось: с Курдиани Нана здоровалась, уважение выказывала, но дружбы не водила.

«Ничего, — думала она про дочь. — Вот поступит в университет и выбьет из головы эти мысли о Лондоне, забудет Карду. У нее начнется другая жизнь, интересная, полная событий. Вот она и расцветет снова». Нане казалось, что Лиану нужно просто чем-то отвлечь, чем-то занять. Что как только в ее жизни появятся новые впечатления и события, дочь сразу же снова станет веселой и радостной. Нана не беспокоилась о Лиане. Лиана сильная, она все вынесет. Куда больше ее беспокоил муж.

Его и прежде шаткое самочувствие теперь было совсем не важным. Иосиф испытывал страшные муки совести. Ему было нестерпимо больно за то, что он совершил, за то, что не сумел справиться со своими слабостями и пороками и поставил под удар дочь — существо, зависимое от него и доверяющее ему. Нана жалела мужа. Ее сердце сжималось от боли, стоило ей представить, как он корит себя, как ругает, наказывает. Конечно, он был кругом виноват. Он играл, хотя обещал ей никогда больше не подходить к рулетке. Он пил и выставил себя таким напоказ дочери. Да, и еще раз да — он виноват. Но как же тошно ей было думать о том грузе, что лежал теперь на плечах ее мужа. Как хотелось ей, чтобы он мог его поскорее сбросить. Как хотелось облегчить эту ношу.

Нана старалась как могла: ухаживала, поддерживала, оберегала, окружала мужа заботой, ни на минуту не переключаясь на что-то еще. Он был центром ее мира. Она не хотела, чтобы он вот так закрылся навсегда. Она не могла допустить, чтобы он перестал писать. Ах если бы она могла вернуть мир в их семью! Никаких денег ей было бы не жаль. Как много бы она отдала, только бы стереть ту ночь из их памяти.

День за днем она вставала пораньше, готовила вкусный завтрак, накрывала на стол. Если Иосиф не желал спускаться вниз — относила ему поднос с дымящимся завтраком в кабинет. Затем собиралась, бежала на работу. В течение рабочего дня она не забывала несколько раз позвонить домой мужу, поинтересоваться его самочувствием и спросить, что он желает на ужин. По пути с работы Нана заходила в магазин, покупала продукты и шла домой. Готовила ужин. Если дочь была дома — слушала, как прошел ее день, что интересного у нее было. Если и Иосиф спускался к ужину, то это был уютный семейный вечер: все шумно болтали, спорили, смеялась. Нана любила такие вечера — ей нравилось видеть семью вместе. После ужина она собирала со стола, мыла посуду и делала еще кое-какие дела по дому. Затем, без сил, она ложилась в пустую кровать. Иосиф давно уже не грел ее постель и спал отдельно. Вот тогда, уже лежа в постели, она сполна ощущала, насколько устала. Она закрывала глаза и тут же проваливалась в беспокойный короткий сон, чтобы наутро подняться с первыми лучами солнца и повторить этот день снова. И так: день за днем, день за днем. Муж, работа, дом. Муж, работа, дом.

А потом она устала. Устала собирать Иосифа по кусочкам, устала склеивать семью, устала все время думать о ком-то, ком угодно, но не о себе. Иногда она задавалась вопросом, какой была бы ее жизнь без Иосифа? Они поженились, когда Нана была совсем еще, в сущности, девочка. Она и не помнит, как это — жить для себя, думать о себе, делать что-то только для себя. Смогла бы она быть счастлива одна? Нана гнала прочь эти мысли от себя. Иосиф — отец ее ребёнка, ее единственный мужчина, ее муж, ее выбор в конце концов. Каким бы он ни был, она должна быть с ним.

## Глава 31. Лето 2003 года. Батуми.

Друзья, казалось, не замечали перемен в Лиане. Ребята все также наслаждались летними каникулами и солнечными беззаботными деньками. Но Лиана была необычно молчалива и тиха. Она поняла этим летом, что невозможно зависима от родителей и единственный путь быть хозяйкой собственной судьбы — это получить материальную независимость. Но как это сделать, когда только окончила десятый класс?

Мысли о заработке отвлекали Лиану от гнетущей действительности. Она часто думала о том, как больше зарабатывать на фруктах. С очередных заработанных денег Лиана предложила выделить бюджет на заказ ярких футболок — чтобы их сразу было видно на пляже, а еще — на бумажные визитки с номером телефона для заказов фруктов. Номер телефона указали Бердиа, так как тот быстрее всех ездил на велосипеде и мог быстрее доставить фрукты. Неожиданно эти нехитрые манипуляции дали свои плоды — покупать стали больше. Лиана радовалась успехам, откладывала понемногу и ломала голову над тем, как заработать осенью.


Однажды вечером на телефон Бердиа поступил заказ о доставке фруктов. Бердиа не мог поехать — неважно себя чувствовал. Он передал заказ Арчи, и тот отправился на пляж — доставлять клубнику позвонившей девушке.

Было довольно поздно, и на пляже не было ни души. Вдруг Арчи заметил тоненькую фигуру, сидящую прямо у воды. Он разглядел легкое платье, длинные волосы и красивый профиль. Внутренний голос подсказал — это ей он вез фрукты. Арчи подъехал к воде, и девушка встала ему навстречу.

— Гамарджоба! Это вы звонили? По поводу клубники?

— Да. Спасибо, что привезли. Вот 3 лари. — Она протянула деньги.

Арчи окинул ее взглядом. Девушка была на вид чуть старше его самого. Ее пухлые песочного цвета губы имели изящный изгиб. Ее кожа, белая словно фарфор, была гладкой и нежной. Арчи невольно обратил внимание на то, как прекрасно она сложена: тоненькая, словно тростинка, талия, округлая белая шея, покатые плечи, высокая грудь, узкие бедра. Ее бронзовые глаза с их мягкой темной глубиной смотрели на него спокойно и по-девичьи открыто...Можно было провести плавную линию от пробора в блестящих, иссиня-черных волос, к гладкому, цвета слоновой кости плечу.

— Не стоит. Пусть будет тебе моим подарком, — только и ответил ей Арчи.

Она убрала непослушно выбившуюся прядь волос за ухо, смущенно опустила глаза и улыбнулась.

— Спасибо, — чуть слышно отозвалась девушка.

Арчи продолжал разглядывать ее.

— Уже совсем поздно. Что ты делаешь тут совсем одна?

— Я решила прогуляться. Здесь так красиво, — она зажмурилась и глубоко вздохнула. — Красиво и тихо. И мне захотелось фруктов, а пару дней назад девушка отдала мне на пляже визитку с номером. Вот я и позвонила.

— Как тебя зовут?

— Тина. А тебя?

— Арчи. Тина, никто не ходит гулять поздно вечером в одиночестве к морю. У тебя все в порядке?

— А вот я хожу, — заулыбалась она. — Я живу недалеко и частенько выхожу сюда прогуляться. Мне нравится смотреть на звезды, слушать шелест волн и нюхать запах соли.

Арчи молчал, Тина продолжала:

— Знаешь, когда закидываешь голову вверх, а там — бесконечность! И ты такой маленький. Но тебе так хорошо.

— Ага, — вдруг ответил Арчи. — Я там обычно теряюсь. Начинаю уходить в глубокие темы. Почему, зачем. И где эта «бесконечность» кончается.

Она наклонила голову и сказала:

— А я уже видела тебя раньше. Ты часто бываешь тут на пляже. Ты живешь выше?

— На Варшанидзе. Семьдесят четвертый дом.

Девушка кивнула и жестом пригласила присесть.

Они устроились на песке у воды под темным звездным небом. Разговор сплетался сам собой, увлекая их все дальше и дальше. История в ответ на историю, рассказ в ответ на рассказ другого. Тина родилась и выросла в Тбилиси, лето же проводила с семьей в Батуми, а у Арчи был друг, Бердиа, отец которого тоже родился в Тбилиси, проводил летние каникулы в Батуми, а после и вовсе перебрался сюда. Тина окончила первый курс юридического, мечтала быть известным адвокатом и бороться за права человека, а Арчи мечтал стать знаменитым футболистом и не планировал поступать в университет. Она читала Харпер Ли,

Радзинского и Кони, он предпочитал чтению тренировки на стадионе или пробежку по городу. Она играла в шахматы, а он разыгрывал комбинации и выигрышные партии на поле. Она мечтала посвятить себя Грузии, он мечтал уехать жить в Европу. Она была старше на пару лет, а он, казалось, на столько же мудрее.

Так проболтали они около часа. Арчи многое узнал о Тине. Ее тбилисские будни были полны жизни: университет, друзья, книги, занятия спортом, публикация колонок в университетском журнале, общественные организации и волонтерство, политические движения и оппозиция. Она не сидела на месте, она была человеком действия. Своей живостью и блестящим умом Тина покорила Арчи. Он сидел и не мог понять: неужели она существует наяву? Неужели ему не приснилась эта бесподобная девушка.

Коротким громким сигналом телефон прервал их беседу.

— Сообщение от мамы. Волнуется. Думаю, мне пора.

— Действительно. Уже поздно. Я провожу тебя.

— Не стоит, тут совсем близко.

— На улице уже совсем темно. Давай я провожу тебя. Мне будет так спокойнее.

Идти было и правда недалеко. Вскоре показался забор невысокого дома, и Тина объявила, что они пришли.

— Мы можем увидеться еще? Оставь мне свой номер.

— У тебя он есть, — улыбнулась она. — Я же заказала клубнику.

С того дня Арчи стал реже бывать с друзьями и больше проводить время с Тиной. К ней он всегда приезжал с корзинкой свежесобранной спелой клубники. Они гуляли, купалась, разговаривали, смеялись. Арчи нравилось слушать ее мысли, идеи, рассуждения. Они часто спорили, обсуждая труды философов, экономистов, политологов. Она была чудо как хороша, когда увлеченно о чем-то рассказывала. Тогда вся внешность ее преображалась: глаза загорались каким-то неведомым огнем, на щеках проступал румянец, все черты лица смягчались и оживали, а голос становился глубоким и выразительным. Она много жестикулировала, крутилась на месте и быстро говорила.

— Ты пойдешь на выборы? — как-то раз, сидя у моря, спросила она.

— На президентские? В ноябре?

— Ну да.

— Мне еще нельзя. А ты?

— А мне уже можно. Пойду, конечно.

— За кого ты будешь голосовать?

— Еще спрашиваешь! Ясно за кого! За Саакашвили. За новую Грузию.

— За «новую Грузию»? — усмехнулся Арчи. — Что это еще за политические лозунги. Есть какие-то более веские причины голосования за Саакашвили?

— А ты, я смотрю, не его сторонник?

По правде говоря, до этого диалога Арчи не был ничьим сторонником. Он вообще не думал о политике. Он задумался. Аджария, Батуми были его родиной, его землей и его государством. Аджария была достаточно автономной и независимой от Грузии: свое правительство, своя армия, свой бюджет, пополнявшийся доходами от турецкой границы, которая, кстати, была полностью подконтрольна Аджарии. Аджария и Грузия — не одно и то же. Испокон веков Аджарская автономия управлялась князьями Абашидзе, потомок которых и сейчас стоял у власти. Арчи уважал Абашидзе, как уважал традиции и семью, как чтил порядок и законы. Известно, что Абашидзе — сторонник действующего президента — Шеварднадзе. Их союз был залогом процветающей и независимой Аджарии.

— Что плохого в том, что у нас останется прежний президент?

— Прежний? — Она вскочила со своего места. — Прежний?! А что сделал твой прежний президент? А я скажу тебе — развалил экономику, не сумел удержать республики, кругом нищета, бардак, стагнация.

— Ну-ну-ну. Опять лозунги. Есть у тебя причины голосовать за Саакашвили?

— Да ты его хоть видел?

— Нет.

— А я видела! Он настоящий лидер! Пылкий, преданный народу, думающий о стране и, главное, предлагающий альтернативу. С ним Грузию ждет другое будущее.

— А где ты его видела?

— Я говорила тебе про нашу студенческую организацию — «Кмара»? Мы сформировали движение в поддержку оппозиции. На одном из наших митингов выступал сам Саакашвили. Ты бы видел его! Какой огонь в его глазах! Давай я возьму тебя с собой на наши митинги? Приезжай, ты же сможешь?

Арчи обещал подумать.

Так они проводили лето: за спорами, разговорами и увлеченными беседами. Вслед за летом наступила осень. Тина вернулась в Тбилиси, а Арчи — к футболу, но общаться они не переставали. Им нравилось говорить друг с другом. А для Арчи ничего ценнее и быть не могло.

## Глава 32. Осень 2003 года. Лондон

Жизнь в Лондоне была совсем не похожа на мою прежнюю жизнь. Теперь я был полностью предоставлен самому себе. Все возникающие вопросы, все жизненные ситуации теперь приходилось решать в одиночку. Я заново заводил знакомства, формировал привычки, выстраивал быт и создал свое окружение. Я взрослел и набирался опыта.

С одной стороны, теперь меня захватывало все новое и неизвестное. Оказалось, жизнь не ограничена Питером и Батуми. Мир шире, больше, интереснее. Этот мир полон самых разных возможностей, и я был готов использовать их все. Я неустанно штудировал учебники и взахлеб читал самую различную литературу, не пропускал лекции и использовал любую возможность для получения новых знаний. Ежедневно мне открывалось что-то новое. Мой кругозор расширялся, знания росли, рождались идеи. И это радовало и окрыляло меня.

Но, с другой стороны, моя социальная жизнь оставляла желать лучшего. Я тосковал, а тоска плохая советчица в заведении новых друзей. Я совсем не ожидал, что окажусь в Лондоне абсолютно один. По непонятной для меня причине Лиана не смогла поехать со мной. Я не знал всех обстоятельств. Знал только то, что сообщила мне сама Лиана: ее отец болен, маме нужна помощь, семья испытывает сложности с деньгами. Не знаю, правда все это или нет, но Лиану мне было искренне жаль: так тяжело она перенесла расставание. Я никогда не видел ее такой подавленной, такой несчастной и расстроенной, как тогда. Наш план откладывался еще на целых двенадцать месяцев, а потому мне казалось нечестным заводить друзей и активно общаться с другими людьми без нее. Мне казалось, что я обязан дождаться ее, и вот тогда мы вместе заведем друзей и вместе будем веселиться.

Но было и еще одно чувство, которое грызло меня одинокими лондонскими вечерами. Я ревновал. Я ревновал каждый раз, как представлял, что Арчи и Лиана учатся вместе в одном классе. Они живут на расстоянии вытянутой руки друг от друга. Каждое утро Арчи, Лиана и Ика отправлялись вместе в школу. Я представлял, как они смеялись, гуляли и веселились. Их жизнь была такой же полной и яркой, как каждое наше лето. А я был абсолютно один за тысячи километров от них. И я безумно по ним скучал. Вечеринки, клубы, бары — все это придет гораздо позже. А в тот первый год в Лондоне я все еще был частью моей грузинской вселенной. Я безмерно тосковал по нашему маленькому миру и не мог в полной мере отдаться всему тому новому, что происходило вокруг меня.

Первые дни на новом месте были полностью посвящены хлопотам переезда. Днем я был занят оформлением документов, вечерами я изучал район в поисках удобного супермаркета, химчистки и банка. Немного обустроив свой быт, я смог наконец осмотреться вокруг и понять, где и с кем мне предстояло жить.

В кампусе я делил комнату с четырьмя соседями. Дальняя кровать принадлежала Крису — рослому рыжеволосому шведу, прибывшему в Лондон для изучения истории. Крис был философом. Он приглашал к нам приятелей со всего кампуса, угощал их косячком, другим, и вместе они пускались в дальние дали рассуждений о космосе, мироздании и бог весть о чем еще. Каждый раз они восхищались гениальностью своих открытий, а после, когда сладкий туман конопли покидал их возбужденный мозг, забывали и великие идеи свои, и где их собственная комната. А потому частенько спали прямо у нас на полу. Иногда случалось, что, просыпаясь, Крис первым делом выкуривал косяк, а уж потом тащился в ванную и чистил зубы. Кумар от его забав стоял на всю комнату.

— Приятель, завязывай! Сил нет просыпаться под аромат этой дряни, — обычно возмущался Марко, чья кровать стояла прямо напротив Криса. — Отвернись. Мари надо одеться.

Или:

— Сходи в ванну, а Кристин пока оденется.

Или:

— Закрой глаза, Элен пора идти.

Или:

— Можешь сходить выбросить эту дрянь? А Катрина пока соберет вещи.

Ну, думаю, вы поняли. Темпераментный итальянец Марко активно интересовался, как он сам выражался, различными культурами, традициями и нормами жизни в разных странах. А потому активно знакомился с девушками любых национальностей. Изучением культуры он обычно занимался по ночам в нашей общей душевой, после чего предмет изучения оставался в его постели, а следовательно, и в нашей комнате до утра. Примечательно было то, что несколько раз в месяц Марко искренне влюблялся. Тут же он брался за изучение языка своей новой избранницы, планировал их отношения и знакомство с семьей, совместную жизнь между его Италией и ее страной. Он готов был достать звезду с неба, перевернуть мир, наконец, умереть за свою любовь. А потом на пути его встречалась новая Покахонтас, затмевающая все и всех, что были до нее. То была, по словам Марко, настоящая большая любовь на века. К слову сказать, «на века» редко длилось больше пары недель.

А вот кого совершенно не трогали похождения Марко, но кумар Криса, так это Алана — неопрятного молчаливого парнишку-художника. Он расположился у окна в противоположной части нашей комнаты, обложив себя с головы до ног красками, кисточками и холстами. Всегда, когда Алана посещало вдохновение, он брался за новый пейзаж, напевая смесь индийских песен и популярного регги себе под нос. К несчастью для нас, вдохновение посещало его обычно по ночам. Не раз я просыпался посреди ночи от звуков странного жуткого мотива в исполнении Алана, сидящего напротив окна и в свете лишь настольной лампы махающего кистью по холсту. Страшнее этой картины были только написанные им мистические пейзажи.

Жить рядом с Аланом было сложнее всего. И дело тут не столько в жутких ночных активностях и нередких припадках эпилепсии, сколько в простой бытовой мелочи. Алан любил разводить живые организмы. И ничто не могло воспрепятствовать этой его страсти. Любая кружка чая, тарелка или кастрюля с недоеденной едой, забытые в холодильники овощи — все становилось благодатной почвой для зарождения жизни. Бороться с этим было невозможно.

Но несмотря на колоритных соседей в одной части, в другой стороне географии нашей комнаты царил мир и покой. Тут можно было найти две кровати и стол, который я делил с Динаром — студентом из Казани. Он, как и я, прилетел из России, он, как и я, желал учиться и, как и я, стремился поступить в Лондонский вуз и остаться здесь жить. У нас у обоих были четкие цели, и мы быстро сдружились. Динар интересовался общественно-социальной жизнью: вступал во все возможные профсоюзы, объединения и группы, поддерживал миллион социальных контактов и, казалось, знал всех вокруг. Он был дружелюбным, своим в любой компании и очень отзывчивым. А еще он любил футбол, и это в нем напоминало мне Арчи.

Самой важной вещью того времени для меня стала маленькая черная «Нокиа Луна». С телефоном я не расставался ни на минуту. Это была тонкая ниточка, соединяющая меня с Лианой, Арчи, родителями, сестрой, Бердиа и всем, что я оставил в Аджарии. Все мои радости и печали, моменты и эмоции жили тут — в стеклянном черном корпусе. В ту пору я без малейшего сомнения променял бы самую шумную и веселую вечеринку на тридцать минут в обнимку с телефоном, из динамика которого мне в ухо лился такой родной и такой любимый голос Лианы.

Как-то раз случилось мне вернуться в кампус после учебы достаточно поздно. На часах было начало девятого. Уже с порога я учуял резкий запах жженой конопли. Из колонок доносились звуки регги. Динар и Крис сидели на полу, спинами прислонившись к кровати. В комнате было абсолютно темно, и только красный тлеющий огонек проплывал между ними из рук в руки. Парни о чем-то негромко беседовали.

— Атмосферно у вас тут, — устало заметил я.

— Карду, — протяжно приветствовал меня Крис, расплываясь в бездумной улыбке. — Давай к нам.

— Нет, спасибо. Я очень устал. Мне еще заниматься.

— Я не предлагаю тебе это, — поднял он вверх руку с красным огоньком. — В холодильники есть пиво. Садись, поболтаем.

«А почему бы и нет», — мелькнуло у меня в голове. Надо же хоть иногда проводить время в компании.

Я взял три пива и подсел к парням. Плавно и лениво потек разговор. Мы рассуждали о многом, делились мнениями, высказывали предположения. Я настроился на их волну, и наши настроения пересеклись в едином потоке. На какое-то мгновение я вдруг почувствовал себя так же, как словно бы вокруг была батумская жаркая июльская ночь, над головой — черное небо с рассыпанными мириадами сияющих звезд, а рядом — неизменный Арчи, внимательно слушавший мои рассказы и вместе со мной смотрящий вдаль.

Но в следующее мгновение дверь комнаты с шумом распахнулась, и на пороге показался Марко в компании четверых девчонок. Атмосфера мгновенно переменилась. Парни засуетились, убрали все лишнее и с пола перебрались на кровати. Все взяли еще пива и расселись по парочкам. Рядом со мной оказалась Мариэль — красивая стройная голландка с длинными белыми волосами до пояса, высокой грудью, аппетитно подчёркнутой белой чересчур тесной маечкой, бездонными голубыми глазами, светлой кожей и влажными чуть открытыми губами. Я видел ее не впервые. Она часто заговаривала со мной в кампусе или колледже, всегда крутилась рядом на вечеринках и проявляла ко мне недвусмысленный интерес. Вот и теперь Мариэль сидела слишком близко, касаясь моего бедра своими длинными стройными ногами, невзначай дотрагивалась грудью до моего плеча, громко смеялась. Стоило мне посмотреть на нее или обратиться к ней, как тут же закусывала губу и строила глазки. Я чувствовал себя ужасно. И не потому ужасно, что если бы вдруг довелось Лиане увидеть эту картину, она расстроила бы ее, а потому, что не мог понять, осознать, как Мариэль могла так обесценивать себя. Она беззастенчиво предлагала себя абсолютно безвозмездно. Мне не стоило прилагать ни малейшего усилия, чтобы заполучить ее, и от того ее хотелось еще меньше.

И чем более раскрепощённой становилась атмосфера в комнате, чем ближе и откровеннее прижималась ко мне Мариэль, тем противнее мне было находиться посреди всего этого действия. Я извинился и покинул комнату. Едва за мной захлопнулась дверь, я пошел, нет, скорее побежал к выходу из здания. Так хотелось вдохнуть чистый свежий воздух, хотелось, чтобы пронизывающий осенний ветер сдул с меня эти порочные прикосновения.

Оказавшись на улице, я огляделся. Вечер разукрасил город яркими красками. Серый, дождливый и хмурый днем Лондон превратился в черно-красно-желтый после захода солнца. Магазины зажгли свои разноцветные вывески, на зданиях замерцали желтые огни горящих окон, свет от уличных фонарей проявил дороги. Фары, окна, витрины, вывески, фасады — абсолютно все излучало свет, контрастирующий с темнотой ночи. Все вокруг жило, кипело, шумело. Где-то неподалеку с грохотом пронесся трамвай, заглушая гвалт туристов. Я вдруг подумал, что Лондон — абсолютно точно ночной город.

Стоя посреди городского шума, я остро ощутил, как скучаю по своим друзьям — своим настоящим друзьям, живущим в Батуми, в Питере. Люди, окружавшие меня, были мне чужими. Казалось, я никогда не смогу сблизиться с кем-то из них по-настоящему. На душе было тоскливо, и я позвонил Арчи.

У Арчи все складывалось именно так, как он и мечтал. Он был одним из лучших игроков юношеского состава крупного футбольного клуба в Аджарии. Ему по-прежнему прочили большую карьеру футболиста, и он шел к ней семимильными шагами. Расписание его тренировок становилось все серьезней. Все меньше оставалось времени на учебу. Да он и не интересовался ей особо. Всем было очевидно, что дорога Арчи в этом мире — это футбол. Я так жалел, что не мог видеть его триумфов, делить с ним матчи побед, поддерживать в поражениях. Мне хотелось быть рядом.

Арчи мне не хватало особенно сильно. Я звонил и писал ему так часто, как только мог. Он был незримым свидетелем всех событий моей тогдашней жизни. А я — свидетелем его.

— Привет, Карду. Рад твоему звонку. Как ты?

— Привет, Арчи. Все в порядке. Как ты?

— О-о-о, — рассмеялся в трубку брат. — Мне есть что тебе рассказать. Готов услышать самую необычную историю?

В ноябре 2003 года Грузия переживала кризис власти. Мои друзья и родные пристально следили за всем, что происходило в Тбилиси, они же передавали мне последние новости. В начале ноября президентские выборы выиграл Эдуард Шеварднадзе, уже давно бывший у власти. Но оппозиция не готова была это так оставить: появились свидетельства о нарушениях в ходе голосования, критика избирательной кампании и заявления мировых политических лидеров, выражающих свою обеспокоенность положением дел. В Тбилиси один митинг сменялся другим. Волнения, правда, не затронули всю остальную страну. До этого телефонного разговора я думал, что все мы — лишь сторонние наблюдатели перемен. Но оказалось, Арчи был прямо там, в самой гуще.

— Ну я и сказал, что поеду в Кутаиси на матч. И заодно останусь переночевать у друга. Я и раньше так делал, так что ни бабушка, ни родители ничего и не заподозрили. Им и в голову не пришло, что я был в Тбилиси.

Я не мог поверить своим ушам.

— Арчи, ты с ума сошел? Как ты мог уехать?

— Вот так и мог. Собрал спортивную сумку, кинул туда бутсы и форму для отвода глаз и отправился прямиком в Тбилиси к Тине и ее приятелям.

## Глава 33. Осень 2003 года. Батуми

Он был невероятно рад видеть ее.

— Ну здравствуй, революционерка, — приветствовал ее Арчи.

— Как добрался? — с улыбкой отвечала девушка. — Пойдем скорее. Скоро начнется.

Начаться должна была обучающая лекция перед митингом. На ней давали указания по проведению митинга, а также рекомендации на случай ареста или, всякое бывает, избиения со стороны полиции. Затем всем выдали эмблему организации и транспаранты с лозунгами.

Дома политика почти никогда не обсуждалась, но Арчи был уверен, что отец, в отличие от деда, поддержал бы его. Дедушка Карду был лично знаком с Абашидзе и даже был врачом-кардиологом некоторых членов этой семьи. Он не хотел перемен, а сохранение текущего порядка считал истинно верной траекторией развития. Отец же считал, что Грузия застоялась, застряла в советском мышлении и типе управления. Не хватало ей свежести взглядов и новых веяний. В то время пока все постсоветские страны двигались вперед, Грузия топталась на месте. Арчи думал, что отец бы гордился им, узнай, что сын вышел на митинг оппозиции. Да и не был это «митинг оппозиции», не было это движением одной партии, за одного лидера. Это было общее всенародное движение протеста не ЗА кого-то, а ПРОТИВ существующих лидеров. Просто народ Грузии в одночасье решил сказать: «Хватит! Так больше жить нельзя».

После окончания лекции Тина и Арчи отправились к ней домой. Она объяснила родителям, что Арчи — ее товарищ по общественной организации, что он прибыл на митинг специально из Батуми и ему негде остановиться. Арчи выделили отдельную комнату и пригласили к столу.

— Я даже не верю, что ты приехал. Я и не думала, что ты всерьез пойдешь на митинг, — улыбалась Тина. — Скажи, ты сам знаешь, зачем приехал?

— А если я скажу, что это был единственный способ повидать тебя?

— То я отвечу, что это вранье. Ты мог приехать повидать меня когда угодно.

— Значит, я хотел произвести на тебя впечатление.

— Не болтай! — залилась она громким, раскатистым смехом. — Тебе это не нужно.

Ему вдруг очень захотелось ее поцеловать. Он еще ни разу ее не целовал. Но почему-то Арчи казалось это жутко неуместным, казалось, ей этого совсем не хочется.

— И то правда. Много месяцев мы спорили и рассуждали с тобой. Я много читал новости, литературу. Размышлял. И я понял, за что ты сражаешься. Советский Союз распался, но у нас все еще советская власть. Ничего не меняется в Грузии. Мы как забальзамированная мумия: застыли во времени.

Тина снова рассмеялась.

— Лучше бы ты просто сказал, что приехал ко мне.

— А я и сказал, — возмутился Арчи. — С самого начала сказал!

— Да. И то была абсолютная неправда. Пойдем ужинать.

На следующее утро Арчи, Тина и еще сотни людей вышли на улицы Тбилиси. Конец ноября в том году выдался теплым и солнечным. Погода стояла великолепная. Люди выходили на улицы кто как: кто с транспарантами, кто с бело-красным флагом Грузии, кто с самодельными плакатами, кто просто так, а кто и вовсе мимо проходил. Настроение в толпе было приподнятое: то ли солнечный денек сделал свое дело, то ли вера в новое будущее вселяла надежду. Все вокруг были воодушевлены, улыбчивы и радостны. Количество людей на улицах все росло, в толпе пели, кричали, скандировали, свистели, смеялись. Арчи казалось, что чем громче он будет кричать, чем чаще свистеть, тем ближе новая Грузия, тем выше вероятность, что все у них получится.

А что должно было получиться? По правде говоря, Арчи не заглядывал так далеко. Он верил, что с уходом Шеварднадзе и его правительства все переменится. Верил, что именно президент — корень всего зла и всех несчастий Грузии. А потому Арчи размахивал бело-красным флагом изо всех сил, свистел и громко скандировал.

Вдруг Тина закричала ему прямо в ухо:

— Смотри! Вон направо. Вон там, видишь? Это же Саакашвили! Давай скорее, проберемся туда, вдруг он будет выступать.

Арчи вглядывался в толпу, но Саакашвили не видел. Тем не менее воодушевление его достигло необычайно высокого предела. Он кричал, скандировал, кричал, скандировал и точно знал — завтра уже не будет таким, как вчера. И жизнь их прямо сейчас меняется к лучшему.

Рано утром Арчи, довольный и абсолютно обессиленный бессонной ночью, отправился домой. А назавтра Шеварднадзе подал в отставку. Победу революции отмечали салютами, рок-концертами, гуляньями и весельем.

Мой брат в тот день праздновал победу нового правительства, он наблюдал, нет, он участвовал в «революции роз», а я в тот день учил уроки под монотонное завывание Алана-художника и запах конопли.

## Глава 34. Конец 2003 — весна 2004 года. Батуми

Не успел Арчи насладиться победой своих идейных соратников в политической борьбе, как наутро после отставки старого правительства в Батуми было объявлено чрезвычайное положение. А еще через день было остановлено сообщение по маршруту Батуми—Тбилиси. Данное обстоятельство тревожило как Арчи, так и всю его семью: никто не знал, чего ожидать, и все опасались военного конфликта.

— Что же теперь будет? — спросила мама Арчи за столом.

— Кто же его знает, — медленно отозвался дедушка Карду. — Абашидзе прав: оружие есть в каждом доме еще с девяностых. Всякое может теперь случиться.

— Да, — протянул отец. — Рассчитывать на примирение Абашидзе и Саакашвили не приходится.

— Почему? — спросила мама. — Я не очень понимаю источник этого конфликта.

— Ну, дочка, — отозвался дедушка Карду. — Тут все прозрачно как день. Был у нас президент — Эдуард Шеварднадзе. И были у него хорошие отношения с Абашидзе. Почему? Да черт его знает. Может, обязан он ему чем...

— Или боится чего, — усмехнулся отец.

— Но факт остается фактом. — Дедушка не стал развивать мысль отца. — Шеварднадзе дал Абашидзе все, что тот только мог желать: свободу действий, контроль за границей и таможенными сборами, свой собственный бюджет, свою собственную армию, авторитет, престиж и положение. А тот взамен президентскую власть всячески поддерживает и не конфликтует, дополнительной головной боли не делает. Так и жили. Мир да согласие.

— Не все так просто, — снова перебил отец. — Ты не рассказываешь о более тонких взаимодействиях.

— А чего о них рассказывать? Мы с тобой только сплетни да слухи знаем. Нам достоверно ничего не известно. А в догадки пускаться я не хочу. Так вот, дочка. Всем было хорошо. Всем, да не всем. Тут народ заволновался. Тоже захотел по заграницам мотаться, машины хорошие покупать, деньги зарабатывать. В общем, жить захотели хорошей, нормальной жизнью. Но при текущей системе, при текущем управлении ничего к лучшему не меняется. Вообще ничего не меняется. Власти не до народа. Накопился негатив. Тут выборы. А на выборах — опять победил Шеварднадзе. И ведь всем очевидно — помог он себе победить. Ну, тут оппозиция активизировалась. Миша Саакашвили, Жвания. Студенты опять-таки. Была там как-то организация, протестовали.

— «Кмара», — вставил Арчи.

— Что? — не понял дедушка.

— «Кмара» — название студенческой организации, которая митинги организовывала.

— Ну может, и так.

На секунду Арчи заколебался: сказать или не сказать, что и он там был и сам все видел? Нет, все же не стоит. И промолчал.

— В общем, вывели они на улицу людей. Зашли в парламент, выгнали Шеварднадзе. Тот подал в отставку. Что теперь делать Абашидзе? Кому он теперь нужен? У него с Саакашвили договоренностей нет. Саакашвили сам хочет границей турецкой управлять, сам править в Грузии хочет единолично. Кто тогда поддержит Абашидзе? Москва!

— А Москва-то тут при чем? — удивилась мама.

— Вай мэ! Дочка. Сама подумай. Саакашвили дружит с кем? В Америке его друзья. Вон, разместили своих солдат тут. Учения у них, видите ли, совместные. А Россия что? Теряет Россия контроль над Грузией. А Грузия для России — важная стратегическая территория. До Чечни недалеко — могут тут террористы в горных ущельях прятаться. Трубопровод вот строится — через него нефть из Азербайджана пойдет прямиком в Европу. Ослабит это положение России в мире? Может, конечно. А завод наш Тбилисский? Он единственный в мире производит электровозы для широкой железной дороги России. И потом. В Батуми стоят российские военные. А Саакашвили с его американскими друзьями очень это не нравится. Нет, никак нельзя терять контроль над Грузией. И Абашидзе — инструмент сохранения влияния.

Дедушка помолчал.

— Вот тебе и вся суть конфликта в двух словах. Ну это очень упрощенно и схематично. Чтобы тебе суть передать, — закончил он.

— Очень упрощенно, — подчеркнул отец.

Арчи с трудом представлял, что ждало Аджарию. Тревоги в нем, однако, не было. Он написал Тине:

«Как дела, революционерка?»

«Очень радостно. У нас празднуют. Как ты?»

«Ты, наверное, слышала, у нас ввели ЧС. Не до празднования».

«Что думаешь?»

«А что тут думать? Надо ждать и надеяться, что все обойдется».

Ждать предстояло ни много ни мало — тридцать дней. Именно такой срок обозначили власти Аджарии по всем принятым ими мерам. Дни потянулись неспешно, и чем тревожнее и беспокойнее было на душе, тем медленнее шло время. Каждый новый день стал походить на предыдущий. Арчи и все домашние просыпались и собирались за завтраком возле телевизора — слушали, не случилось ли чего нового? Плохих новостей обычно не было, и все расходились по своим делам. На улице люди старались не бывать без причины, а если уж приходилось выходить, то торопились вернуться домой поскорее. Вечером семья собиралась за ужином и вновь слушала новости. Ничего плохого не произошло — значит, день прошел хорошо. После ужина все тихонько обсуждали, что же будет дальше, и строили предположения. Ложась в постель, все невольно прислушивались — не слышно ли где выстрелов и звуков стычек. Но обычно все было спокойно.

В семье Лианы же почти ничего не изменилось. Родители, и прежде не часто выходившие куда-либо, теперь почти все время оставались дома. Отцу стало лучше: он чаще выходил из кабинета, заговаривал с Лианой, интересовался ее успехами. Мама старалась как могла поддерживать его в хорошем расположении духа, а дом — в нормальной атмосфере. От матери Лиана узнала, что полученный отцом летний гонорар с трудом покрыл все долги, и теперь их материальное положение не такое прочное. Текущий же кризис власти обещал сказаться на положении семьи Табидзе самым неприятным способом: люди стали меньше тратить денег на покупки, книги стали хуже продаваться. Все вокруг опасались военного столкновения, безработицы, нестабильности и неопределённости.

Однажды утром в новостях объявили, что после визита американского посла Аджарский Лев, как тогда называли Аслана Абашидзе, заявил о согласии на проведение повторных президентских выборов в Аджарии. Новость была невероятно радостной, ведь всем стало очевидно — чрезвычайное положение будет отменено. Выборы были назначены на четвертое января. Теперь все ждали позитивного развития событий.

Ждал и надеялся и я вместе со всеми своими родными. Я не видел Лиану с мая и нестерпимо хотел побыть с ней рядом. Наша встреча была запланирована на новогодние каникулы. Мы общались, не переставая, каждый день, но мне так не хватало ее присутствия, ее улыбки, ее нежных прикосновений. Я считал дни до встречи, представлял, как мы встретимся вновь, как будем болтать бесконечно долгое время обо всем на свете и как снова будем строить планы о совместном будущем.

Эти мысли и мечты разбил один короткий телефонный звонок.

— Привет, сынок. Как дела? — раздался тяжелый, глубокий голос отца в трубке моего телефона.

— Привет, папа. Рад тебя слышать. У меня все хорошо. Как у вас?

— У нас тоже все хорошо. Но в Батуми не спокойно. Сынок, я знаю, что билеты в Батуми уже куплены и что ты очень хочешь повидаться с родными, Арчи и друзьями, но мы с мамой считаем, что в этом году безопаснее будет не ездить в Грузию.

Я стоял как громом пораженный. Земля медленно уходила у меня из-под ног. Лиана, моя бедная Лиана. Как же переживет она этот удар? Я молча сжимал трубку, стараясь подавить подкатывающую тошноту.

— Не переживай, сынок. Сейчас главное, чтобы все были живы, здоровы и не потеряли средств к существованию. Мы бы хотели, чтобы вы с Катей были в безопасности, понимаешь?

— Да, папа, — негромко отозвался я. — Конечно, я понимаю.

— Мы очень любим вас и не хотели бы подвергать вас опасности.

— Конечно, папа. Я понимаю. Я тоже вас люблю.

— Что ты думаешь о том, чтобы мы с мамой и сестрой прилетели к тебе в Лондон на Новый год и вместе хорошенько его отметили? Было бы здорово. Как ты думаешь?

С одной стороны, я думал о том, что было бы не верно веселиться всем вместе в Лондоне, пока наши родные и близкие там, в Грузии. С другой стороны, родители просто навестят меня в моем новом городе. Что плохого могло в этом быть?

— Да, папа, конечно, было бы здорово.

Я положил трубку сам не свой. Теперь мне предстояло сообщить эту новость Лиане. Мы не увидимся еще полгода. Это больно ее ранит. Полгода! А что если конфликт не закончится через полгода? Что если Аджария захочет отделиться как когда-то Абхазии? Для Абхазии это обернулось затяжным военным конфликтом. Что если… Но тут я оборвал круг мрачных мыслей и вернул себя к реальности.

Мне казалось, Лиана поймет и поддержит это решение. Да, мы не встретимся сейчас. Зато уже через полгода мы будем вместе, в одном городе. Она будет учиться в Лондоне, и все пойдет именно так, как мы вместе мечтали. Осталось совсем немного подождать — всего шесть месяцев. Что такое шесть месяцев в разрезе целой Вселенной, целой жизни рядом с любимым и родным человеком? Я выждал немного, приободряя себя, и набрал ее номер.

— Привет, Карду. Как спокойная жизнь в спокойном Лондоне?

— Привет, Лиана. Все хорошо. Как у вас?

— Пока еще не стреляют.

— Брось. И не будут.

— Откуда тебе знать? Легко, наверно, сидеть в безопасности и размышлять о том, что случится, а чего не случится в какой-то грузинской провинции.

— Аджария не провинция, Лиана. Это второй по значению регион Грузии.

— Мило, что ты все еще помнишь это. А мне казалось, что все грузинское теперь тебе чуждо. Ты же в Ло-о-о-о-ндоне, — она неприятно протянула название.

— В чем дело, Лиана?

— В чем дело? — удивленно переспросила она. — Посмотрите на него! В чем дело! А когда мы увидимся, Карду?

Я запнулся. Мы планировали увидеться на Новый год, и планы эти не менялись до сегодняшнего звонка отца. С чего вдруг у нее такой вопрос?

— Лиана, я как раз звоню тебе поговорить об этом.

— О, правда, — перебила меня она. — Мило, что хоть сейчас. Только почему я уже неделю как знаю о том, что ты не прилетишь в Батуми? Что твои родители уже купили билеты в Лондон. Ты даже не планировал здесь быть! И давай обойдемся без твоих оправданий. Тебе давно на меня плевать!

Она бросила трубку. Я перезвонил — короткие гудки. Я перезвонил снова. А потом еще. И еще. Она не брала. Я написал ей сообщение:

«Лиана, мы можем поговорить?»

Нет ответа. Даже не прочитала.

Я абсолютно не узнавал Лиану. Какая муха ее укусила? Что стряслось?

Я набрал Арчи:

— Привет.

— О, привет, Карду. Рад тебе. Как дела?

— Все хорошо. Послушай, Арчи, — перешёл я сразу к делу. — Я только что разговаривал с Лианой. Она сама не своя.

— Да, она невероятно расстроилась, когда я сказал, что ты не прилетишь на праздники.

— Ты сказал?! — закричал я. — Как же так. Мой отец позвонил и сообщил мне это меньше часа назад.

— Ну да. Послушай, твои родители сказали бабушке и дедушке, что из-за текущей обстановки в Батуми не смогут прилететь на Новый год. И что в этом году они отправятся к тебе в Лондон. Я не знал, что это секрет, и сказал Лиане. Она ничего не слышала об этом, и, получается, я сказал ей первый.

— И ты ничего мне не сказал?

— По правде говоря, я не придал этому большого значения. А в чем собственно дело?

Я одернул себя. Я не знаю, догадывался ли кто-то о том, что происходило между мной и Лианой, но мы предпочитали держать наши отношения в секрете. Арчи, Катя, Бердиа, Ика, наши семьи — никто не должен был знать, что мы с Лианой пара. До поры до времени. Конечно, потом все изменится. Потом мы объявим им всем. Но пока еще было не время.

— Да ничего. Просто она очень расстроена и не хочет со мной разговаривать.

А еще она теперь думает, что я и не планировал прилетать в Батуми, что Лондон захватил весь мой ум, что она мне больше не нужна и я ее больше не люблю, и бог знает что еще родилось в голове у Лианы. Но этого я конечно же не произнес вслух.

— Возможно, она волнуется из-за текущей обстановки и просто сорвалась на тебя.

— Кстати, как там у вас?

— Все вроде нормально. Ждем новых выборов.


Я впервые встречал Новый год не в Батуми. Близкие устроили мне отличный сюрприз: прилетели не только родители с сестрой, но и Бердиа с семьей. Я был рад, что хотя бы часть нашей компании была рядом. И я был так благодарен родным за то, что мы все вместе. В новогоднюю ночь мы поужинали в фешенебельном ресторане, а затем отправились гулять. Вокруг была радость и веселье, смех и гвалт, шум, фейерверки и петарды, а я все никак не мог отделаться от неприятного чувства, что два самых родных мне человека — Арчи и Лиана — не в полной безопасности в эту праздничную ночь.

В тот вечер я звонил Лиане. Ее голос был тихий и грустный. Мы поздравили друг друга и только. Сердце сжималось в комок, когда я думал о том, как ей сейчас одиноко. Мне очень хотелось быть с ней рядом. Но я не мог ничего исправить в эту новогоднюю ночь.

Арчи встретил Новый год в кругу семьи, а после полуночи отправился гулять с Икой и кучей знакомых парней и девчонок. Набралась большая и веселая толпа. Они веселились, пили шампанское, поздравляли друг друга и радовались жизни. В небо над Батуми взлетали и разрывались сотни снарядов салютов и фейерверков. Ночь освещалась мириадами сверкающих огней. Все вокруг сияло, искрилось, шипело, шумело, гудело. Батуми встречал Новый год с распростертыми объятиями и всем его грузинским гостеприимством.

Арчи и их шумная компания переместились на набережную. Сильный пронизывающих ветер гнал морские волны к берегу, и они с шумом бились о галечный пляж. Было так радостно смотреть на морскую пучину, белые, пенящиеся гребешки волн, пальмы, гнущиеся под тяжестью снега, и звездное небо, серое от дыма потухших салютов. На душе было так легко и свободно. Казалось, ничего плохого с ним, Арчи, никогда не случится. Казалось, вся жизнь впереди. И какая жизнь!

«Дорогая Вселенная, пожалуйста, позволь мне стать величайшим из футболистов», — загадал про себя Арчи, глядя на звезды. Он улыбался сам себе, как вдруг понял, что это ощущение абсолютного счастья он хочет с кем-нибудь разделить. Ему просто хотелось отдать эту частичку своей радостной легкости.

«С Новым годом, революционерка», — написал он Тине.

«С новым счастьем, Арчи», — через секунду пришло в ответ.

Он улыбался, глядя на эти пару слов. На душе его стало еще теплее.

Улыбалась и Тина на другом конце Грузии, в Тбилиси. Улыбалась, глядя в телефон. И у нее на душе стало светлее.

Когда Арчи покидал свой дом, в доме Табидзе погас свет в единственном освещенном огне. Это Лиана выключила люстру и легла в кровать. Они с родителями встретили полночь, пожелали друг другу хорошего года и отправились спать. Лиана разделась, легла в кровать и закрыла глаза. Шум и смех, доносящиеся с улицы, не давали уснуть. Вот и осталась она одна. Никому не нужная, всеми забытая. Где сейчас Карду? Думает ли он о ней? О нет. Как может он. Он в Лондоне, в его жизни все хорошо. Он встречает Новый год со своей семьей. Он полон надежд, он видит свое будущее в Англии. А может, даже он уже увлекся кем-то еще? Крупные слезы покатились по ее щекам. Как же так могло выйти? Как же получилось так, что вот у него все складывается как нельзя лучше, что он вовсе в ней не нуждается, а она застряла тут, в Грузии, и ей теперь не выбраться. Как хотелось ей взять и забрать хоть немного той радости, которая была в его жизни. Как хотелось и ей все это ощущать в своем сердце. Лиана начала задыхаться. Снова приступ. Она уже знала, что продолжаться он будет всего несколько минут. Десять, а может, пятнадцать — не больше. Затем тело сведет судорогой, пальцы на время потеряют способность сгибаться, губы пронзят тысячи мелких иголочек, через мозг как будто бы промчится легкий электрический разряд. Вслед за этим разрядом и наступит долгожданное успокоение. Она все рыдала и рыдала, жалея себя и свою долю, пока наконец не забылась сном.

## Глава 35. 2004 год. Грузия

В то время как Грузия отдыхала от празднования Нового года и веселья, государство вовсю готовилось к проведению выборов: по всей стране, включая Аджарию, организовывались избирательные пункты, проводились инструктажи для участников избирательного процесса, прибывали независимые наблюдатели. Наконец, четвертого января состоялись повторные выборы, на которых победил Саакашвили. Не успели люди опомниться, как Аджария незамедлительно вернула чрезвычайное положение.

Этого уже никак не ожидали. Теперь состояние людей было действительно напряженным и тревожным. Население ловило каждое слово, сказанное властями, пыталось понять перемены настроений и расстановку сил. Все понимали: это не просто противостояние двух лидеров, это противостояние куда более крупных политических сил. Настоящую войну за Грузию, к счастью пока только дипломатическую, вели между собой США и Россия. И ключом к победе в этой войне была Аджария. А пока сильные мира сего тягались в умении вести переговоры и плести интриги, жизнь простых аджарцев замерла, а нервы натянулись до предела.

Ситуация развивалась стремительно. Вновь введенное военное положение было сурово раскритиковано в Тбилиси. Россия заявила, что не выведет свои военные базы из Аджарии, Грузия уверяла, что нет повода опасаться американских военных — они не придут на смену русским, а США в тот же самый момент заявили о продлении совместных американо-грузинских программ. Противоречия лозунгов — налицо. Обострял ситуацию и новый президент Грузии: его высказывания в адрес Абашидзе были категоричные и безапелляционные.

Но реальная угроза военного столкновения возникла только двадцать пятого января, в день инаугурации Михаила Саакашвили. Отец строго-настрого запретил Арчи и другим членам семьи выходить в тот день на улицу. Ранним утром дедушка Карду достал два ружья, хранившиеся дома, любовно начистил их шомполом, проверил, работают ли все механизмы, приготовил патроны и положил рядом с собой.

— Ничего конечно же не случится, — успокаивал он бабушку Тинатин. — Но, ты знаешь, береженого Бог бережет.

Однако военного конфликта ждали и опасались абсолютно все, включая власти обеих сторон. То тут, то там — отовсюду можно было слышать: «Абашидзе просто так власть не отдаст. Еще постреляет» или «Саакашвили это все терпеть не будет. Еще постреляет». Все ждали, прислушивались, волновались.

Вопреки разворачивающейся действительности Арчи совершенно ничего не боялся. В нем росла и крепла уверенность, что режим Абашидзе вот-вот упадет. Он не строил прогнозов, не предсказывал будущего, он просто сильно этого желал. К тому моменту для многих становился понятным тот факт, что только свержение власти Абашидзе станет залогом возврата к прежней спокойной жизни.

В тот день в Батуми прошла многотысячная манифестация в поддержку нового президента. Ее разогнали правительственные войска. Говорили, где-то даже стреляли. Говорили, были даже раненые. Но ни Арчи, ни члены семьи, ни знакомые семьи не слышали и не видели это своими глазами. После инцидента в сторону Батуми из Гонио выдвинулась новая волна сторонников «революции роз». Эти люди, как говорили, уже всерьез вооружились и были готовы ко всему. И только благодаря чуду, а еще неожиданной мудрости оппозиции растущее возмущение не переросло в ту ночь в трагическую стычку.

Все это время Лиана сидела дома. Она боялась даже выйти в сад. Ей казалось, что весь привычный мир рушится у нее на глазах. Ей казалось, что вот-вот непременно начнется война. Что в их дом, может даже, попадет снаряд. Что, возможно, она потеряет семью. А может… А может, и сама не останется в живых. Будет ли тогда тосковать Карду? Так раз за разом, час за часом, день за днем она все крутила и крутила в голове эти тревожные, пугающие мысли, доводя себя до исступления.

Я же не находил себе места от беспокойства. Я ни о чем не мог думать, кроме Грузии — моем доме, моей родине, моей семье. Я никак не мог понять реального положения дел: новости и обзоры из СМИ не вызывали доверия, Арчи и родители были настроены позитивно, уверяли, что реальной опасности нет, а Лиана представляла все так, как будто на Аджарию обрушилась катастрофа века. Так что же там происходило на самом деле? Как это выяснить? Больше всего меня страшила неизвестность.

Тем временем в Аджарии начала замедляться экономическая активность и росла безработица. Шаг за шагом в людях созревало осознание того, что поддержка их лидера становится опасной. Что могло принести им последующее правление Абашидзе? В худшем случае — затяжной военный конфликт, непризнание со стороны мировых стран, изоляция, а для них, простых обывателей, — удар по их личному кошельку. В лучшем случае — затяжной социально-экономический и дипломатический конфликт, который опять-таки отразится на финансах каждого. Существовал ли хоть один сценарий, при котором поддержка Абашидзе не сказалась бы на карманах простых аджарцев?

Тем не менее военного конфликта все опасались зря. Власти Грузии заявили, что конфликт в Аджарии будет решен без кровопролития. Тогда как? — задавались вопросом аджарцы. Ответ не заставил себя ждать — экономическая блокада.

Чем дольше продолжалось противостояние двух лидеров, тем хуже становилось положение семьи Табидзе. Лиане было очевидно, хотя этот вопрос и не обсуждался вслух, что учеба в Лондоне больше не по карману ее семье. А это значило только одно — ближайшие четыре года, пока Карду будет учиться в университете, она будет общаться с ним на расстоянии. И если Карду захочет получить еще и магистерскую степень — то все шесть лет. Или же не будет общаться вовсе — вдруг он не захочет ждать? Лиана не находила себе места. Она раз за разом задавала себе вопрос — чем она так провинилась? За что лишается счастливой жизни вместе с Карду? Вся ее жизнь теперь представлялась в виде зала ожидания. На самом деле она давно уже не жила — она просто существовала в ожидании жизни. Настоящая, то есть счастливая, жизнь начнется только рядом с ним — с Карду. Он делает ее счастливой, он наполняет ее. Без него она не чувствует себя счастливой. Без него она не чувствует себя живой.

Тогда-то в ее голове и созрел план. Она во что бы то ни стало должна поступить в университет и переехать жить в Питер. Родители и сестра Карду жили в Питере, и туда он будет прилетать чаще, чем в Батуми. А это значит, что она будет ближе к нему. Это значит, что она будет чаще его видеть. Кроме того, в Питере жил Бердиа и конечно же Катя. Она будет проводить с ними все свое свободное время. Станет лучшей подружкой для Кати, а это опять-таки сильнее привяжет к себе Карду. Лиана не могла допустить даже мысли о том, что они не будут вместе. Это было невозможно представить.

А, собственно, почему? Почему Лиане ни разу в голову не пришла мысль о том, что в ее жизни может быть другой мужчина? Неужели она так сильно любила Карду? Конечно, она его любила. Она был грузин из хорошей состоятельной семьи, он любил ее и ценил, она была для него идеалом. Он был очень добрым и наверняка стал бы хорошим отцом их будущих детей. С ним было легко и интересно общаться. Он хорошо воспитан. У них есть общее детство. А главное, мама всегда говорила, что мужчина должен быть один и на всю жизнь. Так уж вышло, что у Лианы в семнадцать лет уже был мужчина — Карду. Выбор сделан. Другого и быть не может.

Поступать Лиана решила в Санкт-Петербургский государственный университет — лучший университет города. Над специальностью она тоже не долго думала — лингвист. Почему-то она не сомневалась, что Карду захочет прожить всю жизнь в Лондоне, а это значит, что ей придется последовать за ним. Хороший английский будет необходим, чтобы жить и работать в Англии. Такими рассуждениями руководствовалась Лиана, когда принимала одно из важнейших решений своей будущей жизни. Что скажут родители? Будет ли она скучать по ним? Будут ли они скучать по ней? Причинит ли ее решение боль родным? Стоит ли уезжать в Россию? Ни один из этих вопросов не всплывал в ее голове.

«Арчи! Ты же так и не увидел Саакашвили вживую, верно?»

«Ну для начала, здравствуй. Где только твои манеры? Революционеров не учат здороваться по СМС? =) Я рад твоему сообщению. Как ты?»

«Ну привет. Я хорошо. Так что насчет Саакашвили?»

«Нет, не увидел. А что?»

«Мир дарит тебе такую возможность».

«Ты шутишь. Мы в полной... ИЗОЛЯЦИИ=) Все дороги перекрыты. Сообщение с Тбилиси остановлено. Аджария полностью закрылась ото всех на свете».

«Если гора не идет к Магомеду... Дальше ты все знаешь сам=) У вас завтра планируется митинг оппозиции. Ты знал?»

«Ну допустим».

«Ясно. Не знал. Значит, читай и запоминай. Завтра, 15 марта 2004 года, в городе Батуми (знакомый город, правда? =) планируется проведение митинга оппозиции».

«Так и? Таких митингов тут столько было, ты бы видела».

«И то, что это будет крупнейший митинг и на него приедет кто-о-о-о-о-о?»

«Кто-о-о-о?»

«Саакашвили!»

«Смелый поступок в текущей ситуации=)».

«А он вообще смелый=) С розой в руках взял парламент».

«Ну да, ну да».

«В общем. Сходи».

«Куда?»

«Туда. На митинг».

«Зачем?»

«Посмотри на него! Ты не видел его никогда вживую. Посмотри, послушай. Составь свое мнение о человеке».

Арчи задумался. Одно дело тайком уехать в Тбилиси на студенческий митинг. Он, естественно, тогда и не мог подумать, что студенческий митинг будет частью одной всеобщей акции протеста, которая приведет к смене власти в стране и будет носить имя революции. И совсем другое дело — выйти на митинг оппозиции дома, в Батуми, где каждый знает тебя в лицо. А если Абашидзе сохранит власть? Как отразится его, Арчи, участие в митинге на карьере отца и репутации деда? И потом Аджария не Тбилиси. Тут и пострелять могли, и открытый конфликт устроить. Это Арчи конечно же совсем не пугало, но вот возможные последствия такого шага для родных. Все это надо еще хорошенько обдумать.

«Хорошо. Я подумаю».

«Подумаю?! Посмотрите на него! Судьба дает ему такой шанс, а он подумает, видете ли. И над чем?»

«Над всем. Тина, здесь мои родные и мой дом. Я должен думать о том, как мои поступки могут отразиться на их жизни. Я не хочу бросить слов на ветер. Я подумаю».

«Пф-ф-ф-ф. Тоже мне, революционер».

«А я и не революционер. Это ты у нас — революционерка. А я так — простой последователь. Лучше расскажи мне, как твои дела?»

Арчи и Тина обменялись последними новостями и еще немного попереписывались ни о чем. Ему приятно было вот так просто болтать с ней. Было что-то красивое и интересное в их дружбе.

Отложив телефон, Арчи крепко задумался о том, стоит ли ему идти на митинг. С одной стороны, он очень хотел выразить свое мнение. Он искренне верил, что в такое время важно мнение каждого, важно, чтобы каждый показал это мнение, выразил его. Если власть не дает народу других способов выразить свое мнение, то остается одно — митинг. И, как верил Арчи, есть большая разница между тем, выйдет ли на улицу пара сотен человек или это будут тысячи. Нельзя не пойти. Нельзя отсидеться.

С другой стороны, Абашидзе имел все шансы остаться «на престоле». И тогда, Арчи в этом не сомневался, начнут сильнее закручивать гайки, будут искоренять оппозицию, а вместе с ней и ее сторонников — несогласных, тех, кто не побоялся выйти на улицу. «Боялся» — какое неприятное склизкое слово. Арчи не боялся выйти на улицу. Он не боялся за себя. Но он не хотел подвергать потенциальной опасности родных. А еще он не хотел подвергать опасности себя, так как знал, мать этого не переживет. Ему не было страшно за свою жизнь как таковую. Но сама мысль о страданиях, которые его смерть или его увечье принесут матери, была невыносима для Арчи. Нет, никогда бы он не сделал того, что сделает ее навсегда несчастной.

Как же быть? Как поступить правильно? Какое решение принять?

У революционеров, у настоящих революционеров, не было семей или они о них не заботились. Взять вот Сталина. Еще до того, как он стал Сталиным, еще задолго до его возвышения, когда был он простым грузинским революционером Кобой, была у него грузинская жена и грузинский сын. Любил ли он их? Конечно, любил, пишут, он умирал от боли, когда жена скончалась от туберкулеза. Но заботился ли Иосиф Джугашвили о жене? Конечно же нет. Они жили в крайней бедности, постоянно нуждались. Не было у них денег ни на лекарства, ни на доктора, ни на нормальные условия жизни. Так ли это на самом деле? Сталин грабил кареты казначейства и забирал огромные суммы денег. Ничего он не оставлял себе — все передавал на нужды партии. Арчи никогда бы не смог жить такой жизнью. Никогда не сумел бы пожертвовать нуждами семьи. Он решил отложить принятие решения до утра.

Однако решение за него было принято кучкой солдат с пропускного пункта на реке Чолоки. Вечером, когда кортеж автомобилей Саакашвили пытался пересечь границу с Аджарией, его не пропустили на территорию автономии. Новому президенту Грузии было отказано в перемещении по территории Грузии. Его кортеж развернулся и отправился обратно. В Аджарии все начали готовиться к войне. В СМИ моментально разлетелась информация о том, что к границам Аджарии стягиваются военные силы Грузии. Что вот Саакашвили силой заставит подчиниться.

Тина сообщила Арчи, что у них в Тбилиси в новостях говорят о том, что на улицах Батуми уже появились танки, что прошла всеобщая мобилизация аджарцев и вот-вот начнется наступление.

Услышав в международных новостях об инциденте на аджарской границе, я немедленно набрал телефон Арчи.

— Привет, Арчи.

— Привет, Карду. Как ты?

— У меня все хорошо, спасибо. Как ты? Как домашние? Что у вас там происходит?

— Ты представь, — весело засмеялся Арчи. — Ты только представь! Нашего президента не пустили на его же территорию! Представь себе кучку солдат, которые с автоматами наперевес перекрывают дорогу президентскому кортежу и не дают ему проехать!

— Да уж, — улыбнулся я. От сердца у меня мгновенно отлегло. Арчи был весел и бодр, значит, все в порядке. — Как родные?

— Дедушка начистил ружья. Представляешь? Начистил, разложил. Зачем только, спрашивается. Папа работает. Ну как работает. Пытается удержать бизнес на плаву. Ты знаешь, с экономикой тут беда. Многие уже закрылись. Мама с бабушкой как обычно. Ничего нового. Только телевизор больше смотрят — все ждут, что там нового скажут.

— А... А как там Лиана, — я немного помедлил и добавил для отвода глаз: — И Ика?

— Да все как обычно.

— Последнее время ты всегда так отвечаешь. Ничего не рассказываешь. Вы перестали общаться?

— Да нет, — протянул Арчи. — Общаемся.

— Да, но раньше вы все время проводили вместе. Что случилось?

Арчи молчал.

— Вы поссорились?

— Не в этом дело.

— А чем тогда? С Лианой что-то стряслось?

— Ты знаешь, может, она стала чуть тише. Но… я если честно не уверен. По правде говоря, мы действительно стали меньше общаться. Не потому что поругались или что-то такое, нет, просто… Общаемся не так, как раньше. Я встретил человека, с которым мне невероятно интересно общаться, и…

— Арчи! — не смог сдержать я восторга. — Ты завел себе девушку? Кто она?

— Эй, погоди. Не девушку. Друга. Я просто нашёл хорошего и интересного собеседника. Не более того. И давай не будем об этом больше. А насчет Ики и Лианы ты прав. Мне надо быть внимательнее к ним.

— Ну что ж. Я рад слышать, что все хорошо. Мне надо еще домашнее задание сделать. Давай, на связи.

— Карду, — вдруг неожиданно тихо и серьезно остановил меня Арчи. — Ночью, наверно, начнется война.


## Глава 36. Август 2018 года. Батуми

Я проснулся, когда пилот объявил о снижении. Самолет летел уже так низко, что не составляло большого труда разглядеть дороги, автомобили и дома. Я летел на свадьбу Кати. После завтра сестра станет женой друга моего детства здесь, на аджарской земле.

Аджария… Я попробовал это слово на вкус, и обжигающий холод прокатился у меня внутри. Страшно, как же страшно мне было сейчас! Я не мог предугадать реакции моего организма, тех эмоций, которые возникнут, как только я шагну на родную землю.

Я не знал, что почувствую. Будет ли это боль и отчаяние, вина и сожаление или это будет тихая радость от встречи со своей родиной? Мне казалось, я давно пережил случившееся. Но если так, то почему же сейчас мое горло сковывает ледяное кольцо, а в желудке все переворачивается вверх дном?

Посадка над Батуми была невероятно красивой. Самолет наклонился, делая разворот над морем, и в маленькое окошко плеснул рыжий закат. Я поймал ласковые лучи вечернего солнца на своем лице и сощурился. Под крылом раскинулось сине-зеленое темное море с белоснежными гребешками легких волн. Вот показалась узкая полоса берега, метра два-три, не больше, и сразу — огни посадочной полосы. Чуть поодаль виднелся ярко-синий свет спирали диспетчерской вышки. Легкий пружинистый толчок, и шасси самолета коснулись земли. Такой родной земли! Руки вспотели, сердце стучало как бешеное, а я не мог дождаться, когда дверь самолета откроется и я увижу мой Батуми, Аджарию, такую родную Грузию.

Вот наконец подогнали трап, и пассажиры стали неторопливо покидать самолет. Я снял чемодан с полки для ручной клади, попрощался со стюардессами и сделал шаг навстречу этому городу. Сладкий дымный воздух тут же забился мне в нос. Каждая клеточка кожи почувствовала знойное влажное дыхание Грузии. Все вокруг полыхало закатом: оранжево-лиловое небо, сизые облака, огненное солнце, быстро тонущее в море за горизонтом, чуть подрагивающая багряная дорожка на морской глади. Вдали виднелся черный силуэт горного хребта с россыпью деревенских домов на его склонах. Я глубоко вдохнул Грузию в свои легкие. Я снова здесь! Я дома.

Сейчас мне хотелось только одного: скорее добраться до родного мне дома и крепко — накрепко обнять мою бабушку Тинатин — должно быть, уже хрупкую старушку со смуглым с глубокими морщинками лицом. Хотелось обхватить ее хрупкие плечи, вдохнуть теплый родной запах, услышать резкий с хрипотцой голос, взять ее маленькое лицо в свои ладони и прижаться щекой к ее щеке.

Мне вдруг стало так нестерпимо горько за те годы, что не навещал ее. В эту секунду, в это мгновение, сходя по трапу на Аджарскую землю, меня вдруг пронзила острая боль. Но не моя эта боль — ее, этой женщины, любящей меня всем своим добрым сердцем. За последние восемь лет я видел ее совсем нечасто. А как, должно быть, она скучала! Мне представилось, как летом она выходила одна в наш большой красивый сад, брала в руки книгу и садилась в тихом одиночестве на скамейку. Представил, как она, так и не раскрыв книгу, сидела и смотрела на сад, вспоминая ушедшие годы — годы, когда дом ее был полон детского смеха, юношеского шумного веселья, взрослых разговоров. Наверное, в памяти ее оживали призрачные образы звонких и живых летних месяцев. И тоска сжимала ей грудь.

Я не просто не навещал ее тут. Я виноват перед ней куда больше. Когда умер дедушка Карду, я не смог пересилить себя и приехать на его похороны, чтобы поддержать Тинатин. А она нуждалась во мне тогда. Я носил имя деда, но даже не прилетел на его похороны.

В глазах защипало, и к горлу подкатил ком. Неожиданно в голове возник мой собственный образ, но на тринадцать лет моложе. То был юный парень с белой кожей, светлыми курчавыми волосами и голубыми глазами, совсем не похожий на грузина. Он сидел на скале в море рядом с Сарпи и глядел распахнутыми глазами вдаль — туда, где грузинские волны Черного моря растворялись в турецких, туда, где нет ничего, кроме его мечтаний, стремлений, целей и мыслей о великом будущем, которое его непременно ждало, он в этом не сомневался! Как же сильно я изменился с тех пор.

Тоска, горечь, боль, радость, счастье, возбуждение, волнение, вина, страх, надежда, — все это бушевало внутри меня, накрывало с головой, и я так боялся не устоять под натиском этих разных эмоций. И все же радость от встречи с краем моей юности оказалась чуть сильнее чувства вины за прошлое, сильнее всех других чувств. По крайней мере сейчас. Я не мог предугадать, что будет дальше. Но в эту минуту здесь, в аэропорту Батуми, я снова почувствовал себя самим собой. Я снова дышал полной грудью.


В Батуми крошечный аэропорт, а потому контроль не занял много времени. Через пятнадцать минут я уже искал такси на улице.

— Здравствуйте! Улица Варшанидзе, семьдесят четыре, пожалуйста.

— Гамарджоба! Нет проблем! Пятнадцать лари, — весело озвучил таксист, бросив на меня короткий, но внимательный взгляд. Я знал, что поездка не стоит и десяти лари, но спорить не стал.

— Хорошо. По дороге заедем в другой дом, подождете меня там пару минут и поедем.

— Идет!

Водитель улыбнулся, звонко цокнул языком, и мы тронулись в путь. Я смотрел в окно на проплывающие мимо деревья, дома, знакомые места. Как сильно изменился этот город! Меня встречали громадные светящиеся высотки современных отелей, жилых комплексов, большие шумные рестораны, современные казино. Всего этого не было здесь восемь лет назад. Столько новых построек! А между ними, где-то внизу стояли старенькие грузинские пятиэтажки с самодельными пристройками, развешенным по балконам застиранным бельем, дворовым футболом и ленивыми псами. Я опустил окно в такси. В машину ворвались звуки вечернего Батуми.

— Могли бы вы, пожалуйста, остановиться где-то здесь ненадолго?

Таксист кинул на меня быстрый взгляд через зеркало заднего вида, но остановился без лишних слов. Я вышел из такси и осмотрелся. По бульвару прогуливаются семьи с детьми, молодые пары — все в основном туристы. Я отвернулся от дороги. В дворах пятиэтажек мальчишки гоняли мяч и громко перебрасывались короткими фразами на грузинском. Из ресторана неподалеку гремела музыка. Этот новый Батуми был похож на архитектурное безумие! Все постройки были настолько разными, ни одна не походила на другие. Все сверкало и искрилось вечерней неоновой подсветкой. А бульвар напоминал французскую Ривьеру с грузинским акцентом. Этот город был действительно другим.

Я сел обратно в такси, и мы продолжили путь. Чем дальше от моря увозило меня такси, тем тише и привычнее становились виды за окном. Все меньше и меньше попадались мне новые здания. Привычная мне Грузия обступал со всех сторон.

Вскоре машина остановилась у ветхого белого забора, за которым виднелся дом старой постройки. Я не выходил из такси и смотрел на него, не моргая. Просторный открытый балкон опоясывал весь дом по периметру на обоих его этажах. Классические колонны, прямые линии, простые формы разбавляла изящная традиционная резьба, напоминающая кружево. Дом был светлый и открытый. Прямо у его стен раскинул свою сочную зелень огромный фруктовый сад. Тут же была терраса и летние качели. Но я не видел всего этого. Я видел дорожку из гравия, ведущую к дому. Я слышал шелест камней под легкими шагами Лианы, когда она прежде бежала по ней мне навстречу. Я видел эту девушку, счастливую, с распахнутым мне сердцем...

Я смотрел и смотрел на дом ее отца Иосифа. И не мог оторваться. Я медленно прокручивал в голове все события той поры. Имел ли я право ненавидеть Арчи? Если честно заглянуть в себе в душу, мог ли я тогда хоть кого-то в чем-то упрекнуть? Я, который как мне тогда казалось, дошел до самого дна своих моральных установок, пересек все мыслимые и немыслимые пределы и с лихва извалялся в пороке? И действительно ли в силах Арчи было хоть что-то изменить?

Не то чтобы я не задавал себе этих вопросов раньше. Все эти мысли настырно лезли мне в голову при каждом удобном случае. Но обычно я гнал их куда подальше, ведь намного привычнее и спокойнее было жить, переложив большую часть ответственности на Арчи.

## Глава 37. Лето 2004. Батуми

Настоящая война с открытыми боевыми действиями, танками посреди мирных улиц, автоматными очередями, убитыми и искалеченными, к счастью, так и не наступила. Не наступила она ни в ту ночь, когда президента Грузии не пустили на территорию Аджарии, ни в день всеобщей мобилизации в республике, ни в тот день, когда Абашидзе взорвал три моста, соединяющие его землю с внешним миром, ни даже тогда, когда пятнадцать тысяч человек вышли на улицы Батуми, скандируя «Миша!». Прошедшие полгода лишений, тревог и нервных ожиданий переменили настроения людей. Не было больше у Абашидзе опоры даже в Аджарии. Он проиграл эту войну и, не сделав ни одного публичного заявления, тихо улетел вместе со своим сыном в Москву.

«Абашидзе убежал!» — заявил Саакашвили, а народ вынес кресло своего вчерашнего лидера Аслана и сжег его прямо у памятника деду — Мемеду Абашидзе.

«Аджария свободна!» — сказал президент Грузии.

Аджария была полностью подчинена Грузии 6 мая 2004 года.

К концу мая я окончил Лондонский колледж и начал готовиться к вступительным экзаменам в университет. Родители разрешили мне наконец отправиться в Грузию, где они с Катей находились уже несколько недель. Они прилетели в Батуми сразу, как была объявлена отставка Абашидзе.

Я прибыл поздним вечером. Город встретил меня приятной вечерней свежестью, звездным небом и запахом соли. Уже стемнело, хотя часы показывали девять. Я забрал свой небольшой багаж и направился к выходу, где меня ждал дядя Михаил — отец Арчи. Он поприветствовал меня крепким объятием и поцелуем в обе щеки, и мы отправились на улицу Варшанидзе. В его машине я сидел как на иголках — все эти запахи, все звуки, краски, цвета, все это будоражило, воскрешало в памяти былые дни и приятно возбуждало меня. Я не мог поверить в то, что наконец-то я здесь, я дома. Через каких-то десять минут я увижусь с Арчи, а через всего лишь одну ночь я обниму Лиану.

Дома не спали: все ждали моего приезда. Как только отворилась дверь и я вошел в светлую прихожую, на меня со всех сторон налетели.

— Вай мэ, Карду! Как ты вырос! — Бабушка Тинатин крутила меня во все стороны, как будто стараясь лучше меня разглядеть. Тетя Аня — мама Арчи — целовала и обнимала меня, крепко прижимая к себе, дедушка просил их всех «Оставить парня в покое! Пусть он хотя бы разденется», а Арчи в нетерпении ждал возможности поприветствовать меня и обняться. Вокруг стоял шум, суматоха, гомон и смех. Наконец я поздоровался со всеми, разделся и прошел к столу. Тот ломился от блюд, еще дымящихся и ароматных. Было тут все, на любой вкус — овощи и домашние фрукты, сыр, лобио, хачапури, оджахури и вино.

— Сначала харчо, мой мальчик! — тоном, не требующим возражений, сказала бабушка. — Ты, наверно, совсем голодный.

Есть мне, по правде говоря, очень хотелось. А еще больше хотелось вновь попробовать бабушкину еду, приготовленную заботливыми руками. Я так соскучился по всей этой грузинской жизни.

Мы долго сидели все вместе на летней террасе, обменивались новостями, обсуждали произошедшие изменения, делились уже ушедшими переживаниями и чувствами. Бабушка и дедушка рассказывали про аджарский кризис, дядя Миша рассуждал о судьбе Грузии, мама с папой рассказывали о событиях их питерской жизни, меня расспрашивали про Лондон. Вся семья, которая теперь жила в трех разных странах, наконец была вместе. Было радостно видеть, что все мои близкие в безопасности, все радостны и счастливы.

После ужина я направился прямиком в душ, где долго-долго старался смыть с себя весь этот прошедший год. Все позади. Я уже здесь. Теперь все будет как раньше.

— На балкон? — подмигнув мне, предложил Арчи, и мы, смеясь, вытащили наши одеяла и подушки на стеклянную лоджию, прилегающую к спальне. На небе россыпью сияли белые звезды, в траве стрекотали сверчки, легкий ветерок, казалось, доносил шум ночного прибоя. Я закрыл глаза и сделал глубокий вход.

— Ну рассказывай, — донеслось сбоку.

— Ты первый. У тебя тут явно больше событий произошло, — откликнулся я.

— Хм. Ну я даже и не знаю. Я-то тут остался, никуда и не выезжал. А ты вон уехал в Англию, у тебя совсем новая жизнь. Небось и девчонку себе завел, а? — слегка толкнул меня в бок Арчи.

— Англичанки не в моем вкусе, — попробовал отшутиться я. — Арчи, серьезно. Расскажи, как у вас тут все было.

— Да ты и так все знаешь. Что мне добавить? Тревожно было очень после того, как Саакашвили не пустили в Аджарию. Но, ты знаешь, в этой ситуации очень правильно вело себя правительство.

— Аджарское?

— Да нет же. Грузинское. Ну, Саакашвили, Жвания. Они все. Войну не развязали. Жертв не было. Март и апрель были самыми тяжелыми: все ждали — вот-вот начнется. Настроения, конечно, были — сам понимаешь. Ни до чего. Потом знаешь, тут такие качели были. То они договорились, то через два дня один обвиняет другого в срыве договоренностей. Один всю свою армию стягивает к границам под предлогом учений, другой — взрывает мосты. Знаешь, должен тебе признаться, однажды мне стало по-настоящему страшно. Двадцать седьмого апреля.

— Двадцать седьмого апреля?

— Да, когда в Аджарии объявили всеобщую мобилизацию. Что-то надорвалось внутри меня, знаешь. Как будто прежней жизни уже нет и не будет. Как будто все планы, все мечты, все псу под хвост. Но особенно страшно за родных. А что, если они погибнут. Как я буду дальше жить? Но потом, знаешь, обошлось. Говорю, очень мудро поступили в Тбилиси: обложили Аджарию со всех сторон и вынудили Абашидзе делать промахи.

— Промахи? Какие промахи?

— Ну он увидел, что почти вся грузинская армия стоит у границ Аджарии «на учениях», и испугался, надо думать. Он же все мосты взорвал сразу после этого. Никакого шанса диалогу не оставил.

— Почему тебе так нравится Саакашвили? Его же Америка поставила. Ты понимаешь, что мы теперь дальше от России, чем были раньше? Я думаю, российско-грузинские отношения теперь совсем испортятся.

— С одной стороны, ты прав, конечно. А с другой... Ну и что дало нам это союзничество с Россией? Нет, я понимаю, твоя семья в Питере, для тебя Россия — дом. Но для меня, понимаешь, все не так. Конечно, Россия — большой союзник. Но ведь пока все так, ничего в Грузии не меняется. Посмотри вокруг. Сколько деревень без электричества? В скольких нет воды? Ты же подумай, вокруг — одна большая деревня. Старая, древняя, горная деревня. А в крупных городах что? Коррупция и воровство, взяточничество, разгул преступности. Экономика в упадке. Безработица. Дороги вон, посмотри какие. Изменения нужны, это факт.

А Саакашвили, ты знаешь, вселяет надежду. Я слушаю его и мечтаю. О богатой процветающей Грузии, об изобилии и благополучии.

— Никогда не думал, что ты мечтатель.

— А я и не мечтатель. Просто ему сложно не верить. Я верю, что он изменит Грузию. Верю, что все изменится к лучшему.

— Почему ты думаешь, что ему под силу все изменить?

— Ну, не ему одному, конечно.

— Ага. Ему и его американским друзьям? — ухмыльнулся я.

— Он энергичный. Он европеизированный. Он хочет изменить культуру и само сознание. Мне кажется, у него фундаментальный подход. Ну а американская поддержка и финансирование — это тоже плюс.

— Надеюсь, Арчи, надеюсь.

— Я знаю, ты не одобряешь все, что происходит. Но давай поговорим через год.

— А лучше через четыре. Что такое год для политика? То ли дело четыре. Это уже срок.

— Договорились. Оценим через четыре года, в 2008.

— Пусть так. Ну, расскажешь мне про своего друга? — Я понимал, что ступаю на опасную землю.

— Сначала расскажи мне, есть ли у тебя девчонка.

— Арчи, я же сказал, нет. Мне в Лондоне никто не понравился.

— Прям совсем никто-никто?

— Да, совсем. Никто-никто.

— И не было у тебя никого?

— Нет, — отрезал я.

— А вот у меня были. Но прямо понравилась мне другая. Она и есть мой друг. Я видел ее последний раз на том митинге в Тбилиси.

Арчи помолчал.

— Знаешь, она очень интересная. Такая, умная, начитанная. Она постарше меня.

— Она не местная?

— Живет в Тбилиси. Обычно приезжала с семьей в Батуми на лето, но не уверена еще, приедут ли теперь, когда здесь такая обстановка.

— Вы встречаетесь?

— Нет. Просто дружим.

Я не знал, кто из нас первым познал радости любви: я или не я. Говорить о Лиане с Арчи было для меня абсолютно невозможно. Она была нашей общей подругой. Впрочем, мы с Лианой договорились никому не говорить о наших с ней отношениях, так что так и так мне приходилось молчать. Поэтому заговаривать с Арчи на эту тему я не мог и не знал, были ли у Арчи уже девчонки или нет. Мы никогда об этом не говорили.

— Знаешь, она мне нравится. Очень. Но и в то же время я как-то и не знаю даже. Не знаю, просто... С ней как-то как с тобой. Комфортно очень.

— Разве же это плохо?

— Хорошо, конечно. Но... В общем, мы просто друзья. Какие планы на будущее? — резко переменил тему Арчи.

— Немного побуду в Батуми и уеду в Лондон сдавать экзамены.

— М-м-м-м-м, — задумчиво протянул Арчи. — Идешь к мечте?

— Вроде того. Хочу поступит там в университет и отучиться.

— Все хочешь стать брокером?

Я задумался. К этому моменту я уже имел свой брокерский счет и даже пробовал торговать. Технически все выглядело абсолютно просто: создаешь заявку на покупку или продажу, заявки исполнялись, ты платишь комиссию за сделку, зарабатываешь на разнице между покупкой и продажей бумаг. Кроме того, я освоил торговлю с плечом — торговлю с привлечением средств брокера. Опыт мой был неоднозначным: на небольших сделках в рамках дня я всегда оставался в плюсе. Мои стратегии всегда оказывалась выигрышными. Но плюс этот был настолько мал, что о серьезном заработке при помощи акций и думать не приходилось. Стоило же мне торговать с плечом и совершать большие сделки, как я терял деньги и закрывал сделки с немалым убытком.

В чем же было дело? Я изучил технический и фундаментальный анализ, прочел много учебников и самоучителей. Я достаточно хорошо разобрался в теории, чтобы понимать, что она не поможет, если ты не владеешь собой. Настоящее искусство, как это виделось мне, заключалось в умении ждать, умении управлять своими эмоциями и придерживаться выбранной стратегии. Если на кону стояли большие для меня суммы и график шел вниз — я терял голову и тут же бросался все продавать. И тогда цена неизменно шла снова вверх. Я кусал локти, ругал себя и снова покупал — график, точно смеясь надо мной, шел вниз. Я всегда был на шаг позади. Но как только я делал небольшую покупку без привлечения плеча — только на свои средства, — все менялось. Я контролировал ситуацию, не боялся проигрыша и продавал точно в нужный момент. Но я так и не сумел контролировать свои чувства на крупных сделках с большим риском.

Разумеется, быть частным инвестором не то же самое, что быть брокером. Но тот опыт, который я получил, убедил меня в том, что биржа — большая лотерея. Она как рулетка — тебе либо повезет, либо нет, и все в руках у удачи.

В общем, к тому моменту я охладел к ценным бумагам.

— По правде говоря, я не уверен.

— Думал уже, куда будешь поступать?

— Конечно. Хочу попробовать в «Империал колледж». Он лучший в Лондоне.

— А факультет? Бизнес-школа. Там выберу курсы. Финансы, экономика. Но туда еще поступить надо. Это не сказать, чтобы просто. Ну а ты?

— А что я?

— Ты знаешь, о чем я. Вы все окончили школу. У вас на носу выпускной. Ты уже знаешь, чем будешь заниматься дальше?

— Знаю, — с ухмылкой произнес Арчи.

— И?

— Я буду играть за «Динамо».

Повисла пауза.

— За какой «Динамо»? — глупо спросил я.

— За тбилисский «Динамо».

— Арчи! — завопил я. — Ты серьезно? Это не шутка?!

Арчи заливался смехом в ответ.

— Тише ты, тише. Разбудишь. Катя спит за стеной.

— Ты не шутишь?

— Не шучу.

Тбилисский клуб «Динамо» был самым известным и одним из самых сильных клубов в Грузии. Попасть туда было все равно, что попасть в питерский «Зенит» или московский ЦСКА. Я не могу поверить своим ушам. Мой двоюродный брат у меня на глазах становился профессиональным игроком. Я был невероятно горд и счастлив за него. Я не мог поверить своим ушам.

— Ну, пока еще не первый дивизион, не основной состав, но там видно будет.

— Арчи, это же невероятное везение!

— Везение? — опять ухмыльнулся он. — Ну да, и везение тоже.

Еще долго мы болтали о футболе, о невероятной удаче, которая выпала Арчи, о его контракте, его грядущем переезде в Тбилиси. Мы планировали нашу жизнь и снова мечтали, прямо как в детстве. Мы мечтали, что очень скоро Арчи станет величайшим футболистом мира, я — величайшим финансистом и ждет нас впереди невероятно интересная, счастливая и успешная жизнь.

Когда первые проблески рассвета показались на небе, а Арчи уже уснул, я лежал и смотрел на ветки деревьев. Я думал о том, что вот прошел еще один год и наступило еще одно лето, а я все так же не знаю, как будет выглядеть моя жизнь, чем я буду заниматься и какое будущее мне уготовано. А будущее Арчи уже начало сбываться.

Наутро, едва проснувшись и позавтракав, мы отправились на море с друзьями. Катя, Ика, Лиана, Арчи, Бердиа — мы снова были все вместе. Мы снова встречали лето дружной компанией, в полном составе.

Дорога к нашему любимому пляжу в Батуми занимала около сорока минут. Мы шли под палящим солнцем, слушали музыку из колонки, которую прихватил с собой Арчи, и говорили о выборе университета. Мы обсуждали разные учебные заведения, города, профессии, перспективы. Выдвигали аргументы за и против, спорили, смеялись. Катя, Бердиа и Ика принимали живое участие в диалоге, хотя им еще предстояло отучиться несколько лет в школе. Мы снова мечтали и строили планы.

Добравшись до пляжа, мы бросили одежду и вещи на пыльную гальку и устремились в воду. Я первым нырнул в море. Соленая теплая вода приятно окутывала мое тело с головы до ног. Я ощущал ласковые волны Черного моря каждой клеточкой своего тела. Выплыв на поверхность, я сощурился на солнце. Оно пекло голову и слепило глаза. Я лег на спину в блаженстве. Я так скучал по всему этому.

За мной последовали Арчи и Лиана. Сначала Арчи — рослый, сильный, загорелый, с рельефной грудью. На него заглядывались все девчонки пляжа. Я всегда хотел быть таким, как он, хотя никогда себе в этом не признавался. В спорте он был бог — любая тренировка давалась ему на ура. Арчи не знал отдыха и тренировался без устали, и это давало о себе знать. Из года в год я наблюдал, как менялось его тело. Из стройного, худенького паренька Арчи превратился в атлета с развитой мускулатурой. Теперь он действительно производил неизгладимое впечатление.

Затем в воду вошла Лиана — стройная, гибкая, смуглая девушка с черными волосами до пояса. Ее фигура была фигурой взрослой сформировавшейся девушки. Высокая красивая грудь, узкие бедра, стройные ноги и подтянутый живот. От Лианы невозможно было оторвать глаз — так притягательно красива она была.

Затем к нам присоединился Бердиа, оставив Катю с Икой на берегу — сторожить вещи. Мы обливали друг друга водой, делали дальние заплывы, ныряли и играли друг с другом.

— Я так рада, что ты вернулся, — незаметно тихо шепнула мне на ухо Лиана.

Но то, что теперь все было не так, как раньше, я почувствовал сразу. Волшебное и беззаботное детство не могло длиться вечно. Мы взрослели, мы менялись, а вместе с нами менялась и атмосфера. Тем летом над нами постоянно висела неотвратимость грядущих перемен. К тому моменту я уже знал — Лиана не сможет учиться в Лондоне. Она сообщила мне об этом по телефону незадолго до моего приезда в Грузию. Теперь нам всем предстояло разлететься по разным городам, мы все становились дальше друг от друга и начинали свою новую взрослую жизнь.

Мы старались по-прежнему проводить много времени вместе, но это было практически невозможно. Катя, Ика и Бердиа часто проводили утро одни у моря или в саду, пока я готовился к вступительным экзаменам. Лиана также проводила утро у себя дома — и тоже готовилась к поступлению. Не готовился только Арчи — он думал поступить на заочное отделение какого-нибудь вуза в Тбилиси. Все вместе мы собирались только к вечеру.

Часто по утрам я уходил к Лиане. Для всех — мы просто вместе готовились к экзаменам. Но как только за мной закрывалась дверь ее комнаты, мы падали на кровать, сбрасывали с себя одежду и приступали к своим играм. После секса мы долго разговаривали. Она натягивала мою футболку, ложилась мне на колени, и мы болтали обо всем на свете. А иногда мы все-таки готовились к экзаменам.

— Куда ты решила поступать? — как-то спросил ее я.

— Сюрприз, — улыбалась она, глядя мне в глаза.

— Лиана, так нельзя. Я хочу знать.

Она выпрямилась и села напротив меня.

— Угадай.

— Ну-у-у, в этом году можно уехать в Тбилиси, — попробовал пошутить я. — Может, ты поступишь в Тбилиси.

— Не угадал.

— Ну, Лиана. Я не хочу гадать. Куда?

Она наклонила голову набок, словно разглядывая меня. Прищурилась и произнесла то, чего я от нее никак не ожидал:

— Я решила поступать в Питер. На лингвиста.

Повисла пауза. Я не мог понять от чего, но эта новость отнюдь не обрадовала меня.

— В Питер? — переспросил я.

— Да. Что-то не так? — по лицу ее пробежала тень.

— А почему именно Питер?

— Я думала ты будешь рад. — Лиана перестала улыбаться, ее брови нахмурились, лицо выражало досаду.

— Я... Я просто не понимаю. Почему именно Питер? Почему лингвист? Это же так далеко от твоего дома, от твоих родителей.

— И от тебя, — закончила она. — Карду, я бы хотела быть ближе. Ты чаще будешь прилетать в Питер, к родителям, чем в Батуми к бабушке с дедушкой. Я подумала, ты будешь рад, так мы сможем чаще общаться. А еще Катя, Бердиа — они же живут в Питере. Мы будем вместе общаться.

— А почему лингвистика?

— Я подумала, что если я буду хорошо знать языки, мне будет легче найти работу в Лондоне.

— Работу в Лондоне?

— Ну да, я же переду к тебе.

— Но я еще не знаю, буду ли я жить в Лондоне.

Я почувствовал неприятное чувство. Лиана уже все продумала, все распланировала за меня, и мое мнение уже не важно. Мне не понравилось это. В комнате моментально стало тесно, пропал воздух и стало тяжело дышать.

— Ты не рад?

— Лиана, я…

— Ты не рад. Ты не хочешь видеть меня чаще. Ты хочешь держать меня тут, в Грузии. Чтобы никто никогда меня не видел, не знал о существовании меня, так?

Слезы градом покатились из ее глаз. Она вскочила и выбежала из комнаты. Я не представлял, что мне теперь делать. Я сидел в ее комнате, в ее доме один. Я слышал, что она спустилась вниз по лестнице — в ванную комнату. Я не пошел за ней, так как мне пришлось бы пройти мимо кабинета ее отца, в котором он сидел и работал. Я прождал Лиану около часа и, когда понял, что она не вернется, собрал свои тетради, учебники и отправился к себе.


Лиана с трудом сдерживала рыдания. Они сдавили ей грудь, они рвались наружу. Она ему не нужна, он ее не любит — стучало у нее в висках. Она начала задыхаться. Ей хотелось закричать от боли. Она всю себя отдала ему, она его любила и ждала, а он…Он просто не хочет больше быть с ней. Она ему не нужна. Лиана захлебнулась в беззвучном плаче. Слезы с всё прибывающей силой катились по ее щекам, губам, шее, падали на грудь и ладони. Она провела руками по лицу, по волосам, размазывая слезы. Не нужна. Не нужна. Не нужна. Не нужна Карду, как не нужна была отцу. Как не нужна была матери. Как не нужна никому. Ее никто не любит. И никогда уже не полюбит. Да и если полюбит, какое ей до того дело, ведь она хочет быть только с Карду. Без него жизнь не имела смысла. Она плакала все больше, все сильнее, она практически не могла дышать. Мозг словно окутало ватой, пальцы начало сводить судорогой. Лиана вцепилась в раковину.

Неожиданно она вскинула голову и взглянула на себя в зеркало: большие распахнутые глаза черного цвета, как два бездонных колодца, длинные черные ресницы, немного слипшиеся от слез, мокрые, чуть порозовевшие веки, бледная кожа, раскрытые алые губы, чуть припухлые от плача, мокрые следы по щекам. Она была невероятна нежна и красива в этот момент. Она стала разглядывать себя. Ей нравилось ее отражение. Как будто искренняя, честная, обнаженная красота. Как можно ее не любить? Ну конечно же Карду любит ее. Не может не любить. Она позвонит ему как ни в чем не бывало, она помирится с ним.

Лиана понемногу начала приходить в себя. Она открыла кран, высморкалась, умылась и снова взглянула на себя в зеркало. Теперь из зеркала на нее смотрела растрепанная, заплаканная, с опухшими глазами и слипшимися ресницами девица. Ни следа от той красоты, которой любовалась Лиана. Она вытерлась полотенцем, сделала глубокий вдох, затем еще один.

«Господи, только бы никто никогда не увидел меня такой. Только бы никто не узнал, что со мной происходит. Только бы Карду никогда не услышал эти припадки».


Дома я не вышел к обеду, сославшись на то, что сильно устал и хочу немного поспать. Арчи и Кати не было дома — очевидно, ушли с остальными на море. Я забрался в кровать и накрылся одеялом. Несмотря на сумасшедшую жару, меня знобило. Я чувствовал себя разбитым. Уже не первый раз Лиана расстраивалась и плакала. Не первый раз мы ссорились. И каждый раз это происходило очень неожиданно. Я поймал себя на мысли, что не знаю, что от нее ожидать. А еще я любил ее и не могу вынести мысль о том, что причиняю ей боль и страдание. Ранить ее — это то, что я хотел меньше всего на свете. Мне так бы хотелось всегда видеть ее радостной и счастливой, но я стал замечать, что сделать это становится все труднее. Лиана менялась. Или я просто не замечал этого раньше?

Вечером все собрались у нас в саду. Я был разбит и не захотел выходить, пока не услышал веселый голос Лианы внизу. Я тут же натянул джинсы, майку и отправился в сад. Как выяснилось, Арчи всем рассказал про свой контракт, и по этому поводу было решено приготовить шашлык. Все шумели, суетились, шутили. Я наблюдал за Лианой и не мог поверить, как с ней могла произойти такая разительная перемена. Она шутила, смеялась, была невероятно вежлива и услужлива. Как всего за несколько часов она так переменилась? Но вскоре я отмахнул эти тревожные мысли, присоединился к друзьям, и мое настроение понемногу начало меняться к лучшему.

То лето было коротким. Мне, Арчи и Лиане предстояло поступать в университет. Я улетел первым — сдавать экзамены в лондонский колледж. Затем Лиана отправилась в Питер, вслед за ней Арчи уехал в Тбилиси, а позже Катя и Бердиа вернулись домой и приступили к новому учебному году.

Незаметно наступила осень, и у всех началась новая совершенно другая и ни на что не похожая жизнь.

## Глава 38. 2004 год

Вернувшись в Лондон, я понял, что скучал. По аккуратным бордюрам, большим чистым улицам, хмурому небу, светлым прямым зданиям и зеленым сочным лужайкам. Помню, как вернувшись в Лондон, я спустился в метро первый раз. Вокруг меня проплывали толпы спешащих людей, полностью погруженных в свои заботы и мысли. Я вошел в вагон, сел на свободное место и почувствовал, как губы невольно расползлись в улыбке. Я улыбался искренней радостной улыбкой. Улыбался этим людям, этому воздуху, этому городу и себе — в нем. Я вдруг абсолютно точно осознал, что дышу тут свободнее. Без оглядки на достижения Арчи, без оглядки на одобрение родителей, без оглядки на Лиану.

Лиана... Общение с ней в последнее время стало вязким и тягучим. Каждый наш разговор, как зыбучие пески, затягивал меня в темные глубины, и вот, сам не зная как, я уже оказывался виноват во всем. В том, что мы не вместе, в том, что мы не видимся, в том, что я не люблю ее, и даже в том, что у меня есть другие девушки. Что конечно же было абсолютной неправдой. От таких разговоров мне становилось душно. Любая, даже самая светлая и добрая беседа так или иначе скатывалась к претензиям и обвинениям. Но хуже было то, что я абсолютно не знал, чего ожидать от общения с Лианой. Когда я поднимал трубку, я никогда не знал, ждет ли меня моя девушка в хорошем расположении духа или же мне звонит девушка, убедившая себя в том, что я ее не люблю и между нами все кончено. Первое было прекрасно. И если ей удавалось не срываться на обвинения, то такие разговоры доставляли мне удовольствие, как и прежде. Я все так же любил ее ум, любил широту ее взглядов и умение все придумать и расставить по местам. Мне по-прежнему доставляло удовольствие слушать рассказы о ее дне, учебе, университете, новых знакомых. Мне нравились наши споры о литературе и кино, театре и живописи. Но и это общение не было легким и беззаботным как раньше. Теперь оно все чаще напоминало хождение по минному полю: я должен был контролировать каждое свое слово, ни на минуту не расслабляясь: ведь одна моя неверная фраза, и мы снова ссоримся.

Но если же мне звонила Лиана, уже заранее убедившая себя в том, что абсолютно все пропало, что прямо сейчас я лежу в объятиях пышногрудых девиц и что вовсе она мне не нужна, то такие разговоры были для меня невыносимы. Я конечно же успокаивал ее как мог, заверял в своей верности и любви и старался сделать все, только бы она перестала тревожиться. Эти разговоры выбивали меня из колеи, и еще долго я не мог вернуться к привычному хорошему расположению духа.

Все это неизменно приводило к тому, что я реже стал отвечать на ее звонки. Когда я был сильно уставший, когда совсем не было сил говорить с ней, я не брал телефон — я не знал, КАКАЯ она мне звонит, ЧТО принесет мне этот разговор. И это, естественно, расстраивало ее все сильнее.

Тем не менее я знал, все это только от того, что мы не вместе. Сомнений не было, как только мы будем рядом, в одном городе, как только мы будем жить под одной крышей, все пройдет. Она снова станет такой, как была прежде.

Учеба же была для меня глотком свежего воздуха. Я понимал, что от того, как я проживу эти четыре университетских года, зависит мое будущее. Я много занимался, читал гораздо больше, чем было необходимо в рамках курса, старался всегда и во всем быть одним из первых, но и не забывал заводить себе друзей. Я не старался прослыть зубрилкой или ботаном, я просто жаждал знать как можно больше и иметь хороших верных товарищей.

Теперь в кампусе у меня была своя отдельная комната. Пусть и совсем небольшая, но зато без странных соседей. Это позволяло мне распоряжаться своим временем так, как я сам того захочу. А еще это позволяло мне нормально высыпаться, избегать нежелательных тусовок и самому выбирать круг общения.

В комнате напротив жил Патрик — веселый, обаятельный парень из Мюнхена. Патрик был душой любой компании, он учился на два курса старше меня и знал абсолютно всех вокруг. Мы познакомились сразу, как только я въехал.

— Привет, сосед, — как-то постучался ко мне Патрик. — Вот, решил узнать, кто поселился напротив. У меня есть джин, пиво, виски и чай. Хочешь чего-нибудь выпить?

Я выбрал виски, он одобрил мой выбор, и мы провели отличный вечер вдвоем, рассказывая друг другу о себе. С того дня Патрик частенько заходил ко мне. Мы все чаще общались, обменивались книгами, захаживали в пабы и бары, посещали студенческие вечеринки, катались на его новеньком черном BMW.

В комнате справа от меня жила Кристин — пышная белокурая шведка, однокурсница Патрика. Кристин бегала по утрам перед курсами, громко слушала музыку и часто приводила к себе парней. Мы не стали с ней друзьями, но поддерживали приятельские отношения. Иногда она заглядывала ко мне, спросить, как дела и не мешали ли мне звуки прошлой ночью.

Комната слева от меня пустовала. Патрик предположил, что она предназначена для студента-первокурсника, и, очевидно, он еще просто не заехал в кампус.

Моя жизнь была полна событий. Я стал ходить в студенческую секцию по большому теннису. Мне нравилось заниматься, а еще больше мне нравились парни, занимавшиеся со мной. Среди них были в основном старшекурсники. Большинство — из обеспеченных семей с хорошими связями. Мы быстро подружились. Некоторые из них стали приглашать меня к себе домой на вечеринки или воскресные ужины в кругу семьи.

В теннис я совсем не умел играть, и мне пришлось осваивать его с нуля. Я старательно выполнял все подготовительные упражнения, не пропускал ни одну тренировку, но раз за разом, выходя на поле, я неумело совершал слабые подачи и неуклюже отбивал мячи противника. Сильного соперника для игр из меня пока не выходило. Тем не менее я не бросал. Мне хотелось научиться теннису. Мне казалось, что это — благородный спорт для высшего общества. Я был уверен, теннис — еще один прекрасный шанс завести хорошие приятельские отношения с правильными людьми.

Понемногу моя жизнь начала заполняться новыми людьми, привычками, манерами, знаниями и мечтаниями. Я все так же стремился жить хорошей жизнью и все так же не представлял, чем мне предстоит заниматься. Днем я изучал финансы, экономику, банковское дело, страхование. Вечерами читал вдохновляющие книги выдающихся бизнесменов. Меня заряжали энергией истории Якокки Ли и Chrysler, Говарда Шульца и Starbucs, Ричарда Бренсона и Virgin. По выходным я играл в теннис с моими приятелями и посещал бары и рестораны. Моя жизнь была прекрасна.

Я стал замечать, что нравлюсь девушкам. Я не был похож на грузина, какими их представляет большинство. Голубые глаза, светлая кожа, соломенного оттенка короткие волосы, светлая щетина на щеках. Я стал стильно одеваться, носил элегантные очки без диоптрий, прекрасно шутил и говорил на английском почти без акцента. Во мне сложно было распознать не только грузина, но и россиянина. Девчонок я привлекал своей эрудированностью, разносторонностью, а главное тем, что совершенно их игнорировал и не проявлял интереса ни к одной из них. Выдвигались предположения, что я гей. Но и они не прижились: так как парней и мужчин рядом со мной замечено также не было.

Не могу сказать, что я не думал о других девчонках. Мне было почти девятнадцать. Конечно же думал. Задавал себе вопросы, а как это, быть с другой? Иногда, глядя на однокурсниц, я представлял себе, как они занимаются сексом. Не со мной, нет. А вообще. Но я не мог ни на секунду даже подумать о том, что способен на флирт, откровенное общение или тем более секс с кем-то, кроме Лианы. Я не мог представить себе, что когда-нибудь причиню ей боль. Такую невообразимую, несправедливую боль. Я любил ее, уважал ее и готов был ждать столько, сколько потребуется, чтобы мы были вместе.

Однажды, возвращаясь в кампус с тренировки в субботу днем, я обратил внимание на то, что дверь соседней пустующей комнаты приоткрыта. Я зашел к себе, бросил спортивную сумку на пол, взял из холодильника две бутылки пива и отправился знакомиться с соседом. Комната по-прежнему была не заперта. Я громко постучал в распахнутую дверь.

— Привет! — крикнул я, стоя на пороге. Внутрь я зайти не решался.

Ответа не последовало.

— Есть кто-нибудь? — повторил я. — Я тут решил узнать, кто поселился в соседней комнате.

В ответ — тишина. Только где-то сбоку зашуршало.

— У меня есть два пива, — повысил я голос в последней попытке найти тут живого человека.

Неожиданно дверь ванной комнаты распахнулась, и передо мной возникла высокая девушка, в коротких шортах, свободной белой футболке, с длинными белокурыми волосами, собранными в высокий конский хвост, и огромными голубыми глазами. Я тут же узнал ее.

— Вот так сюрприз, — произнес я.

— Карду, неужели это ты? — воскликнула Мариэль — та самая девушка, что частенько наведывалась к нам в комнату в прошлом году с одним лишь желанием — пообщаться со мной.

— Привет, Мариэль, — поздоровался я.

— Извини, я тут в ванной была. Не сразу услышала. Только заехала. — Она показала рукой в направлении комнаты. Там везде были разбросаны вещи, на полу валялись два огромных чемодана, всюду царил хаос. — Вот разбираюсь понемногу.

Я заметил, что Мариэль смутилась от своего беспорядка в комнате.

— Дверь была не заперта, — пояснил я. — Вот решил познакомиться с новым соседом.

— А вышла соседка, — пошутила она и снова смущенно опустила глаза. Это было на нее не похоже. Раньше она вела себя более свободно.

— Ты что же, тоже решила учиться в «Империал»? — задал я максимально глупый вопрос. Я стоял в ее комнате в кампусе «Империал». Что же еще она могла тут делать, как ни учиться?

— Как видишь. — Она поправила футболку, и я подумал, что, наверно, смущаю ее.

— Ну, был рад увидеться.

— Заходи вечером, Карду. Я немного распакуюсь. Поболтаем. Расскажешь мне, что тут к чему.

Я немного поколебался. Обычно каждый вечер мы созванивались с Лианой. Если я пропущу звонок с ней, она сильно расстроится. Но и отказывать Мариэль было невежливо.

— Давай загляну ненадолго. Только не поздно. Завтра рано вставать, а мне еще надо подготовиться к занятиям, — солгал я.

— Договорились. Заходи в семь.

В семь я заглянул к ней снова, по-прежнему держа две бутылки пива. Комната Мариэль преобразилась: все вещи были убраны в шкаф, вокруг царил порядок. Она разложила на кровати кучу маленьких симпатичных подушек, украсила стены фотографиями с друзьями и родными, картой мира, с посещенными ей местами, расставила везде ароматические свечки и вазочки. Ее комната была невероятно уютной и комфортной. Сама она тоже преобразилась: кожаные обтягивающие штаны, черная полностью закрытая водолазка, легкий макияж, распущенные волосы, рассыпавшиеся по плечам. Я почувствовал легкий сладкий аромат — от нее приятно пахло духами.

Несмотря на мое желание провести с Мариэль не больше часа, я задержался у нее на три. Она рассказала мне о том, что Алан, тот самый паренек-художник, неожиданно для всех решил поступать на юридический. Он успешно сдал экзамены в Вестминстерский университет и теперь учился там. Мы весело смеялись, представляя, как он напевает свои песни в кампусе и достает студентов-юристов.

— Он больше не хочет стать художником? — живо поинтересовался я.

— Конечно, хочет. Я слышала, у него появился парень чуть ли не со своей галереей, — заговорщическим тоном пояснила Мариэль.

— Парень?! — я поперхнулся пивом.

— Ну да. Он гей, Карду. Всегда был геем. Неужели ты не видел?

Я не видел. Странно было не замечать это весь год, живя бок о бок в одной комнате. Я еще раз поймал себя на мысли, что весь мой первый год в Лондоне прошел невероятно странно: с телефоном в обнимку. Тогда я как будто игнорировал все, что происходило вокруг, всеми силами цепляясь за Грузию, за ускользающее детство.

Крис вернулся в Швецию, как сообщила мне Мариэль, и вроде как поступил в какой-то университет в Стокгольме. Марко же завел себе очередной роман, но этот раз отнюдь не короткий. Его новая возлюбленная жила в Челси[1] в огромных светлых апартаментах, в которых, к слову сказать, вскоре поселился и сам Марко. Он абсолютно ничем не занимался: не поступил в университет, не нашел работу и даже не думал о том, чтобы вернуться домой.

О Динаре Мариэль ничего не знала. Они практически не общались и не имели общих знакомых. Чего нельзя было сказать про меня, ведь мы с Динаром были близкими приятелями.

— Ты совсем-совсем ничего о нем не знаешь? Ни разу даже не позвонил? — не переставала удивляться Мариэль. — Но как же так? Тебе было совсем не интересно, что с ним и где он?

Я понял, что как только покинул Лондон весной, то полностью перестал общаться не только с Динаром, но и со всеми своими новыми приятелями. Все мои мысли тогда были направлены на Грузию. Мне хотелось только одного — жить моей прежней грузинской жизнью, в окружении семьи, брата Арчи, Лианы, друзей. Мне не надо было ничего больше. Вся моя жизнь в Лондоне протекала в ожидании жизни в Грузии. Казалось, я не принадлежал себе.

---

[1] Челси — один из самых престижных районов Лондона.

В этот момент я решил: теперь я буду жить полноценной жизнью, несмотря ни на что, тут, в Англии. Общаться с приятелями, замечать все, что происходит вокруг, наслаждаться сегодняшним днем. Я вдруг четко осознал, что жизнь — это то, что происходит со мной здесь и сейчас. Нет смысла ждать, когда наступит то самое долгожданное ПОТОМ. Нет смысла откладывать свои чувства, эмоции, желания назавтра. Я больше не буду жить в ожидании ЖИЗНИ. Нет, я буду жить сегодня, прямо сейчас. Кто сказал, что я не могу радоваться сегодняшнему дню, пока Лиана не со мной? Могу. И буду. Я не должен быть несчастен только от того, что мы с ней живем не в одной стране. Я не должен быть несчастен от того, что я не в Грузии. Я отхлебнул пива, и мне вдруг стало легко и приятно.

Мы с Мариэль болтали, смеялись, пили пиво как старые друзья. Я не заметил и намека на флирт с ее стороны, мне было приятно, что мы можем вот так запросто общаться. Мне нравилось, что она больше не проявляла ко мне симпатии. Благодаря этому я чувствовал себя комфортно и не испытывал угрызений совести и чувства вины перед Лианой.

Лиане я позвонил только в одиннадцатом часу. Это было сильно позже обычного, и, разумеется, она обратила на это внимание. Я сказал, что был у приятеля и не заметил, как пролетело время. Это был первый раз, когда я осознанно солгал Лиане. Я понимал, что поступаю неправильно, но еще больше я понимал то, что она не поймет моего общения с Мариэль. Лиана и слушать не захочет о том, что Мариэль для меня просто старая знакомая из старшей школы. Вместо этого она будет ревновать, расстраиваться и окончательно потеряет покой. Своей ложью я хотел сохранить ее спокойствие и наши с ней хорошие отношения. Я попросту не хотел новых ссор. Я больше не мог их выносить.

Вскоре с Мариэль познакомился и Патрик. Незаметно для нас самих мы втроем невероятно сблизились и стали проводить много времени вместе: мы занимались, ходили на вечеринки, гуляли в парке, а Мариэль даже ходила со мной на теннис. Для Лианы я сообщил, что Мариэль — девушка Патрика. На самом же деле все мы просто были друзьями. Мариэль больше никогда не проявляла ко мне чувств, как в общем-то и к Патрику. Его же, насколько я мог судить, также не тянуло к Мариэль. Нам троим было просто хорошо вместе. Мне даже иногда казалось, что при помощи Патрика и Мариэль я пытаюсь заменить отсутствие в моей жизни Арчи и Лианы.

За первые полгода обучения в Лондонском университете в Питер я прилетел только раз. Я узнал, что Катя и Лиана очень сблизились и Лиана часто бывает у нас дома. И снова неприятное липкое чувство охватило меня. Она словно обступала со всех сторон, не давала дышать. Она была везде: в моем телефоне, в моей голове и теперь даже — в моем доме. Я был расстроен и даже зол на Лиану, но все это улетучилось в момент, когда я наконец увидел ее.

Мы договорились встретиться в кафе. Я заметил ее сразу, как только она вошла. И надо сказать, не только я: парни в кафе оборачивались в ее сторону. На Лиане было элегантное черное трикотажное платье до колена, перетянутое тонким поясом на талии, черные высокие сапоги на шпильке, серый шарф, с легкостью наброшенный на шею, темно — зеленое пальто и серая сумочка. Волосы были собраны в аккуратную прическу, лицо украшал легкий макияж. Я никогда не видел ее такой женственной, как сегодня, такой элегантной и грациозной. Передо мной была молодая, невообразимо привлекательная женщина.

— Я так рада видеть тебя, ты даже не представляешь себе, — сказала она.

Я вскочил с места, притянул ее к себе и страстно поцеловал. Я не любил целоваться на публике, меня всегда это смущало. Но сейчас мне хотелось, чтобы все видели, эта девушка — моя девушка.

Мы заказали поесть. За обедом она рассказала мне о первых месяцах в университете, о новых подругах и знакомых. Еще Лиана сказала, что после первой сессии хочет найти себе работу — хочет иметь свой собственный доход, да и рабочий опыт — дело хорошее. Я спросил, куда она хочет устроиться, Лиана в ответ пожала плечами — еще не решила.

— Отведи меня в Эрмитаж, — неожиданно сказала она.

— В Эрмитаж? — рассмеялся я. — Неужели ты еще не сходила?

— Нет. Мне не хотелось без тебя. Знаешь, мне всегда хотелось, чтобы ты показал мне свой город. Я ведь раньше никогда не была в Питере. Мне так хочется, чтобы мы вместе пошли в Эрмитаж.

Я не стал ей отказывать, хотя и имел на этот день для нас другие планы. Мы закончили обед, расплатились и отправились в Эрмитаж. Посетителей в музее было немного. Мы рассматривали экспонаты один за другим, обсуждали их историю, спорили, смеялись, шутили. Паркет под ногами приятно скрипел, и я вдруг отчетливо вспомнил нашу первую с Лианой ночь в Батуми. Она шла ко мне, такая нежная, такая чувственная, беззащитная и в то же время такая уверенная и смелая, в легком невесомом платье, а под ногами ее вот так же скрипел паркет. Она тогда не колебалась ни минуты. Она бесстрашно отдавала себя мне. Она верила мне. Нет, нет! Не мне, вдруг понял я. Она верила тогда себе. Она знала, что любит меня, но еще больше тогда она любила себя. Она знала, что я — не весь ее мир.

Я бросил взгляд на Лиану. Какой же другой она была сейчас. Она стала красивее, взрослее, сексуальнее, но... Но что-то в ней бесповоротно изменилось. Под ее красивой одеждой, макияжем скрывалась болезненная неуверенность в себе. Она постоянно искала во мне поддержку, слова приободрения. Она больше не верила себе, не верила в себя. Теперь я был для нее целым миром. Я чувствовал это. И не знал, могу ли я это выдержать. Мне стало не по себе.

— Смотри, какая красивая картина, — позвала меня Лиана.

Я остановился за ее спиной. Перед моими глазами висела темная, мрачная, почти черная картина молодой девушки, в наброшенном балдахине и вуалью, закрывающими лицо.

— Жан-Батист Сантер. Молодая женщина с покрывалом на голове, — прочел я табличку рядом.

— Правда, красиво? — повторила Лиана.

— Не знаю, — пожал я плечами.

— Мне кажется, тут целая история. — У Лианы был мягкий, бархатный голос. Ее приятно было слушать. — Смотри, на лице вуаль. На голове — темная накидка. Она явно не хочет быть узнанной. Посмотри на ее лицо: ухмылка, смеющиеся глаза, румянец. А эта поза! Посмотри, как расслаблены ее пальцы. Она словно только вылезла из постели любовника, накинула покрывало и скоро уйдет домой, к старому некрасивому мужу.

— Лиана, откуда такая фантазия. — Я обнял ее, поцеловал в макушку и потянул за собой.

— Тебе не интересно? Не интересно слушать мои мысли?

— Лиана, это пустая фантазия.

— Да, но ты не слушаешь меня. Я вижу, тебе не интересно со мной. Хочешь, я уйду?

Как? Как так получилось, что я не заметил опасную мину и наступил на нее. Вот оно. Еще немного, и мы поссоримся. Я знал это наверняка. Сейчас мне нужно сделать что-то, чтобы она перестала тревожиться. Мне надо доказать, что я люблю ее как прежде. Но я не мог скрыть раздражения на моем лице. Это было выше моих сил.

— Лиана, прошу. Это такой хороший день. Зачем ты опять?

— А, я, значит, виновата. Тебе не интересно со мной, а я виновата.

Разумеется, мы поссорились. Я провожал ее к общежитию в абсолютно плохом настроении. Мы молчали всю дорогу от Эрмитажа. Уже у самой проходной она спросила:

— Даже не зайдешь?

Я колебался. Я не хотел заходить, не хотел поощрять ее плохое поведение, не хотел делать вид, что все так, как должно быть, но я так давно ее не видел, я так скучал. И вот она совсем рядом, такая красивая, такая невообразимо притягательная.

Я осталась с ней в ту ночь.

На следующее утро я проснулся от уютного стука дождя о подоконник. Я аккуратно встал с кровати, стараясь не разбудить Лиану, подошел к окну, отвел занавеску. Серый двор-колодец, каждый звук в котором эхом отражается ото всех четырёх стен и взлетает высоко-высоко до самых крыш. Серые здания. Свинцовое тяжелое небо. Белые нити дождя. Я вдруг подумал, что дождь стал моим постоянным спутником. Везде был дождь — в Питере, в Лондоне. Хорошо это или плохо — я не знал. Но сегодня мне было тоскливо. Я должен был еще один день провести в Питере, побыть с родителями, которые думают, что я осталась ночевать у приятеля, сестрой, встретиться с Бердиа и вновь улететь в Лондон.

— Доброе утро, — раздалось у меня за спиной. Сонная Лиана улыбалась мне красивой, нежной улыбкой.

— Доброе утро, Лиана. — Я запнулся. Как она отреагирует? — Сегодня вечером я должен побыть с родителями. Мы хотели поужинать в узком семейном кругу.

— Я понимаю, милый, — ласково отозвалась Лиана. — Иди ко мне. Еще полежим немного вместе.

То утро было чудесным. Она была такая ласковая, такая родная и близкая. Та, по которой я так сильно скучал. Мне было очень грустно уходить от нее.


На ужин были приглашены родители Бердиа. Я был рад повидать их семью за вкусным ужином, заботливо приготовленным мамой и Катей. Это был теплый и добрый семейный вечер.

Дядя Давид — отец Бердиа — был другом детства моего отца, а также его партнером по бизнесу. Вместе они имели сеть ресторанов. Когда-то оба мечтали совсем о другом: папа хотел быть хирургом, а дядя Давид — архитектором. Но перестройка внесла свои коррективы в их планы. И вот они — два успешных бизнесмена. Сейчас дела в бизнесе шли как нельзя лучше. Из разговоров я понял, что за последний год прибыль утроилась и перспективы на будущее — самые позитивные. Все рестораны были под завязку забронированы на каждый вечер аж до середины января и в основном корпоративными банкетами, которые приносили больше средств, чем обычно. Кроме того, совсем недавно у отца появилась новая идея для самого большого из их заведений — проводить концерты звезд отечественной эстрады. После того как парочка самых известных на тот момент певцов и певиц побывала в этом ресторане, он стал настолько популярным, что столик на вечер пятницы приходилось бронировать за неделю, а то и за две. Я с удовольствием слушал эти разговоры, понимая, что благополучие моей семьи растет, родители живут в достатке и у них все хорошо.

Дядя Давид и его жена много расспрашивали меня про Лондон, учебу, кампус. Оказалось, они тоже подумывают отправить

Бердиа учиться в «Империал колледж». Сначала на подготовительный год, а затем — если Бердиа сдаст вступительные — учиться в университете.

— Ты для нас хороший пример. Прокладываешь дорогу. Бердиа уже, конечно, будет легче, если рядом с ним будет товарищ. Да и еще такой ответственный и рассудительный товарищ, — сказал дядя Давид и дружески похлопал меня по плечу.

Отец был невероятно горд моим успехам.

— Вот отучишься в Лондоне, потом можно поехать в Америку — получать магистерскую. А там и Уолл-стрит недалеко, — часто замечал отец.

Я не говорил ему о том, что давно перестал мечтать об Уолл-стрит. Не говорил я и о том, что совершенно не представляю, как сложится моя жизнь и что я буду делать по окончании университета. Меня очень тревожило то, что я все никак не мог выбрать цель и идти к ней так, как это делал Арчи.


Арчи тем временем переехал в Тбилиси. Мы регулярно созванивались и общались. Расписание его тренировок было нещадным — дважды в день он должен был тренироваться с командой. Кроме того, во время сезона у них был довольно строгий распорядок жизни — ни вечеринок, ни алкоголя, ни свиданий. Все подчинено единой цели — победе на предстоящей игре. Арчи не хотел поступать в университет, но мать, тетя Аня, настояла на том, чтобы сын получил высшее образование. Арчи поступил на заочный курс и начал изучать языки. Он не сомневался, что его путь в жизни — это футбол, и, возможно, даже футбол мирового масштаба. Поэтому прекрасное владение языками ему бы не помешало. И хотя мать просила его отучиться на юриста или экономиста (ну так, на всякий случай), Арчи выбрал лингвистический.

Арчи регулярно звал меня на свои игры. Его путь внутри клуба был стремительным — довольно скоро он начал выходить на поле в основном составе первого дивизиона. Во время одного из матчей спортивный комментатор назвал его «восходящей звездой грузинского футбола» и «подающим большие надежды игроком», и уже на следующий день все более или менее крупные газеты и журналы страны растиражировали это заявление. Теперь, каждый раз, когда я звонил Арчи, я начинал со слов:

— Привет, восходящая звезда грузинского футбола!

— Привет, англичанин, — неизменно отвечал мне Арчи.

Однажды мне наконец удалось попасть на его игру. Случилось это в конце 2004 года. В двадцатых числах декабря учеба в Лондоне была уже окончена, и все разъехались по домам на рождественские каникулы. Перед тем как прилететь в Батуми, на традиционную встречу Нового года в кругу семьи, я решил навестить брата в Тбилиси. Туда же прилетела Лиана из Питера, и мы вместе посетили матч тбилисского «Динамо».

В тот день стояла прекрасная солнечная погода. На улице было тепло — градусов пятнадцать выше нуля. Я встретился с Лианой, и в прекрасном расположении духа мы отправились на стадион. К моему удивлению, свободных мест почти не было — стадион был полон. На поле вышли команды. Арчи среди них я не увидел. Однако позже, за несколько минут до окончания первого тайма, когда счет по-прежнему еще не был открыт, тренер «Динамо» произвел замену, и на поле вышел Арчи.

Я не мог поверить своим глазам. Это было ни с чем не сравнимое чувство. Мой брат, которого я знал с пеленок, бежал с мячом по полю на огромном стадионе в форме самого известного грузинского клуба. Стадион ревел. Все эти люди здесь болели за него. Наблюдать это было одно удовольствие. Он был — сама скорость, сама сила, сама уверенность. Он буквально источал энергию. Казалось, ему не было равных на поле. Он легко отбирал мяч у противника, обманными маневрами удерживал его, вовремя передавал пас и аккуратно принимал мяч обратно. Когда он владел мячом, он был невероятно сфокусирован. Арчи был быстрее других на поле. Его удар был сильным, верным и точным. И вот под шум скандирующей толпы он открыл счет первым забитым мячом.

В моей душе боролись смешанные чувства. Я был невероятно счастлив за брата. Я был горд. Мне хотелось, кричать, скандировать, размахивать флагом — мне хотелось, чтобы он знал, я рядом, я здесь, я поддерживаю его. И в то же время мне было досадно осознавать, что я все еще мальчишка по сравнению с Арчи. Мальчишка, не знающий своего пути, не представляющий свое будущее. Я смотрел на поле и понимал, что смотрю на звезду. Нет, не грузинского футбола. Я точно понимал — через пару-тройку лет, когда я буду еще только оканчивать университет, Арчи подпишет свой первый контракт с европейским клубом. Его будут обожать миллионы поклонников и поклонниц по всему миру.

Я скосил взгляд на Лиану. Она внимательно следила за игрой. На ее щеках играл румянец, глаза блестели, она улыбалась. Мне показалось, что она любуется Арчи. И впервые я был искренне рад, что они больше не живут на одной улице.

Поздним вечером мы с Лианой ждали Арчи в ресторане на ужин. Матч закончился победой, все были в приподнятом настроении.

— Арчи! — вдруг радостно воскликнула Лиана.

В ресторан вошел мой брат. На нем были новенькие брюки и свитер, ботинки, кашемировое пальто и шарф. Волосы аккуратно уложены, лицо гладко выбрито. Он выглядел так словно только что сошел с обложки глянцевого журнала. Я легко мог представить себе его фото на огромном рекламном щите французского селективного парфюма или дорогих швейцарских часов, висящих на Тайм-сквер в самом центре Манхэттена. И я не на минуту не сомневался, что вслед за стремительной карьерой на поле на Арчи свалятся десятки рекламных контрактов.

— Карду, Лиана, как я рад вас видеть! — приветствовал нас Арчи, войдя в ресторан.

Я не сразу заметил хрупкую невысокую девушку за спиной моего брата.

— Знакомьтесь, — немного подтолкнул ее вперед Арчи. — Это Тина. Моя девушка.

Они уселись за стол рядом с нами. Я заметил, что Арчи держит Тину за руку под столом. Это было так трогательно и так не похоже на брата, что я невольно улыбнулся. Он был совсем другой: весь искрился от счастья.

— А мы, кстати, с Тиной видимся примерно так же редко, как с вами.

— Не может быть! Почему? — удивилась Лиана.

— Ну, не так прямо уж редко, но все же не часто. У меня режим, — просто пояснил Арчи.

— Все для фронта, все для победы? — пошутил я.

— Да уж, — улыбнулась Тина, глядя на Арчи. — Он у вас — настоящий боец.

Мы заказали еду. За ужином все обменивались новостями, делились впечатлениями о первом годе нашей взрослой, уже не школьной жизни. Мы с Лианой наконец рассказали Арчи о том, что вот уже несколько лет встречаемся. Он удивился, но не сказать, чтобы сильно. Его больше удивил тот факт, что мы так долго и так успешно скрывали это ото всех.

Улучив момент, когда девушки отошли в уборную, Арчи шепнул мне, что подумывает жениться на Тине.

— Вот так сюрприз! Но вы же встречаетесь всего-то полгода! — удивился я.

— Мы давно знакомы, не забывай.

— Да, но все же…

— А что тянуть? Я хочу сделать ее счастливой, — просто объяснил мне Арчи. — У нее день рождения летом. Думаю, сделать такой вот сюрприз на день рождения.

Это был теплый вечер, полный искреннего смеха, добрых воспоминаний, хороших новостей и грандиозных планов. Мы все четверо были так счастливы в тот вечер.

Все изменилось через шесть месяцев. Жизнь Арчи, такая светлая, счастливая и такая перспективная, разлетелась вдребезги прямо во время матча. Произошло это за пять лет до моей трагедии в Батуми.


## Глава 39. Май 2005 год. Тбилиси

Приближался конец игрового сезона. Однозначным фаворитом стал тбилисский «Динамо» и не в последнюю очередь — благодаря Арчи. Забитые мячи в ворота противников, красивые острые атаки, молодость и привлекательность сделали Арчи любимчиком публики и открытием года. Он прекрасно показал себя на предыдущих играх, чем покорил сердца болельщиков. Со стороны казалось, ему все дается невероятно легко и просто. На самом же деле Арчи с утра до ночи тренировался, не жалея себя, неукоснительно соблюдал режим и придерживался диеты.

Чем ближе был финал, тем беспокойнее становилась у Арчи на душе. Ожидания болельщиков, требования тренера, надежды отца, восхищение Тины — все это давило на него, прижимало к земле, заставляло нервничать. Каждый раз, выходя на поле, он чувствовал, как внутри у него всё дрожит. А что если в этот раз он всех подведет, не оправдает ожиданий? Тревога эта заставляла тренироваться еще больше, еще сильнее, с удвоенной силой.

Однажды тренер заметил ему, что Арчи занимается слишком много и усердно.

— Осторожнее, сынок, как бы ты не перетренировался. Смотри не утоми свои мышцы. Строго придерживайся плана — не повышай нагрузки.

Арчи понимал, что допустить перетренированность и сгореть раньше срока ему было нельзя. И все же страх перед неудачей на поле был настолько велик, что гнал его рано утром на пробежку, после — на две тренировки в день, а вечером — заставлял его прыгать на скакалке перед сном дома. Он точно соблюдал режим питания и отдыха, не видел Тину вот уже несколько недель и мечтал только об одном, чтобы все это уже наконец поскорее закончилось.

Он часто представлял, что все уже прошло, что кубок у них в руках, что вот он — успешный и знаменитый — приехал в Батуми как герой. Он представлял, как отец встречает его дома, как гордится им и хвалит, как сидит с ним допоздна в саду и расспрашивает про подробности игр, про то, что не увидишь по телевизору.

В день матча Арчи проснулся на удивление спокойным. Но это не было безмятежным, уравновешенным состоянием. Скорее отсутствие тревоги, волнения, да и каких-либо еще эмоций в целом. Он ничего не ощущал, в голове отсутствовали мысли. Состояние его можно было охарактеризовать одним словом — ожидание. Он ждал, когда все это останется позади.

Уже стоя на поле и приветствуя соперника, Арчи ощутил леденящий холод в груди. Он не знал, что это — предчувствие или нервозность, но вдруг ему нестерпимо захотелось уйти отсюда, оказаться как можно дальше от поля, игры, футбола. Он вдруг вспомнил, как однажды, совсем ребенком, зашел первый раз в самолет. Ему тогда было восемь лет, они с родителями летели в Москву отдыхать: познакомиться с городом, сходить на балет в Большой, посмотреть Федотова и Айвазовского в Третьяковке. Когда Арчи зашел в самолет, его одолел невероятный приступ страха. Ему казалось, что самолет абсолютно точно разобьется, что все они умрут. Ему прямо сейчас надо было убежать отсюда, спасаться, но как сказать маме? Как объяснить, почему им не надо лететь в Москву? Страх постепенно перешел в чувство безысходности и отчаяния. Так он чувствовал себя весь полет до тех пор, пока не уснул. А проснувшись, позабыл о страхе.

Первый тайм окончился как нельзя лучше. Счет был открыт в пользу «Динамо» на тридцать второй минуте. Открыл его Арчи одним точным ударом из зоны пенальти по воротам противника. На самом деле он уже забил два гола, но второй не был засчитан — положение вне игры. Ничего, он еще забьет. Главное, чтобы свои защитники не подкачали.

Теперь на поле он чувствовал себя иначе. Он был хозяином положения. Его команда уже на шаг впереди противника — груз ответственности спал с плеч, давление ослабилось. Он мог наслаждаться игрой, моментом и своим триумфом. Противник тоже осознавал серьезность сложившейся ситуации, а потому играть стал агрессивнее. Атмосфера накалялась, стадион ревел. Арчи отметил про себя, что игра приобрела более контактный характер, столкновений с игроками прибавилось.

Угловой от ворот противника. Арчи перехватывает мяч, уводит его от двух соперников, краем глаза замечая свободный коридор справа. Он набирает скорость. В голове ничего нет. Белый шум. Пусто. Пульс взлетает — это второй гол. Он идет на второй гол. Стадион бушует. Это момент его славы. Финальный матч, и оба мяча будут забиты им. От триумфа его отделяет доля секунды. Момент. Мгновение. Он разворачивается и устремляется к воротам, не встречая сопротивления.

Но противнику никак нельзя было допустить второго гола. Любой ценой он должен был остановить Арчи: тогда еще оставался шанс если и не на победу, то на ничью точно. Цена велика — кубок чемпиона. Один игрок, в надежде спасти свою команду, сделал подкат и врезался двумя ногами сзади в Арчи. Планировал ли он это? Или удар был случайным?

Секунда. Мгновенно адская боль отразилась в мозгу. Арчи не мог почувствовать, где очаг этой боли. Казалось, все его тело горит огнем. В глазах моментально потемнело. «Удар! Я не успел ударить по мячу», — с сожалением подумал Арчи... И, потеряв сознание, рухнул на газон.

— Боже, мальчик мой! — закричала Анна, мама Арчи, вскакивая из своего кресла. Она с мужем смотрела матч дома в Батуми и всей душой переживала за сына. — Миша, что с ним? Мальчик мой!

— Аня, успокойся. Это обычное падение, травма, в футболе случается. Мы еще радоваться должны, что... — Он осекся на полуслове.

В этот момент камеры крупным планом показали поле. Их сын лежал на газоне весь в крови. Вид правой ноги Арчи был поистине ужасающим зрелищем: кость торчала прямо из неестественно вывернутой конечности. Диктор объявил, что повтор эпизода показан не будет — настолько ужасным был этот момент.

— Аня, все будет хорошо. Не смотри туда. — Он подошел и обнял жену.

Вынесли носилки. Тина почувствовал, как ноги ее подкосились, живот скрутило и к горлу подступила тошнота. Она сидела совсем близко к полю и со своего места отчетливо видела окровавленный обрубок кости, разодранную кожу, мясо и растекающуюся бурую жидкость на газоне. Арчи находился без сознания, его понемногу обступали со всех сторон. Вскоре она почти перестала видеть его за спинами врачей, судей, тренера и других игроков. «Боже, только бы он остался жив, только бы с ним все было хорошо», — молила про себя Тина. Плевать на этот футбол, матчи, финалы! Только бы с ее Арчи все было в порядке.

Матч был остановлен на двенадцать минут. Арчи покинул поле на носилках, чтобы больше никогда уже на него не вернуться.

# Глава 40. Май 2005 год. Тбилиси

Он пришел в себя уже в больнице, лежа на обычной кровати с продавленным матрасом в маленькой довольно обшарпанной комнате. От простыней неприятно пахло застиранным бельем. Стены были выкрашены блеклой зелёной краской, местами уже потрескавшейся и облупившейся. У кровати располагалось окно с грязными стеклами, одно из которых треснуло. Рядом обнаружилась деревянная тумбочка с покосившейся дверцей. За ней — еще одна такая же тумбочка и такая же кровать. Однако в палате кроме него больше никто не находился.

Арчи попробовал пошевелить ногой, но та не реагировала на команды мозга. Ситуация была довольно странная: Арчи поднимал ногу, но она оставалась недвижима. Он тут же понял, что произошло. Удивительно, как быстро и трезво мы можем рассуждать в критические моменты. Арчи осознал абсолютно все за какую-то долю секунды. Как же это могло случиться с ним? Всего какое-то мгновение, какая-то невозможно мизерная частица времени изменила всю его жизнь. А он не сомневался — его жизнь прежней уже не будет. Один неосторожный подкат, один удар, одно падение. Ах, если бы можно было все вернуть назад! Он отказался бы от второго гола, отказался бы от этой славы ради одного только — ради возможности продолжать играть.

Вдруг дверь со скрипом распахнулась, и на пороге показался человек в белом халате. Арчи скосил на него глаза. Тот подошел ближе:

— Здравствуйте. Как самочувствие?

— Вы врач? — резко спросил Арчи.

— Вижу, вы очнулись, молодой человек. Да. Я — хирург.

— Когда я смогу вернуться к тренировкам?

— Об этом еще рано говорить, не так ли?

— Когда я смогу вернуться к тренировкам? — настойчиво повторил Арчи.

Доктор тяжело вздохнул и скрестил руки на груди.

— У вас перелом одновременно большеберцовой и малоберцовой костей, разрыв крестообразных связок и легкое сотрясение.

— Какой прогноз? Три месяца? Шесть?

Доктор колебался.

— Доктор, скажите мне правду, — уже тише и спокойнее попросил Арчи.

— Вы хороший спортсмен. А значит, у вас сильный характер. Все будет зависеть от того, как пройдет операция, откроется ли инфекция, не будет ли осложнений. Если вам повезет, о возвращении к небольшим физическим нагрузкам можно говорить через год…

Арчи застонал.

— …Но, — продолжил доктор, — вы просили быть с вами честным.

Он помедлил:

— Я думаю, вы не сможете вернуться в профессиональный спорт. Мне очень жаль.

Что? Что он сейчас сказал?

— Как — не смогу? — хрипло переспросил Арчи, абсолютно растерянным голосом.

— Травма достаточно серьезная сама по себе. Возможно, возникнут осложнения…

— Каковы шансы на то, что я смогу играть? — перебил его Арчи. Его голос теперь был глухим и совсем безжизненным.

— Невысокие. Совсем невысокие.

Он помолчал. Затем произнес:

— Я вас оставлю. Скоро вас будут готовить к операции. Пока отдохните.

Хирург вышел и прикрыл за собой дверь, оставив Арчи наедине с чудовищным отчаянием, которое постепенно разливалось в его сознании. В висках у Арчи стучало, в ушах стоял гул, во рту пересохло, дыхание сперло. Он смотрел стеклянными глазами на дверь, в которую только что вышел врач, но не видел ее. Перед ним проносились воспоминания. Вот он с отцом, еще совсем маленький, пришел на самую первую тренировку в жизни. У тренера были смешные длинные синие шорты и яркий красный свисток на веревочке. Почему-то эти шорты и свисток так запали в память. Вот он день за днем изнывает на тренировках и жалуется бабушке, что устал и больше не хочет ходить на футбол, а она утешает и жалеет его. Вот они с отцом и дедом вместе сидят на кухне и смотрят матч. Вот глаза отца и его радостный голос, когда Арчи сообщил им о контракте с «Динамо». Вот отец звонит поздравить Арчи с блестящей игрой в полуфинале. Вот он бежит к воротам противника в финале грузинской высшей лиги под рев стадиона и вот-вот забьет свой второй гол.

Щеки обожгло слезами. Два тоненьких ручейка проползли по его лицу до самого подбородка, спустились по шее и пропали где-то в районе ключиц. В глазах стало горячо, в нос как будто забилась вата. «Мужчины не плачут», — мелькнуло где-то на задворках сознания. Но что же делать, если все, чем он жил, все к чему стремился, разрушено? Что ему оставалось делать, если он никогда так и не сможет оправдать надежд своего отца? Что делать, когда ты был на расстоянии одного мгновения от своей мечты, и теперь ей уже никогда не суждено было сбыться?

## Глава 41. 2005—2006 годы

Понять и принять то, что жизнь кардинально изменилась за одни сутки — было делом немыслимым и невероятным для человека, который не привык сдаваться. А Арчи сдаваться не привык. Уже на следующий день в голове Арчи прочно укоренилась идея поскорее восстановиться, прийти в форму и вернуться на поле во что бы то ни стало и вопреки прогнозам врачей. Настроение поменялось вслед за этим решением — Арчи был бодр и весел.

В таком расположении духа его и застали родители, прилетевшие из Батуми ближайшим самолетом. На лицах обоих Арчи прочитал тревогу и беспокойство. Он никогда прежде не видел их настолько растерянными и испуганными.

— Арчи, мальчик мой, как ты? Тебе больно? — Мама не смогла сдержать слез, когда вошла в его палату.

Она присела на край кровати и осторожно положила свою руку на его. Отец остался стоять чуть поодаль.

— Милый, мы не знали, что тебе привезти, и не хотели останавливаться в дороге. Я хотела как можно скорее увидеть тебя.

Как тебя кормят? Что нам купить? Мы с папой сейчас сходим, купим и вернемся.

Вопросы так и сыпались из мамы. Казалось, своими хлопотами она старалась отвлечь Арчи или отвлечься сама от событий, свалившихся на них как снег на голову.

— Мама, все хорошо. Я прекрасно себя чувствую. Ну, — усмехнулся Арчи, — достаточно хорошо для той ситуации, в которой я оказался. Но все хорошо. Прошу, не переживай так сильно. Все правда не так плохо, как кажется.

— А прогнозы? — тихо спросил отец.

Арчи поднял на него глаза. Отцу было сорок два, но выглядел он совсем еще молодым. Хотя седина уже тронула его волосы, а под глазами залегли морщины, на вид ему было не более тридцати пяти—тридцати семи лет. Он стильно одевался, поддерживал хорошую форму, часто шутил. Так непривычно было Арчи видеть его потерянным. Здесь, среди больничных коек, белых халатов и резкого медицинского запаха, в этих выцветших блеклых стенах отец чувствовал себя непривычно. Он — человек действия, привыкший все всегда решать, тут оказался совсем бессильным. Он был не в состоянии повлиять на ситуацию. И ничего уже от него не зависело.

— Вы не говорили с врачами?

— Милый, мы не успели, — ответила мама. — Я так хотела тебя увидеть.

Арчи улыбнулся ей, подбадривая. Больно было видеть маму, такую несчастную и измученную переживаниями. Это было невыносимое зрелище. Ему хотелось обнять ее, приласкать, успокоить.

— А ты говорил с ними? — переспросил отец.

В его глазах была невероятная тревога и волнение. Арчи понимал: все мечты отца, все надежды, которые тот возлагал на сына, вот-вот рассыпятся. Его сын, которым он так гордился, возможно, никогда так и не станет большим футболистом.

— Доктор сказал — максимум год на восстановление. Но я постараюсь уложиться быстрее. Ничего, наверстаю.

— Целый год! — воскликнул отец.

— Арчи, я прошу тебя, следуй всем рекомендациям врачей. Не надо геройствовать. Не надо стараться сделать все быстрее. Здоровье важнее, сынок, — отозвалась мама.

Они проговорили еще с целый час, затем родители ушли. Вечером отец Арчи вернулся в Батуми, а мама осталась в Тбилиси, чтобы поддержать сына и быть с ним рядом. Когда она увидела своего мальчика лежащим на стадионе в крови с торчащей из ноги костью, то испугалась, что потеряет его навсегда. Теперь она ни на день не хотела оставлять Арчи одного.

Итак, Арчи начал свою борьбу. Он находил и изучал примеры похожих травм, выискивал вдохновляющие истории чудесных исцелений, медитировал и думал только о хорошем. Но, казалось, у жизни на Арчи совсем другие планы. После операции открылась инфекция. Теперь прогнозы врачей были категоричны. Они боролось за то, чтобы Арчи смог нормально ходить. Бегать, а тем более играть в футбол на прежнем уровне он больше не мог.

Однако и тогда Арчи не соглашался с врачами. Он провел многие часы на реабилитации, выполнял упражнения, тренировался, сохранял бодрость духа и позитивный настрой. Он верил, что нет ничего невозможного, что все в его власти и он сможет переломить эту битву в свою пользу.

Шли месяцы. День за днем, неделя за неделей, понемногу Арчи начал осознавать действительность. Он не хотел с ней мириться, не соглашался с ней, боролся, но собственное тело подводило его. В день, когда исполнился ровно год с того рокового матча, Арчи опустил руки и перестал бороться. Проснувшись утром, он собрал свои вещи и уехал из Тбилиси. Для него вся прежняя жизнь в тот день была закончена. Пора было двигаться дальше.

Тина невообразимо радовалась тому, что Арчи не унывал. Она не переставала восхищаться силой волей и мужеством, его решимостью и непоколебимым желанием во что бы то ни стало вернуться на поле. Она ни на секунду не сомневалась — такой сильный человек добьется своего, он точно вернется в спорт. Он оставался бодр и активен даже тогда, когда все врачи твердили ему, что о футболе можно забыть. Для Тины было совершенно не важно, вернется ли он на поле или нет. Главным было, что он жив, с ним все в порядке, он прекрасно себя чувствует и пребывает в отличном расположении духа. Но она знала, что для Арчи футбол был самой важной частью его жизни, что без него он не сможет. Знала и понимала это, поэтому поддерживала его стремлени к возвращению в спорт.

Со временем, однако, Тина почувствовала перемены. Сначала она думала, что ей показалось, что у Арчи просто сегодня нет настроения, что завтра это пройдет. Но наступало завтра, и Арчи по-прежнему оставался задумчивым и хмурым. Дальше — больше. Она начала чувствовать, как он отдаляется. Сначала они перестали подолгу разговаривать — диалоги стали короче, мельче, приземлённее. Затем они стали реже видеться, а между встреч почти не переписывались и не общались. А потом вдруг он стал все реже целовать и обнимать ее. Он отдалился духовно, ментально, телесно. Она чувствовала его холод каждой клеточкой своей кожи.

Тина не знала, как себя вести. Да и откуда она могла это знать? Никогда прежде она не бывала в такой ситуации. Одна интуиция только и женское чутье подсказали ей, что Арчи надо окружить теплом, заботиться о нем, говорить, как много он значит для нее; что ей совершенно не важно, вернется он в спорт или нет — он ценен для нее сам по себе. Не достижения и победы любила она в нем, а его самого: красоту его души, открытость сознания и чистоту помыслов. Она старалась как могла показать ему, что уважает, ценит и дорожит им, несмотря ни на что. Ей хотелось отогреть его, растопить этот лед, облегчить его тревоги и снять переживания.

И вот наступил день, когда он не позвонил, не написал, не увиделся с ней. Тина очень переживала, не находила себе места, но звонить — не стала. Пусть у него будет время побыть с самим собой. Если он не позвонил значит, ему нужно пространство, значит, сейчас ей лучше оставить его одного. Но и на следующий день он не позвонил. Она носила телефон в руке, поставила его на громкий режим, часто поглядывала на экран — пусто. Он не позвонил и на другой день, и в день, следующий за ним. Через неделю сердце Тины не выдержало — она набрала его номер. Гудки. Арчи не взял трубку. Тут Тина забеспокоилась не на шутку. Она набрала телефон Арчи через три часа — нет ответа. И еще через час — тишина. А вдруг с ним что-то случилось? Как могла она столько времени не звонить ему! О чем она только думала!

Не помня себя от тревоги, Тина наскоро собралась и поехала в квартиру, которую снимал Арчи. Она позвонила в дверь — никто не открыл. Она прислушалась — ни звука. У Тины были ключи: Арчи оставил на всякий случай. Она отворила дверь, зашла в прихожую и огляделась. Мороз пробежал по ее коже. В квартире было пусто. Ни одной его вещи, ни еды в холодильнике, ни мусора, ни белья в ванной. Не осталось даже его запаха. В квартире было абсолютно безжизненно. Она медленно осела на пол. Она не могла прийти в себя. Сидя на полу, она прижалась к стене и горько заплакала.

Немного успокоившись, Тина умылась, вышла из квартиры, закрыла за собой дверь, положила ключ под коврик и поднялась на крышу. Они с Арчи часто сидели тут и болтали. Столько ночей они провели здесь, встречая рассветы и провожая закаты.

Тина вспомнила, как пришла сюда впервые. Это случилось через пару недель после того, как они стали парой. В тот день он пригласил ее к себе домой на ужин. Они поели и переместились на балкон, где за бокалом вина говорили, узнавали друг друга еще лучше, мечтали и строили планы. Так они проговорили до почти до рассвета. Им не хотелось спать, время летело незаметно.

— Скоро рассвет, — заметил Арчи.

— Ты устал? — спросила Тина.

— Нет, — улыбнулся Арчи. — Я просто хочу показать тебе рассвет с крыши этого дома. Тебе понравится.

— Ого! Ну так пойдем, чего же мы ждем.

Арчи дал Тине свою теплую толстовку, сам оделся потеплее, и они вышли на крышу.

Сизый город проступал сквозь тающую ночь. Утро уже опустило на них свою прохладу и окутало тонкой дымкой. Он натянул капюшон, обхватил себя руками, пытаясь согреться, и остановил свой взгляд на горизонте, где земля и небо растворялись друг в друге. Как хотелось ей впечатать его образ, этот рассвет, крышу и город в памяти, чтобы впоследствии ни одна деталь не исчезла в ворохе других воспоминаний. Она смотрела на него жадно, не отрываясь, запоминая. Ее сердце отбило удар, другой, замерло. Ещё удар. Замерло. Ещё один. Она глубоко вдохнула это утро и его запах. И тут пришло чувство, не знакомое ей прежде. Вот оно, то самое, она не сомневалась. Она больше ни в чем не сомневалась — ведь он рядом, и так будет всегда. Он окунулся в ее душу и сумел достать все, что она так старательно прятала: женственность, нежность, мягкость, покорность, чувственность, кротость. Она поежилась, но не от холода — от страха. Что бы теперь ни произошло, она знала — после него жизнь уже не будет прежней. Она сама уже не будет прежней. Боялась ли она чего-то другого? Разбитого им сердца, несбывшихся надежд, обманутых желаний? Нет. Ни тени сомнения не было в ней. Он — другой. Он никогда не сделает ей больно.

— О чем ты думаешь? — тихо спросила Тина.

— О том, что этот рассвет — лучший из всех, что мне случалось встречать.

Она улыбнулась и посмотрела на него долгим мягким взглядом. Они нашли друг друга.

— И мой, — одними губами шепнула она.

— Давай собирать рассветы?

— Как это?

— Следующий мы будем встречать в Питере. А потом где-то ещё. В мире столько стран, которые хочется посетить.

Она рассмеялась тем звонким смехом, что он так любил в ней.

Быть тише. Она знала, что должна быть тише. Но не могла! Ей хотелось кричать на весь мир: «Любовь есть!» Ей так хотелось кинуть это в лицо всем скептикам и одиночкам. Ей хотелось обнять этими словами и приласкать всех отчаявшихся и потерявших надежду. Любовь есть...Вы просто ее пока не нашли...Но она обязательно есть. Ее не может не быть.

Взошло солнце. В Тбилиси началось утро.

И вот сейчас она стояла все на той же крыше, но уже одна. День почти кончился, наступала ночь. Тина остановила свой взгляд на горизонте. Солнце почти скрылось за холмами, темнота опустилась на город. Она помнила все так, как будто это было вчера. Тогда она так верила в него. Верила она в него и сейчас. Он не подвёл ее — он остался с ней навсегда. В ее сердце. Арчи не стоял рядом, не держал ее за руку, не спрашивал ни о чем и ни о чем не знал. Вот только для неё это ничего не меняло — она любила его.

Тина достала телефон, открыла сообщения, набрала короткий текст и отправила его Арчи:

«Всегда помни: ты достоин любви уже потому только, что ты существуешь».

## Глава 42. 2006 год

Когда летом 2006 года я приехал в Батуми, мне показалось, что все разваливается. Абсолютно весь мой грузинский мир трещал по швам. От нашей, прежде такой сплоченной, компании не осталось и следа. Катя, Ика и Бердиа в этом году готовились поступать в университет, а потому им было не до веселья. Бердиа, как и планировалось, поступал в Лондон, а потому не прилетел в Батуми. Я невероятно радовался, что мой друг будет учиться бок о бок рядом со мной. Для Кати мои родители тоже планировали Лондон. Но неожиданно для всех сестра наотрез отказалась покидать Россию. С твердой и непреклонной решимостью она объявила всем, что станет врачом, как дедушка, и пойдет учиться в Первый мед — как отец. Вслед за Катей в Первый мед решил поступать и Ика. Тогда он объяснял это тем, что его всегда привлекал Питер, потому что мы с Катей и Бердиа были оттуда. Если бы я знал, что спустя 12 лет я полечу в Батуми на их с сестрой свадьбу, я бы сказал, что Питер Ика выбрал по одной лишь причине — ради моей сестры. Не потому ли и она отказалась от Англии?

Потеряли мы и Арчи. Несмотря на то что он уже переехал обратно в Батуми, мы с Лианой практически не видели его. Арчи ушел в себя после нескольких операций на ноге и неудачной реабилитации. Я делал много попыток общаться: я старался проявлять сочувствие и поддерживать его — он не реагировал. Тогда я подчеркнуто игнорировал его горе и старался вести себя так, как будто ничего и не происходило — никакого ответа от брата. Я старался вывести его на откровенный разговор по душам — но и тогда он не проявлял интереса к общению.

— Я не хочу, чтобы люди испытывали ко мне жалость, — вот что сказал мне брат.

Он спутал внимание и заботу с жалостью. И я прекратил свои попытки. Казалось, все, что требовалось Арчи в то время — это оставаться одному. Он так не хотел, чтобы хоть кто-то — пусть даже самый близкий для него человек — видел его таким, каким он был теперь.

А каким он был? Что изменилось в нем? Для меня он оставался все тем же бойцом, каким был раньше. Поняв и приняв, что в футболе ему больше не место, он начал быстро думать и строить планы о том, что делать дальше. Он бросил университет и решил подождать с получением образования. Деньги, полученные им от контракта с «Динамо», он решил куда-нибудь вложить и искал им хорошее применение. День и ночь он читал книги, смотрел новости, изучал интересные компании и новые развивающиеся идеи. Он не представлял, чем заниматься дальше, он так много упустил в жизни, занимаясь только футболом, что сейчас наверстывал упущенное, расширял кругозор и искал подходящие возможности.

В Батуми нас осталось трое: только я, Арчи и Лиана, приехавшая повидать родителей на каникулах. Почти все время мы проводили у нас в саду или на пляже неподалеку. С момента как я приехал Арчи ни разу не упомянул Тину. Мне было интересно, что же случилось, общаются ли они сейчас или нет. Но я не решался об этом спросить — не знал, как брат отреагирует на мой вопрос, не знал, затрону ли его чувства. Я вообще старался избегать разговоров о футболе, спорте, Тбилиси и отношениях. Я бы, наверно, и дальше пребывал в неведении, если бы однажды Лиана не спросила у Арчи:

— Как дела у Тины?

— Я не знаю, — просто ответил Арчи.

— Вы больше не встречаетесь?

— Нет.

— Почему?

Арчи немного помедлил с ответом. Мне казалось, он сейчас взорвется, не будет отвечать или скажет, что это не наше дело. По крайней мере, если бы я задал такой вопрос, он точно бы не стал отвечать, как не отвечал ни на один личный вопрос, заданный мной ему. По правде говоря, мне и самому казалось, что Лиана слишком прямолинейна. Но после некоторой паузы Арчи ответил:

— Я больше не могу сделать ее счастливой.

— Она больше не любит тебя?

Арчи пожал плечами:

— Она любила футболиста. Человека, который всегда побеждает. Зачем я ей такой нужен?

— Мне так жаль, — тихо произнесла Лиана и коснулась его плеча в знак поддержки. Арчи медленно повернулся к ней, посмотрел прямо в глаза и вдруг улыбнулся. Он смотрел ей в глаза долго и молча, улыбаясь, а затем накрыл ее руку на своем плече своей большой ладонью. Лиана, до того сидевшая между нами, встала, наклонилась к Арчи и крепко обняла его.

Я сидел рядом с ними и не мог понять, что происходит. Я чувствовал себя лишним, чувствовал, что упускаю что-то важное. Уже не первый раз я замечал, как легко им было общаться вместе. Арчи часто разговаривал допоздна с Лианой, в то время как со мной не решался даже на короткий, но откровенный разговор. Он закрылся от меня, но открывался ей. Я видел, что Арчи тянется к Лиане, но не ко мне. Я стал замечать, что их общение теперь было теплее и ближе, чем прежде. Со мной он был вежлив и учтив. С ней — радушно приветлив и даже весел.

Доходило до абсурда. Я советовал Арчи полезную и интересную литературу по экономике или бизнесу, так как знал, что теперь он интересуется всем. Арчи вежливо благодарил и говорил, что сейчас читает другую книгу. Но стоило Лиане принести ту же самую книгу, которую я рекомендовал всего-то пару дней назад, как Арчи все бросал и тут же приступал к чтению.

В другой раз я предложил всем троим отправиться на мыс Сарпи — как в старые добрый времена. Арчи ответил, что у него есть дела в городе, Лиана сослалась на плохую погоду. Расстроившись, я отправился в одиночестве наверх, читать книгу. А вечером я узнал, что Арчи с Лианой поехали вместе на Сарпи, но позже и снова без меня.

Однажды я не выдержал и спросил Лиану прямо: что происходит? Почему они стали так много общаться?

— Ты ревнуешь? — удивленно спросила она. — Может, еще устроишь мне сцену от того, что я разговаривала с твоим братом?

Мне неприятен был даже намек на то, что я мог ревновать к Арчи.

— Нет, но ты все время проводишь с ним. Ты прикасаешься к нему, ласково смотришь на него, уезжаешь с ним вдвоем на Сарпи.

— Знаешь, Карду, если бы ты потерял миллионную карьеру, девушку и будущее, о котором мечтал, я бы общалась с тобой так же. Твоему брату сейчас нужны друзья. Настоящие друзья. И если ты не в силах этого понять, я не могу тебе помочь.

Я был не в силах этого понять. А потому добавил:

— Но я вижу, что это не просто поддержка. Я вижу, что и тебе интересно с ним.

Она вздохнула:

— Просто мы оба попрощались с мечтами. Мы оба живем не той жизнью, какой хотели бы. Наверно, поэтому нам легче понимать друг друга.

Тем летом я не чувствовал себя в Батуми легко и счастливо как прежде. Мне все время казалось, что все не так, как должно быть. И впервые я искренне обрадовался, когда наконец пришло время отправляться в Лондон.

# Часть вторая

## Глава 43. 2018 год. Батуми

Я отпустил таксиста, открыл калитку и вошел в сад. Все те же раскидистые деревья, теперь еще более могучие и ветвистые, окружали дом. Все те же грядки с клубникой, кусты малины, вишня. Ничто как будто бы не изменилось. Как будто бы мне снова было пятнадцать лет.

«Интересно, а кем мы все будем через десять лет», — услышал я голос Лианы в своей голове.

Я стоял один посреди сада и вглядывался в темноту, словно высматривая образы прошлого. Оно было со мной всегда, все эти годы. Я тащил его на себе, не в силах простить себя, оставить все позади и двигаться дальше. Но может быть наконец пришло время освободить себя?

— Пришло время, — шепотом сказал я себе.

Я достал телефон из кармана, открыл WhatsApp[1] и набрал сообщение:

«Привет. Как дела?»

Я получил ответ мгновенно, всего через несколько секунд:

«Привет. Не ожидала получить от тебя сообщения, но рада тебе. Прекрасно. Как сам?»

«Я тут подумал, может, увидимся?»

Прочла, но не пишет в ответ. Пока ждал ответа, я задумался о текущем положении дел. Прошло восемь лет с момента трагедии. Восемь странных лет, в которых я жил, общался с друзьями, работал, встречался с девушками, но никогда никого не любил,

---

[1]  WhatsApp — популярная бесплатная система мгновенного обмена текстовыми сообщениями для мобильных и иных платформ с поддержкой голосовой и видеосвязи. Позволяет пересылать текстовые сообщения, изображения, видео, аудио, электронные документы и даже программные установки через Интернет.

не чувствовал себя свободным. Просто не разрешал себе этого. Не позволял себе быть счастливым, потому что не считал себя достойным счастья. Потому что не мог простить себя. Теперь же мне очень хотелось это изменить. Избавиться от чувства вины, от обиды на Арчи, от боли. А прежде мне надо было понять все, что произошло, все, что Лиана чувствовала и переживала. Я хотел понять, почему она все же бросила меня и почему сделала такой выбор? Может поняв, я снова позволю себе быть счастливым?

«=) Приедешь в Москву?» — наконец, ответила Тея.

«Да. Кажется, настало время ехать в Москву», — написал я в ответ.

Я поднял голову, вдохнул чистый воздух с запахом травы и морской соли и сказал сам себе вслух:

— Да-а-а-а-а. Кажется, настало время.

— Для чего? — тут же услышал я за спиной и резко обернулся.

— Извини, я не хотел напугать тебя, — ответил Арчи.

— Я не слышал, как подъехало такси, — ответил я.

— Я шел от пляжа пешком, — пояснил Арчи. — Поэтому ты и не услышал такси. Его не было.

Я помолчал.

— Я только прилетел.

Я увидел в руках у Арчи небольшой чемодан для ручной клади — тот самый, с которым я видел его в Ницце. Значит, Арчи прилетел ненадолго.

— А жена? — спросил я.

— Жена осталась на Мальте, — вздохнул Арчи. — Ей очень хотелось быть здесь, поздравить Катю и Ику лично. Кроме того, она хотела заехать в их летний дом. Но мы ждем ребенка. Двадцать вторая неделя — шестой месяц. Ей лучше пока не летать.

— Понимаю.

От мамы я уже слышал, что жена Арчи беременна. Его жизнь продолжалась дальше, шла как ни в чем не бывало. А я, казалось, застрял в прошлом, не желая принимать и понимать все случившееся, обвиняя и презирая себя, не позволяя себе двигаться дальше.

Мы постояли молча.

— Так для чего настало время?

— Что? — не понял я.

— Ну, когда я зашел, ты сказал, что настало время. Для чего настало время?

Я помедлил с ответом. Когда, если не теперь?

— Арчи, я хочу все понять. Я хочу разобраться в том, что произошло.

Арчи помолчал. Я ожидал, что он, как и Бердиа, скажет, что прошло восемь лет, что все давно в прошлом, что мне пора завести себе подружку, выбросить Лиану из головы и простить Арчи. Возможно, я ждал, что Арчи попросит прощения, начнет объяснять, почему так поступил, или что-то в этом роде. Но того, что сказал Арчи, я никак не ожидал:

— А ты не хочешь спросить у своего отца, что же произошло в августе 2010 года?

— Отца? При чем здесь мой отец?

Арчи поднял голову, посмотрел на звезды и тяжело вздохнул:

— Карду, я только с дороги. И, честно говоря, я проголодался. Давай оставим эти разговоры на потом?


## Глава 44. 2008 год

Окончив четвертый год обучения в «Империал колледже», я встал перед выбором: поступить ли мне в магистратуру и остаться в Лондоне еще на два года или же вернуться в Питер. К этому моменту в Лондоне была сосредоточена вся моя жизнь: учеба, друзья, перспективы. Лондон стал моим вторым, если и не первым, домом. Я привык к размеренной европейской жизни, чистым улицам и светским разговорам. Теперь я не бежал от этой жизни как прежде. Я ощущал себя здесь на своем месте.

Когда я перешел на третий курс, в Лондон переехал Бердиа. Он провел свой первый год в Лондоне, посещая подготовительные курсы «Империал колледжа» для иностранных студентов, а затем успешно сдал экзамены и поселился в том же кампусе, где и я, но на пару этажей выше. Наша постоянная компания друзей немного расширилась: теперь помимо Мариэль и Патрика со своей девушкой в нее входил Бердиа. Вместе мы отлично проводили время: часто навещали приятелей в Белгравии — самом престижном районе Лондона, проводили вечера за ужинами в их особняках или уикэнды у бассейнов их вилл, играли в теннис на их кортах, ездили в гольф-клубы, обсуждали геополитику и перспективы мировой экономики. Когда выдавалась возможность, совершали короткие сумасшедшие вылазки в Амстердам или куда-нибудь подальше. В таких путешествиях мы много пили, веселились от души и танцевали до утра. Меня затягивала эта легкая интересная жизнь.

Но кроме того, в Лондоне меня ждали неплохие перспективы. С такими прекрасными связями я мог без труда устроиться в одну из компаний, возглавляемую родителями моих колледжских друзей. Выбор потенциальных работодателей был велик. Смущало меня только то, что абсолютно везде приходилось начинать с самых основ и с самых низкооплачиваемых должностей. Я понимал, что та заработная плата, на которую я мог претендовать, с трудом покрыла бы мои издержки на съем хорошего жилья, еду и одежду. Однако, начав в одной из таких компаний, через пять—десять, а может, пятнадцать лет я мог достигнуть вершин.

Пищу для размышления давал и надвигавшийся экономический кризис. Как раз на днях рухнул пятый по величине банк США Bear Stearns, что не предвещало ничего хорошего для мировой экономики. Остаться в Лондоне в самый разгар мирового экономического кризиса могло бы быть не лучшей идеей. Ведь тогда мне наверняка сложнее будет найти работу.

В Питере же, как мне представлялось, все должно было быть совершенно иначе. В отличие от стабильной развитой экономики Европы, в России рыночные отношения все еще переживали свою начальную фазу, на рынке было много молодых компаний, ищущих таких же молодых и энергичных сотрудников. Устроиться на работу в какой-нибудь интересный развивающийся проект, а через несколько месяцев возглавлять отдел, иметь большой доход и интересную работу — нередкая история в Питере тех времен. И, к сожалению, абсолютно невообразимая в Лондоне. Я не хотел ждать, когда мой доход и уровень жизни станут достаточно высокими. Я не хотел год за годом планомерно и последовательно нарабатывать себе резюме и опыт, пробиваться к успеху. Я хотел всего и сразу. Я хотел завтра зарабатывать огромные деньги. Почему? Потому что я только что получил блестящее образование в одном из лучших университетов Англии, я был вхож в лучшие дома Лондона, я был умен и энергичен, в конце концов. Я знал, что в Питере я быстро стану миллионером. И я не преувеличиваю — именно так я и думал.

Ко всему прочему бизнес наших с Бердиа родителей переживал небывалый пик. Помимо ресторанного бизнеса они открыли сеть автосервисов. Управляющим этой частью бизнеса решили назначить маминого брата Вову. Он уже имел большой опыт работы с автосервисами, знал, как правильно вести бизнес, умел управлять денежными потоками, а главное, понимал, где взять клиентов и что им нужно. Дела не просто шли в гору, они стремительно взлетели в небо. Из нашей старой трешки на Васильевском родители переехали в огромную двухэтажную квартиру на Миллионной. Отец пересел с «хонды» на «мерседес», а мама с Катей стали летать на шопинг в Милан. А сразу после встречи нового 2008 года с бабушкой и дедушкой в Батуми мы не остались в Грузии как обычно, а улетели все вместе на праздники в Шамони[1].

Ну а кроме того, в Питере меня ждала Лиана. Все эти годы я хранил ей верность. Она оставалась единственной женщиной в моей жизни, хотя, по правде говоря, отношения наши дали сильную трещину. Слезы, упреки и драмы стали постоянными спутниками жизни. Они делали свое дело: притупляли эмоции, понемногу гасили чувства. Она отдалялась от меня, пряталась за свои слезы. Теперь я практически никогда не мог достучаться до той Лианы, которую так любил. Я больше не дорожил нашими отношениями как прежде, не испытывал угрызений совести, уезжая на все выходные с друзьями в пьяный европейский тур, меня не трогали переживания Лианы. Скорее это была привычка, чувство долга и наивная вера в то, что, когда мы окажемся рядом, все вернется на круги своя — со мной снова будет та чуткая, нежная и смелая девочка, которую я полюбил в Батуми.

---

[1]  Шамони-Мон-Блан (обычно сокращается до Шамони) — курортный город во Франции недалеко от границы со Швейцарией и Италией. Он расположен у подножия горы Монблан — высочайшей вершины Альп. Популярный горнолыжный курорт.

Так что же? Лондон или Питер? Решение было непростым. Бердиа, Патрик, Мариэль, прекрасный круг общения, неплохие долгосрочные перспективы и Европа — на одной чаше весов, Лиана и возможность быстро сколотить себе состояние — на другой. Мне было очень тяжело решиться на что-то, а поэтому я просто плыл по течению, когда Лиана поставила мне ультиматум: либо я переезжаю в Питер, либо я никогда больше ее не увижу. Без лишних слов, не желая принимать никакое решение самостоятельно и позволив все за себя решить Лиане, я собрал свои вещи и переехал в большую просторную шикарно обставленную квартиру на Миллионной — в дом к своим родителям.

Вновь пожив с родителями под одной крышей, я с удивлением отметил, как все в их доме переменилось. Папа, так много времени проводивший всегда с семьей, почти перестал бывать дома. Он часто поздно возвращался с работы домой. Бывало, приходил под утро. Нередко — пьяный.

— Работа в ресторане, — пояснял он. — Смена заканчивается поздно. Мы закрываем рестораны в три часа ночи, а потом пересчитываем и закрываем кассу.

— Да, но у тебя есть управляющие рестораном. Это же их работа. Зачем тебе быть в ресторанах так допоздна? — не понимала мама.

— Послушай, я зарабатываю деньги. Я работаю, а не развлекаюсь.

— Но почему ты пил? Ты пришел пьяный.

— Мои дела требуют того, чтобы я проводил вечера с нужными людьми. Или ты думаешь, что привезти Диму Билана в наши рестораны так просто? Для бизнеса я буду пить с тем, с кем надо. Все это — нужные мне связи. Надвигается кризис. Я не знаю, выживет ли ресторанный бизнес. Я должен думать о развитии и том, как сохранить доход. Или тебе не нравится летать на шопинг в Милан? Тебе не нравится наша квартира? — отвечал папа.

Прежде я никогда не слышал от него ничего подобного. Он всегда был спокоен, внимателен и вежлив. Раньше он не позволял себе говорить с мамой в таком тоне, тем более при детях какими бы взрослыми они ни были сегодня.

203

— Но мне не хватает тебя. Мне одиноко, — робко возражала мама.

Они не ругались, не ссорились. Они спокойно говорили обо всем. Мама высказывала свои опасения и делилась грустью. Папа объяснял свои поступки. В нашем доме я никогда не помнил ссор или бурных скандалов.

Катю я тоже видел не часто. Днем она училась, по вечерам закрывалась в своей комнате с книгами и домашним заданием, а в выходные отправлялась гулять и встречаться со своими университетскими друзьями. Я больше не был частью ее близкого окружения, я уже мало знал о том, чем она жила, что любила, с кем дружила. Каждый в нашей семье понемногу начал жить своей жизнью. Из единого целого мы распадались на осколки.

Какое-то время я провел в праздном шатании по городу, встречаясь с бывшими одноклассниками и старыми приятелями, наслаждался сменой картинки. Большую часть времени я проводил в общежитии университета, где училась Лиана. Она окончила четвертый курс, по вечерам преподавала английский язык детям в качестве репетитора, а также брала тексты на перевод. Ей нужна была работа и деньги, так как дела в ее семье шли не важно. Иосиф Табидзе почти перестал писать. Романы выходили все реже, покупателей на них было все меньше. Почти не приходили теперь заказы для сценариев. Нана работала не покладая рук и обеспечивала семью всем необходимым. Лиана не хотела быть обузой для родителей, а потому решила отказаться от присылаемых ей денег и нашла себе сразу несколько подработок.

Я же поначалу не торопился искать работу, так как был полон уверенности, что найду ее без труда. Каково же было мое удивление, когда за неделю я не получил ни одного приглашения на собеседование. Наверно, сейчас не самый активный период — думал я, заранее отметая тот факт, что меня не хотят брать. Тогда я решил сменить выжидательную тактику наступающей. К концу первого месяца моего пребывания в Питере я серьезно взялся за поиск работы.

Первыми в моем листе оказались самые модные, самые популярные стартапы. Все они имели большие инвестиции, все они нестандартно подходили к набору персонала, а главное, все они предлагали быстрый карьерный рост. Составив список, я начал яростно откликаться на все самые интересные вакансии, которые только смог отыскать. К слову сказать, по-настоящему привлекательных предложений в открытом доступе не было. Уже позже я узнал, что хорошие позиции забирали люди из индустрии с хорошей репутацией и послужным списком. Итак, не получив ни одного приглашения на собеседование в течение двух недель, я перешел к более традиционному рынку — начал рассматривать все подряд. Тут меня ждало совершенное разочарование, так как интересных позиций с высокой зарплатой попросту не было. Тогда я стал рассылать свое резюме во все компании, которые только попадались мне на глаза. Это дало свои плоды — приглашения действительно появились. На следующей неделе у меня состоялось целых шесть интервью. Но ни одно из этих собеседований не приблизило меня к найму — никто из потенциальных работодателей мне не перезвонил.

К середине второго месяца питерской жизни я все еще был безработным. Сроки поступления в магистратуру в Лондоне прошли, и я начал задумываться о том, а правильный ли выбор я сделал. Может, мне стоило остаться в Лондоне? Примерно в этот период отец предложил мне работу в финансовом отделе его компании, но я отказался — мне все же хотелось чего-то добиться самому. Хотя о чем я только думал? Теперь для меня было очевидно, что в Питере меня никто не ждал, а лондонское блестящее образование не производило ожидаемого мной эффекта. Ситуация была критическая.

В конце июля из Батуми вернулась навещавшая своих родителей Лиана. Она с удовольствием делилась всеми с свежими новостями.

— Как там Арчи, — поинтересовался я.

Конечно же я и сам общался с братом и был осведомлён об основных событиях в его жизни. Но меня интересовало не это. Мне было страшно любопытно узнать, какого его душевное состояние, а главное — насколько ближе еще они стали с Лианой.

Лиана рассказала, что после травмы он долгое время занимался только чтением книг. Больше ничто его не интересовало. Он не поступал в университет, не шел работать, не заводил друзей и подруг. Арчи дни напролет проводил за книгами или компьютером, не покидая пределов сада. А потом вдруг все переменилось, когда он наконец решился открыть небольшую спортивную секцию для детей. Арчи нашел помещение и несколько тренеров по боевым искусствам. Он планировал начать с бокса и тхеквондо, а затем по возможности подключить и занятия для девочек, например гимнастику.

Первое время в спортивную секцию Арчи приходили в основном дети и внуки друзей дяди Михаила или дедушки Карду. Но вскоре секция приобрела невероятную популярность в Батуми. Детям нравилось внимательное отношение тренеров, приятная обстановка и, конечно, сами занятия спортом. Родителям же нравилось, что их дети увлечены спортом и спортивной культурой, заводят себе новых друзей, с пользой проводят время. Не прошло и полугода, как Арчи пришлось открыть еще одну небольшую секцию и найти еще нескольких тренеров по новым дисциплинам — настолько популярной оказалась эта идея.

— Ты знаешь, он увлечен своими секциями, — рассказывала Лиана. — Я начала замечать в нем энтузиазм и какое-то даже возбуждение. Кажется, ему действительно нравится то, чем он занимается. У него большие планы на будущие несколько лет.

— Да? И какие? — и снова укол ревности. При мне Арчи ни разу не упоминал о своих далеко идущих планах.

— Ты знаешь, какой у него характер, — улыбнулась Лиана. — Ему соревноваться нравится, нравится выигрывать, побеждать. Ну вот у него и планы — участвовать в соревнованиях.

— И какие же это большие планы? — язвительно поинтересовался я.

— Ох Карду! Ты как будто и не рад за брата вовсе! Он рассказал мне, что планирует начать участвовать в соревнованиях по карате уже на следующий год. Теперь он хочет сделать свои секции одними из лучших в Грузии. Он хочет готовить спортсменов не просто так. В его планы входит участие в соревнованиях и, разумеется, взятие призовых мест. Арчи даже рассказал мне, что было бы здорово, если бы его школа смогла бы стать отличным местом для подготовки олимпийских чемпионов.

Я удивился. Я никогда не думал, что эти спортивные секции являются чем-то серьезным для Арчи. Мне всегда казалось, что это просто временная отдушина. Что-то такое, чем он увлечен, пока не найдет более подходящего занятия. Тем более что прежде Арчи не проявлял к этой затее большого интереса. Для него это была в первую очередь попытка начать зарабатывать деньги самому снова, и уже во вторую очередь — занятие для себя. Кто бы мог подумать, что детские спортивные школы так увлекут Арчи.

— Ну, раз так, то я конечно же рад за него.

— Да. Еще он подумывает открыть похожие секции и в других городах Грузии. Сказал, это будет его подготовительный год.

— Подготовительный год?

— Ну да. В этом году он планирует подготовить ребят да и школу к соревнованиям. Хочет спланировать открытие школ на будущий учебный год в Кутаиси. Все-таки это большие расходы.

— А в Тбилиси? Он ничего не говорил?

— Карду, — осуждающе посмотрела на меня Лиана. — Неужели ты думаешь, что он захочет возвращаться в Тбилиси? Еще не так много времени прошло.

— Ну, не знаю. А у него появилась девушка?

— Карду, я не лезла ему в душу, — довольно резко ответила Лиана.

— А от Тины нет новостей? — не унимался я.

— Карду, прекрати, — нахмурилась Лиана.

— Ладно, мне просто любопытно.

— Любопытно? Так позвони ему сам. И сам расспроси его про девиц.

— С тобой он более открытый. Не знаю почему, но он не рассказывает мне и половину того, что говорит тебе. И уж тем более он не обсуждает со мной планы на будущее.

Она не ответила.

— А как там обстановка в целом?

— Ты про Осетию?

— Ну да.

— Стреляют. Говорят, из Осетии уезжают люди. Я даже слышала, что планируют организовывать эвакуацию из Цхинвала.

— Думаешь, все серьезно?

Она пожала плечами.

— Не верится, что будет война. В Аджарии же не было войны. Все решили мирно.

— В Аджарии была другая ситуация. Аджария не заявляла о своей независимости и не выходила из состава Грузии.

— В любом случае через неделю Олимпиада. Никто не будет начинать войну в Олимпиаду. Так что еще на месяц война откладывается точно.

— Ну не знаю. Террористов в Мюнхене[1] это не остановило. Ну а что вообще говорят?

— Да что говорят... — она махнула рукой, — ты и сам можешь догадаться. Говорят, что Россия готовится к войне, демонстрирует силу. Что они крайне обеспокоены действиями российских миротворцев. Ты знаешь, что по грузинскому телевидению рассказывают о том, что Россия сбивает грузинские беспилотники?

Конфликт, продолжавшийся между Грузией и Южной Осетией с конца 80-х, снова перешел в активную фазу. Южная Осетия, еще в 90-х заявившая о своей независимости, рассматривалась Саакашвили и его правительством как часть Грузии. Последний в своей политике ориентировался на восстановление территориальной целостности страны. После успеха в Аджарии Саакашвили мечтал прибрать к рукам и Цхинвал[2], и Абхазию — восстановить территориальную целостность страны. Конфликт вновь обострился в марте—апреле этого года, когда Россия сначала заявила о возобновлении экономических отношений с Абхазией и Южной Осетией, а затем начала отправлять туда свои вооруженные силы. Уже в июле стали приходить новости о перестрелках в районе Цхинвала.

— Ну, Лиана, — пожал я плечами. — Мы с тобой уж точно не знаем, кто сбивал эти беспилотники.

— А ты думаешь, это — Россия?

— А я думаю, что я просто не знаю правды. Я могу слушать грузинскую сторону, могу слушать российскую, могу читать газеты Америки и Европы. Но правды как она есть, я так и не узнаю.

---

[1] На Олимпиаде 1972 года в Мюнхене террористы из организации «Черный сентябрь» захватили в заложники израильских спортсменов в одном из корпусов Олимпийской деревни.

[2] Цхинва́л — город на южных склонах Кавказа на реке Большая Лиахви, на высоте 870 метров над уровнем моря. Главный культурный, экономический, промышленный населённый пункт Южной Осетии.

— Это еще почему? — нахмурилась Лиана.

— Потому что не бывает черного и белого. Не бывает правого и виноватого. Любая из всех вовлеченных в конфликт сторон преследует свои личные цели. А это может значить, что любая сторона, будь то Грузия, Россия, Осетия или Америка, теоретически может прибегать к не совсем правильным и честным действиям. И скорее всего, прибегает. А это, в свою очередь, значит, что у любой стороны есть потребность скрыть правду и представить ситуацию в наиболее выгодном именно для нее свете. Я думаю, что истинную картину происходящего узнать очень сложно. Но можно попробовать разобраться в причинах и целях сторон, чтобы составить какое-то свое мнение. А это действительно важно.

— Почему? Ведь есть же какая-то общепринятая точка зрения...

— Ну вот конкретно в этой ситуации — нет. Грузия обвиняет Россию в том, что та сбивает ее беспилотники. Россия отрицает. Какая же тут общепринятая точка зрения?

— Ну в этой ситуации ее нет сейчас. Но если потом соберут комиссию, проведут расследование, анализ и точно установят, что Россия ничего не сбивала — это и будет общепринятой точкой зрения.

— Да, но общепринятая точка зрения — это не то же самое, что и правда. Общепринятая точка зрения может быть кому-то выгодна.

— О, да брось, ну это уже теория заговора.

— Вовсе нет. Подумай, если завтра весь мир, абсолютно весь, будет доказывать тебе, что беспилотники сбила Россия, а Россия, в свою очередь, будет приводить доказательства обратного... Кому ты поверишь? Всему миру! Потому что ну не может весь мир ополчиться на одну страну. Возможно — не может. А возможно — это часть информационной войны. Вот именно поэтому и важно самим читать разные источники информации, проверять их, рассуждать, думать и уже потом делать собственные выводы. Это называется критическое мышление.

— Это тебя в Лондоне научили? — усмехнулась Лиана.

— Возможно. Разве это плохо?

— Да нет, не плохо...

Она помолчала.

— А что у тебя с работой?

Мне пришлось признаться, что вот уже почти два месяца я не мог найти работу. Лиана была сильно разочарована тем, что мои поиски не увенчались успехом. Мы планировали жить вместе сразу, как только я буду иметь собственный доход и смогу снимать нам обоим подходящую квартиру. Я понимал, что надо было что-то решать, а потому начал просто закидывать свое резюме во все объявления подряд. Я продолжал ходить на собеседования и продолжал получать отказы.

Однажды, проснувшись рано утром в пятницу, я первым делом проверил свою электронную почту. Среди разного рода рекламных рассылок я обнаружил письмо от одного банка, в котором проходил собеседование две недели назад. Я поскорее открыл письмо. Это было приглашение на работу. Я не находил себе места от радости! Зарплата была невысокой, но достаточной для того, чтобы снять нам с Лианой квартиру и начать жить вместе. Работа была не особо интересная — обычный специалист кредитного отдела, но мне было все равно. Я знал, что это всего лишь временная работа. Она нужна была мне для того, чтобы съехать от родителей. А уж потом я найду себе место получше.

Предложение я принял. Потом я часто думал о том, а что бы было со мной, с нами, если бы я не пошел работать в тот банк? Случился бы весь тот ужас? Наверное, нет. Выходит, эта работа стала еще одним шагом к катастрофе. Но в то утро ничего этого мне еще не было известно. В радостном возбуждении я позвонил Лиане.

— Доброе утро! У меня для тебя прекрасные новости…

— Карду, — перебила меня Лиана. — В Грузии началась война.

## Глава 45. 2008 год

Мир захлестнули споры — одни с пеной у рта доказывали, что Россия напала на крохотную Грузию и бессовестно бомбит ее территории, другие горячо оспаривали эту точку зрения и приводили контраргументы. Западные СМИ наперебой ругали Россию и призывали ее отложить оружие, чуть не в каждой стране мира проходили многотысячные митинги в поддержку Грузии. Споры не стихали, люди не унимались: на кухнях, в социальных сетях, на работе и ТВ-шоу все говорили только об одном — кто же первый открыл огонь? Равнодушных не было. Все строили свои теории и свои предположения. У каждой из сторон были свои доводы.

А мне, если честно, было абсолютно наплевать. Мне было все равно, кто открыл огонь по Цхинвалу, мне было все равно, кто отдавал приказы. Единственное, о чем я мог думать в те страшные пять дней войны, так это о том, что там прямо сейчас гибнут люди. Не военные, нет. Смерть военного — понятна и естественна. Военные осознанно идут на этот риск. Но там умирали дети, старики, мужчины и женщины. Обычные люди, как я, как мои родители, как мои соседи. Я не мог себе представить, что в XXI веке артиллерийские залпы бьют в жилые дома, рушат чью-то любимую комнату, убивают родную маму, калечат сына. Я думал только о том, что в привычный уклад людей ворвались снаряды и танки, пулеметные очереди. Что люди, испуганные, обезумевшие от горя, потерявшие чувство реальности, голодные и замерзшие, прячутся по подвалам словно загнанные звери. Родные дома разлетаются в щепки. Любимые люди растерзаны пулями. Их жизни ломались там, прямо сейчас.

Когда я думал о происходящем, леденящий ужас пронизывал мою душу. Все существование тех несчастных, что жили в Цхинвале, сводилось к самым элементарным вещам. Сейчас они мечтали только остаться в живых, только о том, чтобы родные не пострадали. Только бы их семья выжила. А ведь еще им надо было что-то есть. Артобстрел не влиял на самые элементарные чувства: голод, жажда, холод, потребность в туалете. Выйти из убежища, чтобы найти воды для своего годовалого ребенка, значило рискнуть своей жизнью. И все это происходило прямо сейчас всего в паре тысяч километров от меня.

Я не отрывался от экрана мобильного — я читал новости всех стран мира, пытался понять, где идут боевые действия, и молил, чтобы огонь не затронул Батуми. Дозвониться до кого-нибудь из

Батуми было крайне сложно из-за сбоев связи. Из новостей я услышал, что Аджария совсем не затронута столкновениями. Ни на суше, ни с моря. Но и это не успокаивало. Мы не знали, что будет завтра. А кроме того, совсем не далеко от Батуми шли и бои на море.

— Карду, если с мамой или папой что-нибудь случится, я наверно, этого не переживу, — сказала ему как-то Лиана. — Я не захочу жить в мире без них.

— Все будет хорошо. В Батуми спокойно.

Она заплакала. Она плакала все пять дней. Иногда это был тихий грустный плач, фоновая тревога. Иногда на нее что-то находило, и Лиана билась в истерике, задыхалась и никак не могла успокоиться. Я видел, как судорогой ей сводило лицо. Я никогда прежде не видел ее такой. Она очень пугала меня в эти моменты. Но я не винил Лиану. Я понимал, это временно. Она сильно переживала за родных, за самых близких ей людей. Потом все будет как прежде, только бы пережить эти дни. Только бы все скорее закончилось.

На второй день боевых действий я смог дозвониться в дом бабушки и дедушки. После того как мои родители удостоверились, что абсолютно все в полном порядке, у них не ведется огонь и их жизнь протекает в привычном русле, я остался на телефоне, чтобы немного поболтать с Арчи. Нет, это не была одна из тех многочасовых дискуссий, которые прежде мы вели годами, мы больше не висели часами на телефоне, не обсуждали каждое событие из жизни друг друга и не вели долгих интересных споров, по которым я так скучал. Но мы по-прежнему общались, хоть и реже, и держали друг друга в курсе основных перемен и происходящих вещей.

— Как твои школы?

— Кажется, с открытием новой школы в Кутаиси придется повременить, — ответил брат. — Надеюсь, что огонь не дойдет до нас. Пока что школы не пострадали, но, естественно, все занятия отменены.

— Скорее бы все стало нормально. Ты, кстати, прежде не рассказывал мне, что планируешь открыть школу в Кутаиси.

— Лиане рассказывал. Думал, она передаст тебе. Да, планировал. Расширяюсь понемногу.

— Тебе нравится?

— Ты знаешь, да. Сначала я задумал это просто чтобы куда-то вложить деньги, начать зарабатывать. Мне казалось это очень хорошей долгосрочной инвестицией, ведь у нас не так много спортивных школ для детей. А хороших спортивных школ не было совсем. Но сейчас все изменилось. Знаешь, мне нравится, да. Втянуло. Мне нравится видеть, как дети проводят тут время, как их мечты меняются, как появляются цели и стремления. Особенно мне нравится изучать, как все это устроено в Германии, Франции, подыскивать тренеров и программы, составлять свои методики. Жду не дождусь, когда мы сможем показать себя на соревнованиях. Хочу, чтобы мои программы были лучшими в стране, а мои спортсмены брали только высшие награды. Когда-нибудь, надеюсь, я открою школу и в Питере.

По тому как горячо Арчи рассказывал мне про свою школу и планы, я понял, что он нашел свое новое место в мире. Он снова мог соревноваться, снова мог становиться лучшим, побеждать соперников и доказывать миру, что он впереди. Арчи снова получал удовольствие от жизни. Я не знал, все ли раны затянулись, поэтому воздержался от более личных вопросов.

— Арчи, я рад за тебя. Очень хотел бы как-нибудь посмотреть на твою школу.

— Ну, надеюсь, еще успеем. А ты как? Чем занимаешься?

— Да вот устроился на работу в банк. Сегодня был первый день.

— И как?

— Ну-у-у-у-у, — протянул я. — Далеко до работы мечты.

Мы рассмеялась как прежде.

— Карду, — вдруг посерьезнел Арчи.

— Что?

— Ты помнишь, что когда-то в далеком 2004 году мы с тобой спорили о Саакашвили?

— Помню, — отозвался я. — Мы еще договорились через пять лет посмотреть на результаты его трудов.

— Вот они — результаты его трудов, — тяжело произнес Арчи. — Тут и смотреть не на что. Мне стыдно, что я выходил тогда на площадь, что поддерживал его. Еще больше мне стыдно за то, что я верил в пустые слова, которыми он тогда разбрасывался.

— Арчи, брось. Ты не можешь стыдиться того, во что верил.

— Я стыжусь того, что не разобрался. Не заметил очевидного.

— В любом случае ты ничего не мог поменять.

— Нельзя так рассуждать. Если каждый будет думать: «от меня ничего не зависит, я не мог ничего поменять», «мой голос ничего не решит», «не пойду на митинг, там и без меня людей хватит», то народ никогда не будет в состоянии что-либо поменять. Из действий каждого отдельного человека — из твоих, моих и любых других людей складывается та самая сила, с которой правительство не может не считаться. И чем больше людей высказывают свои идеи, тем больше правительство будет вынуждено прислушиваться к этой идее. Ну а в тот раз, конечно, мы все обманулись.

— Ну послушай, он же сделал столько хорошего для страны.

— Кто? Саакашвили? И что же он сделал?

— В Грузии стало безопасно. Снизился уровень преступности. Ты сам знаешь, что снизилась коррупция. В стране почти в каждой деревне есть электричество и вода. Построили много нового. В конце концов, сделали дороги. Стало больше рабочих мест и... — он не дал мне закончить.

— Сейчас посмотрим сколько рабочих мест останется в курортных городах, после того как туристы из России перестанут приезжать. А они перестанут. Перелеты запретят — это очевидно. Пострадает бюджет, и снова наступит кризис. А платим за все это мы из собственных карманов, так как именно мы лишимся доходов. Знаешь, на практике получается, что я обеднею потому, что Саакашвили решил бомбить Цхинвал.

— И все же как бы там ни было, нельзя однозначно оценить его правление.

Так мы проговорили еще некоторое время, пока связь не пропала. Я почувствовал невероятную теплоту. Мы дискутировали и рассуждали как раньше, спорили, выдвигали аргументы. От этого нашего разговора на душе у меня стало светлее. Ровно через два года в этот же день — 10 августа 2010 года общение наше прекратится на долгие восемь лет.

Через пять дней огонь прекратился. По счастью, боевые действия совсем не затронули Батуми. Мои родные и родители Лианы были в безопасности. Правда, теперь добраться до них было не просто — авиасообщение между Россией и Грузией было полностью остановлено. Это еще сильнее расстроило Лиану. Прежде она не часто летала в Батуми — разве что на Новый год и летом. Однако тогда поездка домой была легкодоступна: в любой момент времени Лиана могла купить билет на самолет и улететь в Грузию. Теперь же все менялось. Она не могла увидеть свою маму, обнять и поцеловать папу в любой момент, как ей этого захочется. Теперь, чтобы осуществить поездку в Грузию, надо было заранее спланировать маршрут с пересадками через Европу, что, естественно, стоило в разы дороже. Ничего невозможного не было — мы по-прежнему могли найти способ добраться до Грузии, но от всех этих ограничений Лиане становилось сильно не по себе, и настроение ее было очень тревожное.

А тем временем я вышел на работу в банк. Должность моя была самая что ни на есть обычная — специалист кредитного отдела, а задачи — довольно банальные. Мне нужно было консультировать клиентов по условиям кредита, проверять пакет документов, направлять в службу безопасности и, если решение положительное, оформлять кредит. Это сейчас кредиты можно брать, заполнив несколько полей на сайте банка или прямо в своем телефоне. А тогда этот процесс еще не был таким простым и занимал куда больше времени.

Работа мне не нравилась. Она не была интересной, не была перспективной и плохо оплачивалась. Я рассчитывал провести в банке какое-то время до тех пор, пока не смогу найти более подходящего места. А пока у меня шел рабочий стаж и были деньги для того, чтобы снять нам с Лианой квартиру.

Мы нашли небольшую квартирку во Фрунзенском районе города. Она располагалась далеко от центра, не была уютной или симпатичной, но стоила совсем не дорого. Мы остановили свой выбор на ней, решив купить новую мебель в «Икее» и обустроить все так, как сами того хотим. Не больше недели ушло на все перестановки и изменения, на создание первого совместного семейного очага. Лиана с детским восторгом ходила по «Икее», выбирала кровать, шкаф, постельное белье, шторы, коврики, подушечки и свечки. Она так радовалась тому, что мы наконец обустраиваем общую квартиру, что мы наконец будем жить вместе. Я давно не видел ее такой радостной, какой она была в тот день в «Икее».

Мы не думали о том, что нам еще рано жить вместе. Мы просто поселились в уютной квартирке на окраине города для того, чтобы быть счастливыми и радоваться каждому новому дню. Говорить о принятом решении другим мы не стали. Нана и Иосиф Табидзе вряд ли обрадовались бы, узнав, что дочь живет с мужчиной, который еще на ней не женился. Лиана решила ничего им не рассказывать. Своим родителям я сказал, что хочу снять квартиру и жить отдельно, потому что уже самостоятельный.

— Милый, ну зачем же тебе переезжать? У нас большая хорошая квартира в самом центре города. Неужели тебе не хочется тут пожить?

Мне хотелось. Мне там очень нравилось. Мне нравилось просыпаться от приятных вкусных запахов, доносящихся из кухни, мне нравилось завтракать всей семьей и обсуждать события и новости каждого из нас, мне нравилось проводить время с Катей, нравилось общаться с отцом и улыбаться маме. Отца, правда, я видел все реже.

Но еще больше мне хотелось наконец сделать Лиану счастливой. Я хотел, чтобы она снова вернулась — моя маленькая и нежная, но невероятно храбрая и уверенная в своих силах Лиана. Все эти годы я жил и знал, что мы будем очень счастливы, как только поселимся под одной крышей.

— Ну вот наша мечта и сбылась, — сказала Лиана за ужином в наш первый вечер в новой квартире. — Мы наконец вместе.

Я не стал говорить, что мечтали мы о другом — о Лондоне, о безбедной радостной жизни в Европе, карьере и семье. Но какая, в сущности, разница, в какой мы стране и кем работаем сейчас, если мы вместе и впереди у нас вся жизнь?

— Да. Ты не представляешь, как долго я этого ждал.

В тот вечер, в ту ночь мне казалось, что все снова вернулось, что все снова как раньше. Казалось, что нет на свете никого, кого я любил бы так сильно, как Лиану, что нет на свете никого, кто был бы мне роднее и ближе, чем она...

Лиана оканчивала пятый курс, преподавала английский детям и бралась за переводы в одном небольшом издательстве. С тех пор как они с Карду стали жить вместе, ее жизнь стала предсказуемой, стабильной и спокойной. Каждое утро она просыпалась немного раньше, шла в душ, поцелуем будила Карду, готовила завтрак для них обоих, уезжала в университет, слушала лекции, проводила занятия с детьми, приезжала домой, готовила ужин, встречала Карду, разговаривала с ним о прошедшем дне, любила его каждую ночь и засыпала. Он дарил ей столько внимания, сколько, казалось, она не испытывала никогда прежде. Он был рядом, он любил и ценил ее. Что еще ей было нужно? Она столько лет ждала именно этого.

Их совместная жизнь была настоящим раем, о каком только можно мечтать. Они были не богаты: денег едва хватало на самое необходимое. Но больше им было не нужно: они были счастливы вместе. Тихая и спокойная жизнь была словно передышкой в ее беспокойном мире, полном тревоги. Рядом с Карду она стала чувствовать себя увереннее. Как только закончилась война, она перестала плакать и расстраиваться, перестала грустить. Она замечала, что вокруг не осталось ни одной причины, о которой стоило бы переживать. Так прошел первый месяц в их уютной квартирке на окраине Питера.

Через пару месяцев Лиана стала испытывать странное чувство. Она хорошо помнила, когда это возникло впервые. В университете только что окончились пары, и ей предстояло ехать на занятие с учеником. На улице шел ливень, то и дело молния разрезала небо своим ярким всполохом, грохотал гром.

«Надо взять такси, — подумала Лиана. — Не хватало еще простудиться».

Она поймала такси, назвала адрес, забралась на заднее сиденье и стала смотреть в окно. Капли дождя струились по стеклу. За окном мелькали огни вечернего города, фары машин, светофоры. Она вдруг почувствовала необъяснимое: как будто-то что-то зудело у нее внутри, как будто-то что-то было не так, как всегда, что-то было совсем не в порядке. Жизнь была слишком спокойная, слишком предсказуемая, слишком стабильная. Все было настолько хорошо, что... она начала тревожиться. Она вдруг ясно осознала, что испытывает тревогу. Почему? Как могло такое быть? Она имеет теперь все, о чем мечтала, — мужчина ее мечты снова рядом, он любит ее и одаривает своим вниманием, они живут в маленькой уютной квартирке вместе, они непременно поженятся, наверняка родят детей и все у них будет прекрасно. Ее жизнь наконец-то налаживается. Так почему же ей так сильно тревожно? От чего ей хочется плакать, закричать, устроить скандал? Боже, только бы это снова не вылезло наружу, только бы Карду не увидел ее *такой*.

Занятия с учеником развеяли мысли Лианы. Она вернулась домой в прекрасном настроении, приготовила ужин, обняла Карду на ночь и, уткнувшись в его плечо, мирно уснула. Но уже на следующий день тревога охватила ее снова. По необъяснимой ей причине Лиана не могла больше так существовать. Ей хотелось встряски. Да-да! Вот оно! Ей снова хотелось почувствовать себя живой, ей хотелось переживать, ей хотелось драмы. Невероятной силы эмоции — вот в чем она нуждалась на самом деле.

Вечером они с Карду поссорились. Лиана уже и не помнила, что послужило причиной. Не помнила слов, что они друг другу наговорили. Она только помнила, как лежала в постели совершенно одна, обнимая подушку, и плакала навзрыд.

Наутро она корила себя, ругала, ненавидела. Зачем она это сделала? Ведь все было так прекрасно, так чудесно. Для чего? Она умоляла Карду простить ее. Он, конечно, простил. Она шутила, пыталась вернуть ту легкость, которая была между ними. Но в его глазах, в его голосе, в его словах и интонациях она читала — что-то переменилось. В нем что-то изменилось бесповоротно. Лиана говорила себе, что нет-нет, ей это только кажется, конечно же он простил ее. Одна ссора не могла оттолкнуть его и изменить все его к ней отношение. Но на сердце все равно было тоскливо.

... А потом все вернулось обратно. Наша первая ссора с Лианой произошла через пару месяцев после того, как мы переехали в нашу маленькую уютную квартирку на окраине Питера. Первое время совместной жизни было действительно прекрасным. Я жил и понимал, что все это время я ждал не зря. Время вдвоем с ней было волшебным. Вечером мне хотелось скорее увидеть ее: я спешил с работы домой, потому что там меня ждала Лиана. Я не хотел проводить выходные ни с кем, кроме нее. Мне никто не был нужен. Я снова любил ее так, как и прежде. А потом случилась эта ссора. Совершенно пустая, без причины, без логического объяснения. После Лиана плакала, умоляла ее простить. Она снова тревожилась и беспокоилась, но о чем? У нее больше не было причин. Как не было больше и у меня оправданий ее поведению. В тот вечер я вдруг понял и увидел то, что не хотел видеть все эти годы, — это и есть Лиана. Моя жизнь с ней будет всегда такой. Хорошо все или плохо — она всегда будет беспокойной, ее слезы и упреки будут со мной всегда, независимо от того, что я буду или не буду делать. Мне сложно это объяснить, но вдруг за один вечер мои чувства к Лиане кардинально переменились.

С того дня ссоры стали нашими постоянными спутниками. Лиана чувствовала, как я отдалился от нее, а я стал больше времени проводить на работе. Я начал больше общаться с коллегами, сильнее погружаться в дела, больше успевать. Работа стала для меня убежищем от настроения Лианы. Мне стало душно в нашей маленькой квартирке, мне стало скучно проводить время вдвоем. Я хотел глотка свежего воздуха. И однажды за ужином я сказал:

— Лиана, на следующие выходные я улечу в Лондон, повидаться с друзьями.

Она молчала. Я тоже не знал, что ответить. Через некоторое время я произнес:

— Я взял отгул на работе. Улечу в четверг вечером, а вернусь вечером в воскресенье.

— Ты больше не любишь меня?

— Не говори ерунды, — нахмурился я. — Я просто хочу увидеть друзей.

— Поедем вместе, — предложила Лиана.

— Лиана, я просто хочу побыть со своими друзьями. Кроме того, я остановлюсь у Бердиа. У него недостаточно места для двоих.

— Я помешаю тебе?

— Но ты ж никого там не знаешь, а они не знают тебя.

— Ну и что с того? Почему мы не можем поехать вместе? С кем ты там хочешь увидеться без меня?

— Лиана, прошу!

— Когда мы поженимся, Карду? Мы живем вместе, а ты и не думаешь о свадьбе.

Ну как это у нее все так выходило? Как получалось все смешать в одну кучу и обязательно найти то, за что можно выставить меня виноватым. Как же я устал быть виноватым.

— Лиана, мы же говорили об этом. Дай мне сначала встать на ноги.

— Так вставай! Кто мешает тебе? У тебя нет денег на свадьбу, но есть на уикенд в Лондоне!

— Лиана, не надо...

Но ее было уже не остановить. Новая ссора, новые упреки. Я не вынес. Я не знал, как с этим справиться. Это было тяжело выносить. Я взял куртку, оделся и вышел на улицу. Пару часов бродил по улицам без цели. Вскоре я замерз и устал, наутро нужно было рано вставать на работу. Но домой возвращаться по-прежнему не хотелось. Я знал, что Лиане потребуется пару-тройку, а то и больше часов на то, чтобы хоть немного успокоиться.

«Привет, что делаешь?» — отправил я сообщение Вадиму.

«Привет. В баре с друзьями. Собираюсь ехать домой».

«Не хочешь пропустить по бокальчику пивка?»

«Приятель, я уже пропустил. У тебя все в порядке?»

«Не хочу идти домой».

«Ясно. Приезжай в «Моллис», — написал Вадим.


Впервые с Вадимом мы столкнулись у офисной кофемашины, когда я налетел на него, не заметив, и чуть не опрокинул чашку свежезаваренного американо.

— Оу, полегче, приятель, — едва увернувшись, ответил мне он с улыбкой. — Я не планировал менять костюм в разгар рабочего дня.

Одет он был с иголочки. Чёрный костюм из дорогой ткани, белоснежная рубашка с запонками, серый галстук, начищенные туфли, Tag Heuer на левом запястье.

— Вадим, — он протянул мне руку.

— Карду, — я ответил на рукопожатие.

— Откуда такое имя? — поинтересовался он, ожидая, пока машина приготовит ему кофе.

— Из Грузии.

— Что-то значит?

— Назвали в честь деда. А он говорит, что на древнегрузинском это значит «грузин».

— Редкое имя?

— Скажем так, тезку я ещё не встречал.

Вадим рассмеялся.

— Где трудишься?

— В кредитном отделе, кредитным специалистом. А ты?

— Отдел продаж. Все тех же кредитных продуктов.

Его чашка наполнилась душистым кофе. Он аккуратно взял ее, хлопнул меня по плечу и собрался уходить:

— Ну, хорошего дня, Карду. Ещё увидимся.

Следующие несколько недель Вадима не было видно. Я спросил о нем свою коллегу Настю. Настя знала все и обо всех, а еще она умела хранить секреты. Возможно, именно поэтому люди и рассказывали ей абсолютно все.

— Вадим? Из отдела продаж? А фамилия? — хмурила брови Настя.

— Не знаю. В пиджаке, белой рубашке...

— Карду, мы в банке. Тут все в пиджаках и белых рубашках, — отозвалась она. — Ещё приметы?

— Короткая стрижка, темные волосы, Tag Heuer на руке, серый кожаный портфель, — попытался я.

— Ну не знаю, Карду... — Настя снова повернулась к своему монитору.

— Родинка!

— Что? — переспросила она, не поворачивая головы.

— Родинка на подбородке. Большая такая. У него есть родинка.

— Куяев.

— Что? — теперь не понял я.

— Вадим Куяев. Конечно, знаю. Звезда отдела продаж. Говорят, у него шестизначные бонусы.

Ни для кого не было секретом, что отдел продаж получает хорошие деньги за свою работу. Много продал — много получил.

— К тому же он красавчик. Мечта всех местных девчонок, — Настя закатила глаза.

Ее Вадим точно не интересовал, как не интересовал и кто-то еще из этого банка. Всем давно было известно, что она тут на интересном положении. Ее близким другом был не кто-либо иной, как наш вице-президент. Вице-президент был женат. Но это не мешало ему вот уже много лет подряд состоять в близких отношениях с очаровательной рыжей Настей из кредитного отдела.

— А почему ты, собственно, спрашиваешь?

— Просто интересно. Пару дней назад мы столкнулись у кофемашины.

— Тоже хочешь в продажники податься? — фыркнула она. — Я бы тебе не советовала. У них там все очень жестко — не выполнил план три месяца подряд — аут[1].


В следующий раз мы с Вадимом увиделись, столкнувшись в лифте, когда я собирался ехать домой. Был уже поздний вечер, офис был пуст, и я удивился, увидев его на этаже своего отдела.

— Эй, приятель, подержи дверь! — крикнул он на пути к лифту. — А, Карду, это ты. Привет!

— Привет. Что ты делаешь у нас? Вы же вроде работаете на первом этаже?

— Да так, принёс кое-какие бумаге одному сотруднику, — неопределенно ответил он. — Ну а ты что так поздно не дома?

— Были дела.

— Дела? — он усмехнулся. — Ты — трудоголик, что ли? Влюблённый в свою работу сотрудник? Или мечтаешь построить головокружительную карьеру?

Я промолчал. Да, а что мне было ответить? Домой я не ехал главным образом потому, что не хотел. Не знал, в каком настроении опять пребывает Лиана, не знал, что меня ждёт дома, а я сильно устал и не был готов к ссорам. В те вечера, когда я при-

---

[1]  Здесь — увольнение.

ходил позже обычного и не успевал поужинать вместе с Лианой, риск ссор был существенно меньше.

— Может, пропустим по бокальчику пивка? — неожиданно предложил Вадим.

Я удивился его предложению. Мы не были приятелями, не общались и практически не были знакомы. Его предложение было достаточно неожиданным. С другой стороны, почему нет? К Вадиму у меня быстро возникла какая-то безотчётная симпатия, какая возникает к уверенным в себе, харизматичным, ярким людям. Они притягивают.

Мы вышли из банка и направились к парковке. Там нас ожидала новенькая трехлитровая «Ауди A6» Вадима. На чёрном корпусе машины не было ни единой пылинки, как будто она только что покинула салон.

— Мой тебе совет — никогда не покупай чёрную машину. Будешь жить на мойке, — ухмыльнулся Вадим. — Садись, прокачу.

— Он нажал на кнопку, машина ожила, приветливо пикнула и включила фары.

— Поехали в «Моллис»?

— «Моллис»? Что такое «Моллис»?

— Ты не был в «Моллис-пабе»? Ты шутишь? — рассмеялся Вадим. — Как ты мог пропустить легендарный ирландский паб на Рубинштейна?

— Я недавно в Питере.

— Переехал из Грузии?

— Из Лондона.

Он повернулся ко мне.

— Из Лондона? Что ты забыл в этой дыре, в таком случае хочу я спросить? — он рассмеялся. — Ты всерьёз переехал из Лондона в Питер? Твой старый дедушка-миллионер обанкротился, и тебе пришлось возвращаться сюда?

Он развеселился не на шутку. А я рассказал ему о том, как поехал учиться в Лондон и вернулся в Питер, потому как здесь жила и училась моя любимая девушка.

— А в Лондоне, я смотрю, девушек нет?

— Девушки есть. Но она — здесь. И я люблю ее, — пожал плечами я.

— Ладно, старик, не обижайся. Если любишь, то что ж поделать. А чего ты не забрал ее в Лондон?

— Это не так просто. У неё нет ни учебной, ни рабочей визы. К тому же она оканчивает университет в Питере. Да я и сам только что выпустился. Хотел сначала встать на ноги. А уже потом можно и вернуться.

— Встать на ноги, говоришь? — протянул Вадим, не отрывая глаз от дороги. — Это хорошее желание.

Мы припарковались на обочине на улице Рубинштейна, напротив зелёной вывески Mollie's Irish Bar.

— Нам сюда, — указал на вход в подвал Вадим.

Мы спустились по крутой лестнице в полуподвальное помещение и сразу как будто переместились в другую страну. Добротные высокие деревянные столы, стены и потолочные своды из красного кирпича, зеленые стекла, приглушённый свет и хорошее пиво. Я никогда не был в Ирландии, но мне казалось, что ирландские пабы выглядят именно так. Вокруг было довольно шумно и многолюдно. Мы пробрались к барной стойке и заказали две пинты пива.

За пивом мы разговорились. Вадим был старше меня на пять лет, жил на Невском, часто менял подружек и любил покуривать травку. Четыре года назад, только окончив университет, он сразу пришел работать в этот банк. Сначала попробовал себя на разных должностях в разных отделах, а потом захотел зарабатывать больше. Как раз к тому времени он познакомился с классными парнями из отдела продаж, которые жили, ни в чем себе не отказывая. Он знал, что работа у них не простая, но решил попробовать. Так он перевелся в отдел продаж. Поначалу дело не шло, но он не сдавался: работал, не зная усталости, переступал через себя, проводил долгие часы в офисе, читал книги и учился у лучших сотрудников. Вскоре пошли первые небольшие сделки, а за ними — и первые бонусы. Дальше — больше. Через какое-то время Вадим стал понимать, что у него неплохо получается, а доход его вырос в разы.

— Ты и дальше планируешь работать в банке? — поинтересовался я.

— Не знаю. Посмотрим. Не хотелось бы всю жизнь пахать офисным клерком.

— Офисным клерком? — моему удивлению не было предела. — Оглянись вокруг. Ты любишь то, что делаешь, и у тебя отлично получается. Ты мастер своего дела. Ты хоть знаешь, что у тебя репутация звезды? На тебе костюм за бешеные деньги, ты живешь в самом центре города, ездишь на классной тачке. Что еще надо?

— На машину и квартиру бонусами не заработаешь, — ухмыльнулся он.

— Что ты имеешь в виду?

— Все это — мой дополнительный доход, так сказать. Но об этом как-нибудь в другой раз.

Мы проговорили почти два часа кряду. Мне абсолютно точно импонировал легкий стиль общения Вадима, его непринужденная уверенность и манера держаться. С ним было интересно, к нему хотелось тянуться, на него хотелось равняться. Он словно олицетворял все то, кем я хотел стать.

Вскоре наши вылазки в «Моллис» после работы стали повторяться довольно часто. Я свел с Вадимом довольно близкое знакомство. Мы приезжали в бар, выпивали по пинте пива, обсуждали работу, коллег и руководство, и иногда он подбрасывал меня до дома, хотя, конечно, ему было совсем не по пути. Я не мог бы назвать его другом: наше общение сильно отличалось от того, как я общался с Бердиа или как когда-то общался с Арчи. Мы были скорее просто хорошие приятели. Я чувствовал, что он не до конца откровенен со мной и не все мне рассказывает, я же, в свою очередь, не впускал его в свою душу. Возможно, так бы все и осталось, если бы не эта ссора с Лианой и этот вечер, в который я попросил его встретиться со мной в «Моллис».

Я взял такси и направился на Рубинштейна. Вадим сидел за столиком у окна под скошенным подвальным сводом. Он был один.

— Где твои приятели? — спросил я, крепко пожимая ему руку.

— Разъехались по домам. Ты на часы смотрел?

Был одиннадцатый час.

— Что стряслось? — он неожиданно посерьезнел.

— Ничего. Просто не хочу идти домой.

— Поругался с подружкой?

Он не знал имени Лианы — я никогда об этом не говорил. Я вообще никогда не рассказывал про события личной жизни и мои переживания. Считал это не нужным: в конце концов мы просто приятели с работы.

Вместо ответа я спросил:

— Ты будешь пива?

— Хочешь меня угостить?

— А почему нет?

— Ну валяй. Машину, кажется, придется сегодня оставить здесь.

Я заказал нам две пинты пива.

— Если ты не собираешься мне ничего рассказывать, тогда зачем попросил меня встретиться? — сказал Вадим, отпивая глоток холодного пива из запотевшего высокого бокала. — Просто посидеть в баре и выпить ты мог и один.

Я вздохнул, все еще не будучи уверенным в том, что хочу ему рассказывать что-то про свою жизнь.

— Давай я расскажу тебе одну короткую историю. В университете я встретил девушку. Ее звали Карина. Я влюбился в нее без ума: просто потерял ощущение реальности. Рядом с ней, мне казалось, я чувствовал себя живым. Я никогда не был счастлив так, как был счастлив с ней. Мы встречались три года. Как только мы окончили университет, я сделал ей предложение, она согласилась, и мы решили пожениться. У нас была хорошая свадьба с банкетом, плачущими от радости родственниками и даже тамадой. На следующий день мы укатили в свадебное путешествие на Сицилию. А через три месяца мы разъехались.

— Как разъехались?

— Вот так. Я собрал свои вещи, снял квартиру и переехал. Она не смогла одна платить за нашу квартиру и тоже съехала. Развелись мы еще через месяц. Мой брак продержался четыре месяца.

— Что случилось? Ты ее разлюбил?

Он достал сигарету, глубоко затянулся и выпустил пар в потолочный свод.

— Нет. Я безумно любил ее и не мыслил своей жизни без нее. Все случилось как в плохом анекдоте. Однажды я плохо почувствовал себя на работе, взял отгул и вернулся домой пораньше. В моей постели моя собственная жена кувыркалась с каким-то дохлым дегенератом.

Он прищурился и вновь затянулся.

— У меня и сейчас перед глазами картина, — Вадим откинул голову и выпустил струю дыма вверх. — Моя жена закинула свои ноги на его тощие плечи и постанывала как последняя сучка. А он, пыхтя и сопя, запихивал в нее свой член.

— Мне очень жаль.

— А мне нет. Ума не приложу, как я раньше не видел, какая она на самом деле. Видимо, слишком сильно ее любил. Ничего не хотел замечать. Я, честно говоря, очень страдал. Мне было стыдно за то, что я рогоносец, мне было больно за то, что меня бросила любимая женщина, еще больнее было от того, что я все еще любил ее и не мог забыть. Было чувство, что меня просто поюзали. Но все прошло. Так что валяй, что стряслось? Твоя подружка случайно не такая же?

— Ее зовут Лиана, — начал я.

Я рассказал нашу с Лианой историю. Рассказал про солнечную Грузию, наши беззаботные летние каникулы, счастливое начало этой любви, про смелую юную Лиану, про рухнувшие мечты о совместной жизни в Лондоне, про ее вечную тревогу и слезы, про упреки и обвинения. Про то, какой теперь стала Лиана.

— Я так больше не могу. И не знаю, как быть. Я не могу оставить Лиану. Но и быть с ней я больше тоже не могу. Мне нужна передышка. Я решил улететь в Лондон на следующие выходные и встретиться с друзьями. Я хочу привести свои мысли в порядок. Разумеется, она закатила скандал. Я был не в силах оставаться дома. Сначала я прогуливался по району, а затем написал тебе. Вот и вся история.

Я посмотрела на Вадима.

— Так поехали?

— Что? — недоуменно переспросил я.

— Поехали в Лондон. Я, конечно, не психолог и вряд ли тебе что-то посоветую, но развеять тоску и устроить отличный уикенд — в моих силах.

— Ну-у-у-у, — неуверенно протянул я. — Я планировал остановиться у друга и...

— Остановимся в отеле. Не парься, я возьму номер. Давай съездим вместе, оторвемся по полной. Проветришь мозги, решишь, как жить дальше. И не парься ни о чем.

Я не нашел ни одной причины отказаться.

## Глава 46. Ноябрь 2008 год. Лондон

Мы остановились в фешенебельном пятизвездочном отеле в самом сердце Сити. Номер был огромный, в стиле 20—30-х годов с роскошной мебелью и витражными предметами декора. Персонал был услужлив, вежлив и обходителен. Все здесь делалось для того, чтобы вы чувствовали себя исключительным гостем.

— Зачем ты взял такой номер? Мы же будем здесь только спать, — удивился я.

— Люблю спать с комфортом, — ответил Вадим без тени иронии.

Так вот что значит комфорт в его представлении. Да, это явно не маленькая квартирка на окраине с матрасом из «Икеи».

В Лондон мы прилетели поздно вечером, и, несмотря на все мои протесты и желание выспаться, Вадим вытащил меня из номера.

— Эй приятель, выспишься на пенсии. У нас тут всего три ночи. Не хочу терять ни минуты. Нас ждут клубы Лондона! Так что иди в душ, переодевайся и будь готов выходить через 15 минут.

— Но сегодня же четверг.

— А ты думаешь, клубы закрыты?

Я ничего не думал, я хотел спать. Но вместо этого мы отправились в клуб. Я не звонил друзьям — с ними мы должны были встретиться только завтра.

Это была безумная ночь. Мы пили, общались, танцевали, знакомились и снова пили. Какие-то девчонки оказались за нашим столом, и Вадим заказал «Дом Периньон». Официанты вынесли наше шампанское с гигантскими искрящимися бенгальскими огнями под громкую музыку из «Звездных войн» так, что весь клуб глазел на нас. Мне нравилось все, что происходило вокруг, я чувствовал себя на своем месте. Нравился блеск клуба, бурлящее шампанское, внимание красивых девушек, их короткие юбки, громкая музыка, взгляды окружающих. И я не чувствовал ни малейшего угрызения совести за то, что был здесь.

На рассвете мы вернулись в отель. Абсолютно без сил, но в пьяном веселье я завалился на кровать прямо в одежде и сразу уснул.

На следующий день мы встали только к обеду. Голова гудела, но чувствовал я себя просто прекрасно и был в отличном расположении духа. Мы поплавали в огромном бассейне отеля, посетили сауну, поели и привели себя в порядок. К семи часам мы уже были в ресторане и ждали моих друзей на ужин.

Я был очень рад всех видеть. Было ощущение, что прошло не полгода с нашей последней встречи — прошла целая жизнь. Они все сидели передо мной за столом, а мне казалось, что все они из какой-то другой жизни, не из той, какой я жил теперь. Патрик и Мариэль теперь учились в магистратуре, Бердиа — на третьем курсе колледжа. Они наперебой рассказывали мне об учебе и теннисных тренировках, сообщали последние новости из жизни общих знакомых, рассказывали о веселых вечеринках и интересных мероприятиях, делились планами на будущее. Я слушал, радовался и … не мог оторвать глаз от Мариэль. Она была невероятно красива. Казалось, в ней что-то изменилось. Что-то легкое, неуловимое. Она стала выглядеть более элегантно. Ее светлые волосы легкими локонами ниспадали на плечи, легкий макияж подчеркивал естественную красоту, платье ее было струящимся, закрытым и лишь чуть полупрозрачным. Держалась она естественно и искренне, уверенно и непринужденно. В каждом ее движении была мягкость, плавность и какая-то животная сексуальность. Или мне так только казалось?

После ужина мы отправились в клуб. Там к нам присоединились еще приятели из колледжа. Мы расположились у большого столика с мягкими диванами, заказали напитки и фрукты. Вокруг гремела музыка, сверкали лучи стробоскопов, девушки танцевали, а мы пили и веселились. Жизнь была полна эмоций, красоты и легкости. Я чувствовал, что с каждой прожитой минутой как будто оживаю.

Неожиданно Вадим прокричал мне в ухо:

— Будешь кокс?

— Что? — мне показалось, я ослышался.

— Твои приятели, — он указал на пару моих бывших однокурсников, с которыми мы раньше по воскресеньям играли в гольф, — принесли с собой пару граммов. Отойдем в туалет?

Я остолбенел. Я и подумать не мог, что кто-то из моего окружения употреблял наркотики. Отношение мое к наркотикам было крайне негативным, а потому это не укладывалось у меня в голове. Я отказался. Часть парней и девчонок удалились, и я с радостью отметил, что ни Бердиа, ни Мариэль среди них не было.

Я стоял с бокалом в руке у нашего столика, когда ко мне подошла Мариэль.

— Не хочешь подышать воздухом?

— Пойдем.

Мы вышли на улицу. Тихие звуки ночного города, свежий холодный воздух и моросящий дождь были как будто другой реальностью, не похожей на ту, что разворачивалась в клубе.

— Очень душно, — пояснила Мариэль. — Мне захотелось немного проветриться.

— Хорошая идея.

— Ты выглядишь счастливым.

— Ты тоже.

— Я? — она усмехнулась. — Ну, пусть так.

— А это не так? — поинтересовался я, исподтишка разглядывая ее. Под воздушной легкой одеждой Мариэль вырисовывалась высокая упругая грудь и красивая линия бедер.

— Так-то оно так, все и правда хорошо. С учебой все прекрасно, планирую летом отправиться на стажировку в PwC[1]. Дома у родителей тоже все хорошо, нет повода беспокоиться. Даже обыгрываю Патрика в теннис, — она засмеялась.

— Но?..

— Да нет никаких «но». Все так, — грустно улыбнулась она мне. — Ну а ты?

— А я ужасно скучаю по вас, по Лондону.

[1]  PwC — Pricewaterhousecoopers. Международная сеть компаний, предлагающих услуги в области консалтинга и аудита. Входит в так называемую большую четверку аудиторских компаний.

— Так зачем ты уехал? Еще не поздно вернуться. Ты можешь поступить на следующий год в магистратуру и продолжить обучение.

— Возможно, мой отъезд был ошибкой. Возможно, мое решение не было таким уж верным. А почему ты не привела с собой своего парня? — как можно более естественно и безразлично поинтересовался я.

— У меня его нет, — глядя вперед на ночной Лондон, тихо ответила Мариэль.

Мне вдруг представилось, а что будет, если я сейчас прямо здесь ее поцелую? Виски во мне говорило, что это не такая уж это и плохая идея, а остатки здравого рассудка кричали мне: «Даже не думай!»

Она медленно повернула голову в мою сторону и посмотрела мне прямо в глаза. Она не улыбалась.

Я облизнул кончиком языка пересохшие губы. Немного помедлил и…

— Холодно. Пойдем внутрь? — предложил я.

Она опустила глаза:

— Пойдем.

И мы вернулись в клуб.


Следующий день был похож на предыдущий. Снова развлечения, снова друзья, снова клуб и выпивка. Счет за стол второй день подряд закрывал Вадим. Мы спорили и возражали, но он говорил, что хочет сделать приятно своим новым друзьям. После долгих споров в конце концов он тайком оплачивал счет на кассе. Уже под утро, сидя в такси по пути в отель, я, абсолютно пьяный, уставший и счастливый, спросил Вадима:

— Я хочу жить так же. Скажи, что надо делать, чтобы жить вот так, как ты?

— Это все мой дополнительный доход, — глядя в окно, лениво отозвался Вадим.

— Что это за доход? Когда ты мне уже наконец расскажешь? Я хочу иметь такой же доход.

Вадим вдруг как будто бы протрезвел. Или он и не был так пьян как казалось?

— Я расскажу тебе. Но ты пообещаешь молчать. И даже если никогда не захочешь участвовать — ты обещаешь молчать что бы ни случилось. Идет?

— Идет, — без раздумий ответил я. — Так откуда это все?

Было ли все это спланировано? Эта поездка, то, как он вошел в доверие ко мне, наши посиделки в «Моллис» на Рубинштейна или же это было случайное и удобное стечение обстоятельств? Я еще долго думал об этом потом, уже после трагедии, когда пытался для себя найти причины и распутать клубок событий, приведших к ужасной развязке.

## Глава 47. Конец 2008 года. Санкт-Петербург

В Питере на меня вновь навалилась серая будничность дней. Я просыпался, завтракал, шел на работу, возвращался поздним вечером, ложился спать. Все шло своим чередом, но теперь мне все это казалось скучным, пресным, невыносимым. Наша с Лианой квартирка больше не казалась мне уютной. После Лондона, после пары ночей, проведенных в шикарном отеле, пары ужинов в хороших ресторанах и пары дней на лондонских улицах, она стала казаться мне отвратительной, безвкусной и тесной. Я стал замечать налет на водопроводных кранах, рыжие въевшиеся в эмаль подтеки на ванне, обои, отошедшие от стены, облупившуюся и осыпавшуюся штукатурку в оконном проеме, бросавшуюся в глаза дешевизну нашей мебели. Мне вдруг показалось бессмысленным мое пребывание здесь.

Действительно, что я здесь делаю? Я больше не питал иллюзий насчет нашей с Лианой жизни. Лиана не будет спокойнее. Я должен смириться с постоянными ссорами, слезами и упреками. От этих мыслей мне становилось так тяжело, как будто мне был вынесен пожизненный приговор. Нет, мы не были женаты, но я не мог оставить Лиану, и я это понимал. Моя честь не позволит мне оставить ее. Быть с ней — мой долг.

Тогда на смену одним иллюзиям пришли другие. Я начал думать о том, что если буду хотя бы раз в пару месяцев улетать один в Лондон, оставляя все это позади, забывая обо всем, то мы с Лианой еще сможем быть счастливы вместе. Я думал, что за пару дней в Лондоне буду наедаться той альтернативной жизнью, которую я не выбрал, и тогда я смогу выносить серость питерской действительности. Эта мысль не давала мне покоя, она была словно навязчивая идея. Но все упиралось в деньги.

Вадиму я не ответил ни да ни нет на его предложение. Я внимательно выслушал его, насколько это было возможно в ту ночь — я был невозможно пьян, и ответил, что еще обдумаю эту мысль и вернусь к нему с ответом. Вадим сказал, что конечно же не торопит. А потом, помолчав, добавил: «Но ты же знаешь, свято место пусто не бывает. Если не ты, то мне придется найти кого-то еще». И я знал, что бесконечно он ждать не будет. Мне не хотелось принимать его предложение, не хотелось во все это впутываться. Я думал, что сумею заработать другим способом.

Я вновь начал искать работу. Было очевидно, что в банке я не продвинусь быстро. Я ходил по собеседованиям, встречался с людьми, обращался за советом к знакомым. Идти работать к отцу я категорически не хотел — ресторанный бизнес и автосервисы меня не привлекали нисколько. Да и, по правде говоря, папа перестал предлагать мне работу. Он был очень доволен Вовой — маминым братом, который полностью взял на себя управление автосервисами так, что ни папе, ни дяде Давиду не приходилось думать о них. Они получали отчеты с непомерно растущими цифрами прибыли и были рады тому, что кто-то еще, кроме них, способен самостоятельно работать.

Первое время после моей поездки в Лондон Лиана не устраивала ссор и не закатывала истерик. Но все изменилось, когда пришло время обсуждать наши планы на Новый год. Этот год был особенным для моей семьи: было принято решение всем вместе выехать в Альпы. Мой папа арендовал огромный восхитительный шале в Куршевеле и оплатил перелет для бабушки и дедушки. Арчи с родителями также прилетали на Новый год. А в шале по соседству разместилась семья Бердиа. В Грузию в тот год мы ехать не планировали.

— Карду, ты хочешь сказать, что Новый год мы не будем встречать вместе?

— Лиана, а что ты хочешь, чтобы я сказал своим родным? Обычно я прилетал в Грузию на семейный Новый год и повидаться с друзьями. Но абсолютно все едут в Куршевель. Как ты себе представляешь мой отказ?

— Мы могли бы поехать вместе с тобой в Куршевель, — возразила Лиана. — Почему ты не хочешь взять меня с собой?

— Ты прекрасно знаешь почему. Во-первых, ни твои, ни мои родные не знают, что мы пара, а во-вторых, мой отец оплачивает мою поездку. Новый год в Куршевеле мне не по карману.

— Так почему бы нам уже не сказать родным, что мы вместе? — она развернулась и зло посмотрела на меня.

— Но, Лиана, ты сама сказала, что твоя семья будет против, если они узнают, что мы живём вместе, пока не женаты.

— Так давай поженимся, Карду! Чего ты тянешь?

— Ты знаешь, что я хочу встать на ноги, я хочу, чтобы нам было на что отметить эту свадьбу.

— Ты твердишь одно и то же, неделю за неделей, месяц за месяцем, но ничего не меняется! Как ты планируешь встать на ноги, Карду? Зарабатывая 25 тысяч рублей в месяц в этом дурацком банке? О, не пойми меня неправильно, я не против банка. Мне нравится, что ты там работаешь, но мы оба понимаем, что для повышения придётся подождать не один год. Так почему бы тебе не попросить отца оплатить половину расходов на свадьбу, а вторую половину оплатит моя семья? В чём проблема?

Но проблема была не в самой свадьбе, а в том, что я не хотел жить вот так. Я не хотел иметь семью в крохотной скудной квартирке на окраине Питера, работать в банке, экономить на всём, не иметь возможности уехать отпуск, а однажды, придя домой из офиса, узнать, что твоя жена ко всему прочему ждёт и ребёнка. Не такую жизнь я себе представлял, не такую. А пока я не женат, я всё ещё мог отправиться с родителями в отпуск, провести его с семьёй на красивом курорте, где можно ни о чём не думать.

— Ты просто жалок, — зло и тихо сказала Лиана, не дождавшись от меня никакого ответа. Да я и сам это осознавал. Из всего этого надо было выбираться.

Новый год, как и следовало ожидать, мы провели не вместе. Лиана уехала к родителям в Батуми, я же отправился в Куршевель. К своей неожиданности в самолете я нос к носу столкнулся с Вадимом.

— Что ты тут делаешь? — опешил я, увидев его в салоне бизнес-класса прямо напротив моего кресла.

— Лечу на встречу зимней сказке в чудном курорте под названием Куршевель. Очень удивлен, что и ты тоже. Ты не говорил, что летишь в Альпы.

— Да и ты тоже, — все еще потрясённый неожиданной встречей произнес я.

— Ну, это мой стандартный маршрут на Новый год. Все друзья уже там, а я вот вылетаю в самый последний рабочий день. Дела, как ты понимаешь, — и он улыбнулся мне своей самой очаровательной и легкой улыбкой. — А где…

— А я лечу со своей семьей, — перебил я Вадима, не дав ему спросить про Лиану из опасений, что семья услышит. — Моя сестра Катя, папа Акакий Кардувич и мама Мария Николаевна. А это, — я указал на кресла за мной, — мой дядя Вова, его жена Таня, а вон тот юноша — мой племянник Егор. Знакомьтесь, это Вадим — мой коллега по банку. Мы вместе ездили в Лондон.

Моя родня бурно приветствовала Вадима, а папа даже пригласил к столу на Новый год — грузинское гостеприимство.

— С удовольствием, Акакий Кардувич, с удовольствием, — с улыбкой отозвался Вадим.

Мы с шумом рассаживались по местам. Кроме моей родни и Вадима, в бизнес-классе больше никого не было. Мы заняли почти все сиденья — осталось только два свободных. Наконец, когда все заняли свои кресла, а гул утих, я подсел к Вадиму.

— Отличная у тебя родня, — весело произнес он. — Я всерьез намерен встречать Новый год в вашем шале. Не терпится со всеми познакомиться.

— Не вздумай засматриваться на Катю. Она еще ребенок.

— Без обид, приятель, — усмехнулся Вадим. — Она не в моем вкусе. А Вова — это брат мамы, я так понимаю?

— Да.

В этот год папа и дядя Давид были очень довольны Вовой. Под его руководством прибыльность автосервисов стремительно росла. Он снял с них обоих абсолютно все рабочие задачи. Теперь вся их работа сводилась только к проверке отчетов, неожиданной нечастой инспекции автосервисов и получению прибыли. Вова сам занимался поиском клиентов и рекламой, подбором механиков и закупкой запчастей, выплатой зарплат — на нем было все. Папа и дядя Давид хотели отблагодарить его и выразить ему свою признательность за работу, а потому пригласили Вову и его семью в это новогоднее путешествие. Перелет, проживание, экипировку для лыж и даже инструктора на неделю полностью оплатили мой папа и дядя Давид, так как понимали, что, несмотря на достойную зарплату, Вова пока не мог позволить себе отпуск такого уровня.

— Как вообще дела, приятель? Мы не виделись уже пару недель. Мне кажется, я и на корпоративе-то тебя не видел.

Последние несколько недель мы правда не виделись с Вадимом. Я старался не попадаться ему на глаза, так как понимал, что Вадим ждет от меня ответа. Даже если это будет отказ, я должен был сказать ему об этом. А я был не готов. Я не готов был отказаться от такой заманчивой возможности, равно как и принять ее я также не мог, потому что боялся. Нет, не тюрьмы. Мне почему-то казалось, что даже если нас раскроют, то я не попаду в тюрьму. Мне казалось, со мной этого не случится точно. Боялся я переступать черту, нарушать закон. Сейчас я был молодым парнем с прекрасным образованием и связями, незапятнанной репутацией и кристально чистым прошлым. А что будет со мной, если я приму предложение? Я никогда прежде не был замешан в чем-то подобном, я не хотел становиться частью преступного мира и быть знакомым с кем-то из его обитателей. Вадиму я доверял: у меня не было оснований не доверять ему. Но что насчет остальных? Остальных участников процесса я не знал, а потому не был уверен, что на них можно положиться.

— У нас огромный банк. Я тоже не видел тебя на корпоративе, — попробовал я отшутиться в ответ.

— Да брось, — вдруг посерьезнел Вадим. — Ты не звонишь, не пишешь, как сквозь землю провалился. После Лондона мы ни разу не ходили в пятницу в «Моллис». В чем дело, выкладывай?

Я заколебался. Что мне ответить ему?

— Если ты больше не хочешь иметь со мной знакомство после всего, что узнал обо мне...

— Вадим, не неси ерунды, — перебил его я. — Мы оба знаем, что это не так. Я уважаю и ценю тебя.

— Тогда в чем дело?

Я начал что-то придумывать насчет Лианы, о том, что после Лондона она сама не своя, и чтобы ее не расстраивать, я решил пока не ходить по барам.

— Ага. И чтобы ее не расстраивать, ты летишь отдыхать со своей семьей, а не со своей подружкой. Почему ты не взял ее с собой?

— Наши семьи не знают, что мы живем вместе.

— Почему?

— У нас не принято жить до свадьбы.

— И как скоро у вас свадьба?

— Не знаю, Вадим, не знаю.

— Почему же ты не женишься на ней?

Потому что у меня не было денег на свадьбу. Вот почему. А еще потому, что я не хотел окончательно связывать себя пожизненными оковами. И потому еще, что не хотел сам принимать решение.

Вадим ничего не ответил, а только молча разглядывал меня. Я же чувствовал себя отвратительно от того, что врал Вадиму и врал, по всей видимости, не очень искусно. Мне казалось, он понимает, что дело в чем-то другом.

— Я хочу сначала встать на ноги, а уже потом — жениться, — ответил я, не глядя ему в глаза.

— Ясно, — через какое-то время ответил он, а я был благодарен Вадиму за то, что он не поднимал вопрос о своем предложении. — Где вы останавливаетесь в Куршевеле?

Выяснилось, что Вадим и двое его друзей расположились недалеко от нас с Бердиа. Все шале — наше, дяди Давида и Вадима — стояли в пешей доступности друг от друга.

— Вот так совпадение! — засмеялся Вадим и дружески похлопал меня по спине. — Зажжем? Ты хоть кататься-то умеешь?

Совпадение ли?

Тот Новый год был веселым. В новогоднюю ночь мы все собрались в нашем шале за большим ужином, приготовленном в одном из местных ресторанов и доставленных к нашему столу. Ночь была восхитительная: за окном под полной ярко-желтой луной разлапистыми хлопьями валил пушистый снег, темное небо было усыпано мириадами звезд, среди которых я отчетливо видел серебристую извилистую дымку-дорожку Млечного Пути, а острые вершины гор вырисовывались светлым силуэтом поверх темной ночи. То тут, то там слышны были хлопки и свист разрывающихся петард и фейерверков, повсюду мерцали новогодние огоньки и гирлянды. В доме стоял веселый гвалт, смех, играла музыка. Все были возбуждены, радостны, веселы, говорливы. Катя сидела возле бабушки Тинатин и дедушки Карду, рядом с ними был и Бердиа. Все четверо о чем-то оживленно болтали. Папа и дядя Вова стояли вместе с Вадимом. По всему было видно, что у них идет очень оживленная беседа: говорил Вадим, дядя и папа внимательно слушали и иногда что-то вставляли. Удивительно, что общего они могли найти и что обсуждали? Дядя Давид отдавал последние распоряжения по поводу стола, а его жена непринужденно болтала с женой дяди Вовы.

Я поискал глазами Арчи. Он сидел один в мягком уютном кресле у самой елки. На коленях его лежал плед, в руке был бокал вина. Арчи смотрел куда-то в самый центр толпы, но я не мог понять, на кого он смотрит. Он замер, и, казалось, ни один мускул его не шевелится. Я наполнил свой бокал и двинулся к нему.

— Кого ты там разглядываешь?

Арчи медленно перевел на меня взгляд, и я даже вздрогнул — такие печальные были у него глаза. Они, словно два осколка льда посреди жаркой пустыни, так не подходили к этому вечеру, так выделялись.

— Все в порядке? — уже тише спросил я, присаживаясь на подлокотник его кресла.

— Конечно, — ответил Арчи, но не улыбнулся мне и не продолжил разговора.

Я не знал, остаться мне или уйти. Спросить что-то или молчать. Если бы между нами все было как раньше, если бы Арчи подпускал меня к себе и позволил бы себе открыться, я бы непременно спросил, что беспокоит его, о чем он тоскует. Я бы постарался утешить его, развеселить. Я бы крепко обнял его и не отпускал, пока он не придет в себя. Но Арчи больше не впускал меня в свое сердце. Мы сидели молча.

Через какое-то время Арчи спросил:

— Вы ведь работаете с ним вместе, так, — кивнул он в сторону Вадима.

— Да. Я говорил тебе, он работает в продажах у нас в банке.

Арчи кивнул, соглашаясь:

— Да, говорил. А откуда он знает Бердиа?

— Мы как-то вместе летали в Лондон, там я их познакомил.

Арчи снова кивнул:

— Вы дружите?

— Да, Вадим — мой самый близкий друг, — я запнулся. Было странно произносить это здесь, сидя рядом с Арчи. Ведь, кажется, теперь Вадим занял его место в моей жизни.

— Ну, я имею в виду в Питере, — попробовал я смягчить свои слова. — Ты в Батуми, Бердиа в Лондоне. Никого не осталось из нашей компании рядом. Вот мы с ним и дружим.

И опять Арчи кивнул:

— Ты хорошо его знаешь?

— Достаточно. А что? Почему ты интересуешься?

— Ну вот я думаю о том, что мы сейчас все здесь. Собрались. будем отмечать Новый год. За окном прекрасные шале, стоимостью аренды на две недели как годовая зарплата твоего дяди Вовы. За наше шале заплатил твой папа. Билеты бизнес-классом, стоимостью как две зарплаты твоего дяди Вовы, мы правда купили сами. Ну, ты же знаешь, у отца все в порядке с бизнесом. Слава богу, за себя я пока сам в состоянии заплатить. Но, думаю, отец бы не потянул всю поездку сам, как не потянул бы и я, и Вова. А Вова — управляющий автосервисами. А не какой-то там менеджер по продажам, как твой друг Вадим...

— Руководитель отдела продаж, — поправил я брата. Да, буквально перед Новым годом Вадим получил повышение до руководителя одной из групп продаж. К своим новым полномочиям он должен был приступить с января.

— Ну пусть так, — снова кивнул Арчи в знак согласия. — Но вот он, руководитель отдела продаж в не самом крупном банке, прилетел бизнес-классом отдыхать в Куршевель с часами Tag

Heuer на руке. Тебе не кажется это странным? Твой дядя, зарабатывающий хорошие деньги, не смог бы быть здесь, если бы не дядя Акакий и дядя Давид, а вот он — пожалуйста.

— Говорят, у него шестизначные бонусы, — вспомнил я наш первый разговор с коллегой Настей о Вадиме.

— Говорят? — удивился Арчи. — То есть ты не знаешь?

— Ну а откуда же мне знать, сколько он получает?

Арчи внимательно на меня посмотрел:

— Он мне не нравится Карду. Будь с ним повнимательнее.

Меня вдруг разозлил этот его нравоучительный тон. С чего он взял, что может меня учить? Мы ровесники. Мы братья. Арчи не был мне отцом, старшим братом или товарищем. И этот поучительный тон, как будто он намного опытнее меня. Кто вообще давал ему право так со мной говорить?

— Думаешь, я сам не могу разобраться в том, с кем мне общаться? — резко ответил я.

— Я просто даю совет, — мирно произнес Арчи, явно не желавший развивать зарождавшуюся ссору.

— А с чего ты взял, что мне нужны советы? — я не готов был сдаваться просто так. Я хотел, чтобы он наконец произнес это. Чтобы он вслух сказал, что он успешнее меня, что даже пережив страшную травму и попрощавшись с мечтой, он все равно был сильно успешнее меня.

— Не нужны, так не нужны, — просто пожал плечами Арчи.

— А тебе не кажется, что к таким людям, наоборот, надо тянуться? Тебе не кажется, что у них можно поучиться вести бизнес? Он заключает многомиллионные сделки, а не учит детишек бить по груше, — я тут же пожалел, что сказал это. Я видел по глазам Арчи, что ему это было больно, видел, что задел его. — Прости Арчи. Прости. Я не знаю, что нашло на меня. Я не хотел...

— Все в порядке. Я понимаю. Пойдем лучше поболтаем с бабушкой и дедушкой. Смотри, вон они, налегают на закуски.

Так я вложил еще один камень в ту стену, которая медленно вырастала между мной и Арчи.

Но уже через несколько минут настроение мое вернулось к прежнему. Мне было так хорошо здесь, среди родных, близких, друзей. Мне было так приятно находиться среди всей этой красоты и роскоши. Вот так я мечтал жить. Вот к этому стремился.

Когда часы пробили двенадцать, каждый замер, закрыл глаза и подумал о своем. Я стоял и думал только о том, что хочу вот так прожить свою жизнь — в этой красоте, в этой атмосфере среди близких и любимых людей. О Лиане я в тот момент даже не вспомнил.

Арчи прикрыл глаза и подумал о том, что новый год непременно будет лучше, чем предыдущий. Он мечтал только о том, чтобы открыть еще одну школу и выиграть свои первые соревнования. А еще он думал о ней. Весь вечер он думал о ней. Пусть и ей будет хорошо в новом году.

Катя стояла, закрыв глаза и улыбаясь. Она загадывала желание: пусть Ика влюбится в нее. Он так нравился ей. Пусть же и она понравится ему. Пусть между ними что-то наконец произойдет. А еще, пусть мамочка и папочка будут здоровы. Пусть все беды обойдут их семью стороной.

Бердиа загадал успешную сдачу сессии. Он боялся не сдать и вылететь из «Империал». Пусть новый год принесет ему успех в учебе и сдачу экзаменов. Он так сильно хотел остаться в Лондоне. Пусть же все так и будет в новом году.

Акакий, отец Карду, просил у нового года только одного: пусть все будет так, как есть сейчас. Ему не надо больше. Вот бы и это удержать. Вот бы так было всегда. Только бы с бизнесом все было в порядке. Только бы семья была здорова. Он счастлив.

Мария, мама Карду, просила о том, чтобы Акакий снова смотрел на нее так, как смотрел когда-то в молодости. Чтобы их любовь вернулась, чтобы снова разгорелась страсть. Она просила о том, чтобы новый год разжег их отношения, огонь между ними. Еще она желала, чтобы тело ее вновь стало молодым и упругим, а лицо — красивым и свежим. А еще, пусть дети ее будут здоровы и счастливы. Пусть, наконец, Карду, найдет в себе силы признаться им, что живет с девушкой и пусть уже женится.

Дядя Давид загадал здоровья своей семье, счастья и успехов в учебе сыну, безбедной жизни для них всех в новом году. А еще, чтобы надвигавшийся кризис их все же обошел стороной.

Самый старший из семьи Курдиани — дедушка Карду — просил у нового года мира. Только бы не было войны.

А Вова, брат Марии, думал в эту минуту о том, что как бы он ни работал, он никогда не сможет оплатить своей семье такой отдых. Никогда не сможет дать такую жизнь жене и сыну, пока будет всего лишь наемным сотрудником. А как же он хотел дать им такую жизнь! Он не просил у нового года ничего. Он думал, как самому взять свое.

Вадим, закрыв глаза, мечтал о том, чтобы все оставалось вот так еще только один год. Всего один год, двенадцать месяцев. Этого достаточно. Потом он, наконец, сможет открыть свой бар или что-то еще. Всего только год спокойствия. И пусть никто ничего не узнает.

Когда наконец наступила первая минуты нового года, все зашумели, закричали, радостно поздравляли друг друга, жгли бенгальские огни, целовались и обнимались. Наступил 2009 год.

Две недели пролетели как один день. Мне было так хорошо и приятно в компании друзей и родных. И мне так не хотелось возвращаться в свою убогую тесную питерскую квартиру. Я больше не мог ее выносить ни минуты, ни дня.

Перед самым отъездом из Куршевеля я сказал Вадиму, что готов принять его предложение.

— Ты уверен? — внимательно и серьезно посмотрел на меня он.

— Как никогда, — весело улыбался я.

— Карду, назад дороги не будет.

— А я и не хочу назад. Вперед и только вперед, — я был весел, приятно возбужден новыми перспективами и уже рисовал себе невероятные картины моей будущей жизни. Я наконец смогу жениться на Лиане, смогу переехать вместе с ней в просторную квартиру на Невском, купить себе новенький «мерседес» и каждый месяц улетать на выходные в Лондон. О большем я и не мечтал.

## Глава 48. 2009 год. Санкт-Петербург

Схема Вадима была невероятно проста и от того гениальна. Вадим проводил клиента, который искал существенную сумму денег и никак не мог получить ее в банке под кредит в силу того, что не имел официального дохода или каких-то необходимых документов. Зачастую речь шла о многомиллионных кредитах, которые были нужны людям для открытия собственного бизнеса или удержания его на плаву. Найдя такого клиента, получившего отказы уже во многих банках до этого, Вадим предлагал ему решение. Он гарантировал, что поможет с документами за процент наличными от суммы кредита. Клиент всегда с радостью соглашался на такие условия, ведь мы были для него последней надеждой.

Схема работала просто. Вадим изготавливал для клиента поддельные документы, подтверждающие доход, «подтягивал» его под стандарты банка, затем «подбрасывал» лид одному из сотрудников своего отдела. Те закрывали сделку и переводили клиента мне. Моя задача была простая — принять документы и передать их Антону — сотруднику службы безопасности. Тут главным было, чтобы документы не попали в руки к любому другому сотруднику службы безопасности. Антон всегда неизменно выдавал положительное заключение по нужным документам. Клиент получал деньги, мы получали комиссию, банк получал нового заемщика, а значит — деньги. В этой схеме зарабатывали все. Казалось бы, что могло пойти не так?

Ничто и не шло не так. Мы работали слаженно, схема шла как по маслу. Находить клиентов было не просто, но Вадим прекрасно справлялся с этой задачей. Однажды я спросил, как ему удается распознать «нашего» клиента.

— Просто надо быть в нужном месте в нужный час. Все дело в правильных знакомствах.

Он забирал себе 40 % комиссии, мы с Антоном — по 30 %. Главным правилом было никогда ничего не обсуждать по телефону или в переписке. Обычно мы с Вадимом встречались по пятницам в «Моллис», где он передавал мне фамилию очередного клиента, написанную на белом листе бумаги. Помню, как боялся потерять такую бумажку и сразу старался заучить фамилию наизусть. В течение следующей недели я внимательно просматривал всех людей, приносивших мне пакеты документов, выискивая среди них того, чьи данные были нацарапаны раскосым почерком на листе бумаги в клеточку, лежавшем в моем кармане.

В первый месяц таких бумажек было всего три. Я ужасно нервничал, когда передавал документы, еще больше я нервничал, когда дело было сделано и я боялся быть пойманным. Однако все мои тревоги и переживания рассеялись уже в феврале, когда однажды вечером после тусовки в «Моллис» Вадим подвез меня до дома на своей машине и перед самым моим уходом протянул мне белый длинный конверт. Я сразу понял, что это. Я взял конверт и молча спрятал его во внутренний карман куртки.

— Даже не пересчитаешь? — ухмыльнулся Вадим.

— Пересчитаю дома. Спасибо, — буркнул я себе под нос и открыл дверь.

— Там сто десять тысяч рублей. Не густо, но сам понимаешь, январь — короткий месяц. Но будет больше, обещаю, — весело выкрикнул Вадим мне в спину.

Это было больше, чем моя зарплата за три месяца.


Вадим не обманул — клиентов становилось больше, а конверты — толще. Вскоре я начал находить в своем конверте по триста, а то и четыреста тысяч рублей. Что делать с такими деньгами, я не представлял, ведь при всем свалившемся на меня богатстве я не мог открыто демонстрировать его. В банке начались бы вопросы. Вопросы появились бы и у Лианы. Но жить как прежде я не мог и не хотел. В чем же тогда был смысл богатства, если ты не можешь получать от него удовольствие?

Лиане я сказал, что перевелся в отдел продаж, где стал получать больший доход и процент от сделок. Она конечно же поверила мне. Мы сняли новую просторную квартиру неподалеку от Исаакиевского собора, стали хорошо одеваться и ходить в рестораны. Я дарил ей подарки, она радовалась как ребенок и на какое-то время между нами все снова стало хорошо.

Но я не хотел прожигать эти деньги. Было очевидно, что долго так продолжаться не будет. Мне стоило подумать о том, чтобы открыть свой бизнес или удачно во что-то вложиться, чтобы поскорее обзавестись собственным доходом и не зависеть от Вадима и его клиентов, а главное, чтобы уйти из банка и перестать бояться разоблачения. Я начал откладывать небольшие суммы каждый месяц. Я переводил их в доллары и надежно прятал в родительской квартире. Я понимал, это не выход. Деньги хорошо бы перевести на счет в какой-нибудь европейский банк, но в какой? В каком банке Европы не будут спрашивать происхождение денег и в каком банке мне, не резиденту, позволят открыть счет? Мой мозг неустанно думал, искал комбинации и строил схемы. Я искал информацию, читал, анализировал. Я пытался найти решение.

Как-то раз мне позвонила мама.

— Карду, сынок, наша домработница нашла доллары. Папа сказал — это не его деньги, естественно, Катя сказала то же самое. Но они и не мои. Сынок, это ты оставил у нас?

Мое новое финансовое положение и растущий доход родителям я объяснил все тем же переходом в отдел продаж и хорошими бонусами.

— Да, мам, — не задумываясь ответил я. На такой случай у меня уже была готова легенда. — Не хотел оставлять на съемной квартире. Решил, что у вас надежнее.

— Что же ты не сказал нам? А если бы наша домработница была бы не такой честной и просто взяла бы эти деньги себе?

Это было бы печально.

— Карду, тебе стоит положить деньги в банк. Почему ты не сделал этого?

И на этот вопрос я заранее заготовил ответ:

— Мам, мне как-то страшно сейчас класть деньги в банк. Вдруг он обанкротится.

Это не было такой уж глупой отговоркой. В Америке вовсю бушевал кризис: крупнейшие банки страны закрывались, люди теряли свои сбережения, работу, страховку. Увеличилось даже количество самоубийств. Кризис ликвидности докатился и до нас: Центральный банк день за днем отзывал лицензии у второсортных банков. У банкоматов выстраивались длинные очереди — люди хотели снять деньги. Но если ты стоял в хвосте, то, скорее всего, оставался без денег: купюры в банкоматах стремительно кончались.

— Сбербанк не обанкротится.

— Да, но ты видела, какие там очереди у банкоматов? А если мне потребуются деньги и я не смогу их забрать?

— Карду, милый, все равно это надежнее, чем хранить деньги в квартире.

Но я не хотел хранить деньги в Сбербанке. Я понимал, что если вдруг меня разоблачат, то деньги станут неотъемлемым доказательством моей вины. Я не хотел подвергать себя такому риску.

— Мамуль, я подумаю об этом, правда. Я сегодня заскочу за деньгами.

— Хорошо. Папы, наверно, не будет — он обычно совсем поздно возвращается. Катя тоже предупредила, что уйдет к подружке заниматься. А я приготовлю твои любимые голубцы, и мы отлично поужинаем вместе.

— Спасибо, мам. Целую, до встречи.

Мне вдруг сделалось грустно за маму. Выходит, она все чаще ужинает в одиночестве. Как, должно быть, ей одиноко, как тоскливо и скучно. Я пообещал себе чаще наведываться в родительскую квартиру.

Деньги было решено перевести в Лондон. У меня все еще был открыт счет, на который я мог переводить деньги. Чтобы не оставлять следов переводов в России, я решил вылетать в Лондон с максимально разрешенной суммой денег для провоза через границу и переводить деньги на счет уже на месте. Ближайшую поездку я запланировал на следующей неделе.

— Карду, поедем вместе, — настаивала Лиана.

— Я уже объяснил, у меня есть дела. Я поеду один.

С тех пор как я стал получать свой процент в деле Вадима, наши отношения с Лианой существенно улучшились и мы почти перестали ссориться. Однако поездку в Лондон она так оставить не могла.

— В чем дело, Карду? Почему тебе непременно надо лететь одному? Чем я помешаю тебе?

— Я лечу по делам. Сколько раз мне повторять? Все. Я не собираюсь это больше обсуждать.

— А я собираюсь! Ты обещал жениться на мне, когда встанешь на ноги. Вот ты встал! Но что-то я не вижу кольца у себя на пальце. А теперь еще ты летишь в Лондон. К кому? Кого ты хочешь там увидеть? — я видел, что Лиана находится на грани очередной истерики, а потому злился еще сильнее. Я не выносил ее истерик.

— Что тебя больше интересует: к кому я собираюсь лететь или почему мы не женаты?

Она готова была расплакаться, и вместо того, чтобы успокоить, я произнес:

— Вот именно поэтому мы не женаты. Из-за твоих бесконечных истерик.

Я провоцировал ее. Я мог бы все сгладить, но не стал.

Лиана подскочила на месте, схватила стеклянную вазочку, стоявшую тут же на журнальном столике, и со всей силы швырнула ей в меня. Я увернулся. Ваза ударилась стену и разлетелась на тысячи осколков.

— Ты в своем уме? — заорал я.

Она была вне себя от бешенства. Я видел, как Лиана начинает задыхаться.

— Когда мы поженимся? — закричала она. — Когда? Я спрашиваю тебя: когда?!

Это было невыносимо, я не мог это терпеть. Я хотел уйти, но она перегородила мне дорогу к двери.

— Ну уж нет. Ты никуда не пойдешь, пока не ответишь. Я хочу знать. Когда?

Она стояла прямо передо мной. Красное от злости и слез лицо, растрепанные волосы, упавшая с плеча бретелька топа. Глаза почернели и намокли. От нее пахло металлом и потом. Она нависала надо мной, лишала воздуха. Она была мне противна. Надо во что бы то ни стало сейчас оказаться подальше! Где угодно — только не здесь. Я схватил ее за руки, со всей силы швырнул на диван и, даже не обернувшись, вышел из квартиры. До моих ушей доносились ее страшные рыдания.

Как только я очутился на улице, то почувствовал себя лучше. Холодная питерская ночь остудила кипевшие эмоции, успокоила гнев. Все это — кричащая Лиана, ее истерика, слезы словно остались в каком-то другом мире, мире, до того отталкивающем и неприятном, что мне захотелось никогда больше не быть его частью.

## Глава 49. 2009 год. Санкт-Петербург

Стакан ударился о кафель и разлетелся вдребезги. За ним еще один. И еще. Лиана с яростью швыряла посуду на пол, вкладывая всю свою злость и бешенство в эти движения. Она ненавидела себя, проклинала, была готова уничтожить. Она и только она виновата во всем, что происходит с ними. Это ее поведение отталкивает Карду, это из-за нее они все еще не женаты. Она закричала изо всех сил, так громко, что, казалось, ее можно было услышать даже на улице. Она кричала до тех пор, пока голос ее не застрял в пересохшем горле. Она закашлялась. Ну почему, почему она никогда не может просто смолчать? Просто спокойно все обсудить. Хотя, с другой стороны, если бы он любил ее, разве захотел бы он уехать один? Верно, не захотел бы! Он просто не любит ее. Не любит и никогда не любил. Он скрывает ото всех, что они встречаются, что живут вместе. Не говорит даже собственным родителям. Он никогда так и не женится на ней. От жалости к себе Лиана снова зарыдала сильнее прежнего.

А вдруг он ушел навсегда? Что будет она делать, если он никогда больше не вернется к ней? Вдруг это абсолютный конец? Лиана снова закричала, да так, что горло пронзила острая боль. Голос совсем осип. В диком животном отчаянии она начала колотить руками о стену. Она все сама разрушила! Она всегда и во всем виновата сама. Как он любил ее, как стремился к ней раньше. Ее упреки, ее слезы, ее постоянная тревога убили все его эмоции. Ну как же ей теперь вернуть все чувства? Только бы он простил ее на этот раз, только еще один раз. Она никогда больше не повторит ошибки, никогда больше не оступится.

Лиана набрала его номер. Занято.

Она выждала пять минут и набрала еще раз. Гудки. Но он не взял. «Милый, возьми же трубку, я извинюсь, я скажу, как люблю тебя, только бы ты вернулся домой, вернулся ко мне. Прошу возьми трубку», — думала Лиана. Но телефон продолжал посылать ей в ухо пустые безучастные к мольбам гудки. Рыдания Лианы набирали силы. Это не был простой плач, это были судорожные истерические всхлипы. Все ее тело билось словно в конвульсиях. Подобно дикому зверю она металась по квартире, ища и натягивая на себя вещи. Она оделась наскоро и, все еще сжимая в руках телефон и пытаясь дозвониться до Карду, выбежала из подъезда. Третий звонок — нет ответа. Четвёртый — нет ответа.

Едва попадая мокрыми в слезах пальцами, она набрала СМС: «Карду, возьми трубку, прошу тебя».

Прочел. Не отвечает. Но он же не мог далеко уйти? Сколько прошло? Минут пятнадцать? Двадцать? Она озиралась по сторонам: несмотря на позднее время, было людно. Лиана пробежала до конца улицы, попутно продолжая раз за разом набирать его номер. Затем она остановилась, набрала сообщение:

«Немедленно возьми трубку! Слышишь?! Сейчас же!»

Прочел, но ответа снова не последовало.

Не стесняясь прохожих и ни о чем больше не думая, Лиана взвыла и заплакала в голос. Она развернулась и побежала по другой улице. Но и тут его не нашла. Она набирала его телефон в шестнадцатый, двадцатый, тридцатый раз. Она строчила одно сообщение за другим. Весь ее мир сузился до одной-единственной задачи — услышать его здесь и сейчас. Казалось, мозг не разрешал ей думать и анализировать, чтобы избежать боли от ссоры, боли от того, что с ними стало, и от того, как он обошелся с ней. Казалось, так ее мозг спасает от душераздирающих эмоций, которые рвали сердце на части.

Поняв, что уже не найдет его, Лиана двинулась домой. Она снова бежала — ведь он мог уже вернуться. Ей не терпелось как можно скорее увидеть, услышать его и понять, что никуда он не ушел и что у нее еще будет шанс все исправить. Не помня себя от тревоги, она вбежала по лестнице наверх, распахнула дверь квартиры в надежде увидеть Карду, но… Но квартира была пуста. Она не могла найти себе места от ужаса и страха. Она снова набрала его — но не сумела дозвониться. Теперь ее телефон был заблокирован. Лиана забилась в страшной истерике. Она плакала, кричала, рыдала, вновь и вновь тщетно пыталась писать и звонить ему. Все это продолжалось много часов, а Карду все никак не приходил. Наконец, силы совсем покинули ее и она поняла, что он не придет.

Она дошла до ванны и, не глядя в зеркало, чтобы не увидеть свое страшное, нечеловеческое лицо, умылась холодной водой и насухо вытерла лицо полотенцем. Ей захотелось вдруг смыть с себя эту ночь, эту ссору, все это. Она залезла под душ и долго-долго стояла там, не шевелясь. Она чувствовала, как струи воды стекают по ее шее, спине, ногам, унося с собой все негативные, все черные эмоции этого дня.

Когда она вышла из ванны, ее показалось, что все это произошло не с ней. Что это не она била посуду, не она металась по улицам, не она без конца набирала его номер. Лиана убрала в квартире, открыла телефон и удалила все те ужасные и стыдные сообщения, что Карду еще не успел прочесть, и легла спать.

Завтра будет новый день.


## Глава 50. 2009 год. Санкт-Петербург

Я взял такси и отправился к Вадиму. Я не знал, дома он или нет, но ехать в бар мне не хотелось, как не хотелось и бродить по улицам. Мой телефон разрывался от звонков и сообщений. Но я не брал трубку, так как не хотел поощрять Лиану и ее неумение контролировать себя. Я знал, что, ответив на звонок, смогу ее успокоить. Но мне хотелось, чтобы она научилась успокаиваться сама. А кроме того, я все еще был зол на нее. На тридцатый звонок я заблокировал ее номер.

Но вдруг телефон снова подал мне сигнал о поступившем сообщении. «Как же так, я же только что заблокировал ее номер», — с раздражением подумал я, доставая телефон из кармана. Но это оказалась не Лиана. Это был Арчи. Обычное «Привет, как дела», ничего больше. Но почему-то все это казалось мне странным. В последнее время Арчи все чаще писал мне, все чаще звонил.

Когда мы разговаривали, он неизменно сводил разговор к моим планам насчет Лианы, к моему отношению к ней. Я не мог объяснить почему, но все эти разговоры мне ужасно не нравились, раздражали. Мне казалось, что он как будто подглядывает за нашей жизнью, как будто является третьим незримым героем моей жизни. Он заходил на мою территорию, и я не был этому рад.

«Привет. Все отлично, как сам?» — ответил я в твердом намерении не отвечать на дальнейшие сообщения сегодня. В конце концов, время было уже позднее. Я поставил телефон на беззвучный режим, расплатился с таксистом и вошел в парадную.

На удивление, Вадим оказался у себя.

— Приятель, что ты тут делаешь? Ты на часы смотрел? — поприветствовал он меня.

— А ты занят?

— Не особо, проходи. Что стряслось у тебя? Снова поругался с подружкой?

Я молча прошел в просторную светлую квартиру с высоченными потолками, широкими подоконниками и дорогой мебелью.

— Что-нибудь выпьешь? — поинтересовался Вадим из глубины кухни.

— А что у тебя есть?

— Есть виски, вино, пиво, водка.

— Водка? — удивился я.

— Сам не знаю откуда. Не спрашивай, — отмахнулся мой друг. — Так что?

— Давай пива.

— О, значит, дела не так уж и плохи, — он подмигнул мне и кинул холодную жестяную баночку мне в руки.

— Значит, не так уж и плохи, — согласился я, ловя пиво на лету.

— Поссорились?

— Что-то вроде того. Все как обычно.

— Ясно. Хочешь поговорить об этом?

— Ну уж нет. Не за тем я пришел к тебе. Просто хочу немного отвлечься. Хочу немного «нормальности».

— О'кей, тогда у меня есть для тебя новость.

Я насторожился. Последнее время новости мне не нравились.

— Расслабься, — засмеялся Вадим. — Все в порядке. Просто я открываю свой бар.

— Бар? — удивился я. — Я и не знал, что ты планируешь. Почему именно бар?

— Не знаю. Мне просто всегда хотелось иметь свой бар. Я так и видел себя всегда стоящим за барной стойкой своего бара, протирающим бокалы, готовящим коктейли для красивых девчонок. Вечеринки каждый вечер. Каждый вечер праздник и хорошее настроение. Такой вот легкий, но прибыльный бизнес. В общем. Я уже подобрал помещение, заключил договор аренды. Со следующей недели приступаю к ремонту.

— Ну, я поздравляю тебя! За прибыльность и успех твоего начинания, — мы чокнулись банками.

Вадим в деталях рассказал мне о том, какой выбрал дизайн и концепцию, что будет в меню и какие ди-джеи будут у него играть. Он с упоением описывал мне фееричную вечеринку, посвященную открытию бара. Столько жизни в нем было, когда он все это мне рассказывал. Он горел этой идеей.

— Я назову его «Луч».

— Почему «Луч»?

— Луч света в темном царстве Вадима, — рассмеялся друг. — Ну, потому что коротко, емко, стильно и оригинально. Мне кажется, это подходящее название.

— Ты подсчитал, когда бар начнет окупаться?

— Да. Примерно через полгода.

— Полгода? Ты шутишь? Ты уверен в этом? Мне кажется, полгода — это слишком оптимистично. А какие вложения?

Я знал, что за полгода бар не окупится. Знал наверняка, ведь у моего отца и дяди Давида был ресторанный бизнес.

— Послушай, приятель, я абсолютно все рассчитал. И потом, даже если он не будет окупаться в ближайший год — я смогу это пережить, пока у нас есть наша небольшая подработка, — и он весело мне подмигнул.

А наша подработка, к слову сказать, с каждым месяцем только росла. В России развернулся настоящий кризис, оставивший многих без наличности и средств для дальнейшего ведения бизнеса. Кто-то закрывался, и ему нужно было выплатить долги, кто-то рассчитывал выжить при помощи кредита, кто-то находил все это благоприятной возможностью и желал открыть свое дело в условиях, пока все конкуренты терпят крах. Так или иначе, клиентов у нас становилось все больше. Этому способствовали и сами банки: как только началась первая волна кризиса, они все поголовно пересмотрели так называемый профиль риска и ужесточили требования для выдачи новых кредитов, чтобы обезопасить себя. Нам все это было только на руку.

Домой я вернулся под утро. Лиана уже спала в нашей кровати. Я замер, наблюдая за ней. Лиана с каждым годом становилась все красивее, все ярче и сексуальнее. Другие люди видели в ней уверенную в себе молодую женщину, способную одним взмахом черных пушистых ресниц, одним движением бедра, одной полуулыбкой покорить сердце мужчины. Ее фигура была невероятно соблазнительной. Но вот что странно, чем красивее она была снаружи, тем менее привлекательной она становилась внутри. Нет, дело не в том, что она была неинтересна, глупа или необразованна. Интеллекта у нее было не занимать. А ее истории всегда были интересными и увлекательными, она обладала прекрасным чувством юмора. Казалось, не было в мире более совершенной девушки, чем она, — в ней было все, природа ничем не обидела ее. Но не было в ней только одного, самого главного, того, что делает девушку магнетически притягательной и волшебной — в ней не было любви к себе, уважения. Она всегда болезненно искала признания, искала подтверждения моей к ней любви, подтверждения других людей в том, что она представляет собой ценность для них. Она с жадностью наркомана, выпрашивающего дозу, требовала внимания, похвалы, комплимента. Она зависела от чужого мнения. Уже давно я понял, что я для нее — земля под ногами, твердая почва, которая помогает ей почувствовать себя живой, желанной, нужной. И пока все видели в ней неземное, недоступное существо, я наблюдал женщину, не знающую себе цену, женщину до того неуверенную в себе, что это отвращало. Я чувствовал, как угасает мое желание к ней. Вот сейчас она лежала напротив меня, такая красивая, такая волнующая. Изгиб ее бедер, талия, черные волосы, разметанные по подушке, грудь с двумя острыми сосками. Ей бы потянуться, окинуть меня соблазнительным взглядом, слегка прищурив глаза, облизать губы, бросить мне что-то презрительно высокомерное, упрекнуть меня в том, что не был дома почти всю ночь. Наконец, если она недовольна моими отъездами — встать, собрать вещи и уйти. Я бы побежал за ней, я бы вернул. Я хотел бы и старался бы быть ее достоин. Я бы свернул для нее горы. Но...

Лиана пошевелились, просыпаясь. Она слегка приоткрыла глаза и заметила меня.

— Милый, ты пришел... Прости меня. Прости меня за все, ладно? Я больше никогда-никогда так не буду. Только прости меня. Ты мне так нужен...Я все сделаю для тебя.

А ведь так было не всегда. Или я просто никогда не видел этого, потому что не хотел видеть?


Шли месяцы. Наши ссоры возобновились и стали настолько частыми, насколько часто я отправлялся в Лондон. Я не мог ей назвать истинную причину поездки, так как признаваться в мошенничестве, в которое был замешан, было выше моих сил. И в отсутствии информации Лиана придумала свою картину мира. Естественно, она предположила самое худшее — измену. Она прочно уверовала в существование у меня любовницы. Настолько прочно, что, казалось, ничто не могло ее разубедить. Несмотря на это, я по-прежнему не желал брать Лиану в Лондон. Мне сложно объяснить причину этого поступка. Я просто чувствовал, что Лондон — это совсем другая жизнь, другая часть меня, и я не хотел пускать туда Лиану. Мне казалось, она осквернит это место. Что-то должно было остаться нетронутым, что-то должно было остаться только моим. Мои поездки в Лондон были частыми, но в то же время короткими. Иногда я даже не виделся с друзьями. Когда же я все-таки оставался на совместные ужины, обеды или прогулки, то старался избегать Мариэль, так как боялся соблазна. Я боялся не устоять, а изменять Лиане я считал недостойным себя. Лиана была моим осознанным выбором, я понимал и принимал весь уровень ответственности за этот выбор. Я уважал его и не хотел терять уважение к себе. Странным во всем этом было только то, что Лиана не хотела видеть и упорно не видела эту мою позицию. Зная меня с самых детских лет, во многих самых разных ситуациях, она все равно до конца не понимала, что я не оставлю ее. А потому закатывала мне такие сцены, от которых мне становилось дурно.

В один из таких дней, когда у нас возникла очередная ссора, а я был больше не в состоянии все это выносить, я просто сказал ей:

— Прошу, хватит. Ты не оставляешь мне места для маневра. Ты не оставляешь мне возможности сделать все так, как хочу я сам. Поэтому получай то, что хочешь взять силой — мы поженимся следующим летом.

— Почему не этим? — был первый вопрос Лианы.

Я был в шоке. Я только что дал ей то, чего она так желала, и все равно она была недовольна. Она ответила так, как будто я снова не оправдал ее надежд. Секунду назад я предложил ей пожениться, но ни слова радости, ни знака, ничего!

— Ты можешь быть просто счастлива? — раздраженно спросил я.

— Могу. Но сначала я хочу знать, почему мы не поженимся в этом году.

Правда состояла в том, что я хотел создавать семью осознанно и ответственно. А входить в семейные отношения, будучи простым мошенником и имея доход со своей, не совсем чистой и честной активности, было безответственно. К тому же я понимал, что мое положение, мои финансы, а значит, и будущее моей семьи в руках у Вадима. Нет, я не сомневался в нем: он был хорошим другом и человеком. Но случись что с ним или с его способностью приводить клиентов, и я снова стану банковским клерком, офисным планктоном, не способным оплатить эту роскошную квартиру для себя и своей будущей жены. Что уж говорить о детях! Я должен был как можно скорее найти хорошее применение своим деньгам, я должен был придумать, как удачно инвестировать их во что-то, чтобы иметь свой белый законный и независимый ни от кого доход. Но как все это объяснить Лиане?

— Лиана, свадьба — большое событие. Она бывает раз в жизни. Ты знаешь, я не откладывал деньги, — начал было я, но она тут же прервала меня.

— Какая ерунда. Твой отец все равно все оплатит, а вторую половину оплатят мои родители. В чем проблема?

— В том, что я не хочу делать свадьбу за счет своих родителей. Это, во-первых. А, во-вторых, мой доход зависит полностью от комиссии с продаж, от банка, от настроения начальника, в конце концов. А я хочу открыть свой бизнес или вложиться куда-то. Прежде чем заводить семью, жену, детей, я бы хотел иметь свой высокий независимый доход. Понимаешь?

Лиана притихла и внимательно на меня смотрела. Наконец, она сказала:

— Понимаю, Карду. Да, конечно, ты абсолютно прав, — она немного помолчала. — А ... А ты уже знаешь, чем хочешь заниматься?

— Еще нет, — произнес я и тут же подумал, что мне уже так много лет, я уже не ребенок, не подросток, а взрослый мужчина, но я все еще не представляю, чем буду заниматься в жизни. — Но я активно ищу.

— А ты не хочешь вложиться в школы Арчи?

## Глава 51. 2009 год. Батуми

После военного конфликта с Осетией и Россией, как и следовало ожидать, экономика Грузии находилась в рецессии, даже несмотря на поддержку западных стран. Помимо общего падения ВВП произошел серьезный отток туристов, что напрямую ударило по доходам родителей воспитанников школ Арчи. Многие были вынуждены забрать детишек из спортшкол. Когда родители самых талантливых детей сообщили Арчи о своем намерении временно прекратить занятия, Арчи понял, что необходимо что-то предпринимать. Он по-прежнему рассчитывал на открытие еще одной спортивной школы в этом году, а также на победу в крупных соревнованиях. Для победы нужны были спортсмены, а для новой школы — деньги. Кроме того, в его планы входило привлечение одного-двух тренеров с большой репутацией международного значения и опытом воспитания олимпийских чемпионов. А это уже — совсем другой уровень инвестиций.

Идея для удержания и привлечения перспективных спортсменов пришла сама собой. Арчи решил учредить стипендию по тхеквондо, гимнастике и борьбе для самого лучшего ученика в трех возрастных категориях. Стипендия предполагала полностью бесплатное обучение на год, а также покрытие школой всех необходимых расходов на соревнования и, экипировку, в этот год. Арчи не просто лишался части дохода, но и, наоборот, вкладывал свои собственные средства в этих ребятишек. Однако взамен он получал девять лучших спортсменов города под свое крыло. Инициатива эта встретила необычайный отклик среди родителей и детей: желающих принять участие в соревнованиях и пройти отбор было поистине огромное количество. Но и соревнования с целью отбора учеников требовали немалых вложений.

К весне Арчи осознал, что ни его накоплений, ни прибыли теперь недостаточно для открытия новой школы. Ему отчаянно требовались средства для расширения. Он задавал себе вопрос: а стоит ли расширяться сейчас, когда грузинская экономика переживает спад? И сам себе отвечал на этот вопрос: «Я делаю правильное дело. Я делаю полезное дело. Оно, несомненно, принесет свои плоды в будущем. Я обязан рискнуть». Но одно дело — принять решение и взять на себя финансовые риски, а другое — найти средства. Об участии финансов отца не могло идти и речи — Арчи хотел самостоятельно всего добиться. Он хотел показать отцу, что чего-то стоит и вне футбола. Для него почему-то было принципиально важно справиться и добиться колоссального успеха без поддержки отца, чтобы однажды увидеть одобрение в его глазах, гордость и уважение. А еще, чтобы знать, что он никому ничем не обязан.

Искать средства среди знакомых было плохой идеей. Арчи прекрасно понимал, что о его разговорах с людьми станет известно, поползут слухи о том, что у школ проблемы с финансированием, и это может оттолкнуть тех детей, чьи состоятельные родители ищут хороших и проверенный тренеров для своих детей, мечтая однажды увидеть их на Олимпиаде.

Тогда Арчи в голову пришла одна идея. Он долго и детально обдумывал ее, прежде чем набрать номер Лианы.

— Привет, Лиана! Как жизнь?

— Арчи, рада слышать тебя. У меня все хорошо. Как ты, дорогой мой?

— С Божьей помощью, с Божьей помощью. Весь в делах и заботах. Что у тебя нового? Карду еще не решился наконец объявить о ваших отношениях и жениться?

— Ох, Арчи, не сыпь мне соль на рану. Твой брат, наверно, никогда на это не решится. По правде говоря, — она запнулась, словно набираясь смелости. — По правде говоря, Арчи, я думаю, он больше этого не хочет.

— Вот те раз. Ты — потрясающая девушка. Мечта каждого здравомыслящего мужчины. Откуда такие идеи, Лиана?

Лиана помедлила с ответом.

— Ну-у-у-у, у нас с ним не все в порядке. Он часто задерживается на работе, меньше времени проводит со мной. Мне кажется, я перестала его привлекать...

— Лиана, брось! Как ты можешь перестать привлекать кого-то? Когда ты последний раз смотрела в зеркало?

— Ох, Арчи...пару дней назад Карду сказал мне, что едет в Лондон.

— И что с того? Он и раньше, кажется, ездил в Лондон без тебя.

— Но разве люди, находясь в отношениях, могут ездить друг без друга отдыхать?

— Я не знаю, Лиана. У каждого, по-своему. Но одно могу сказать точно: я знаю брата. Он человек чести и совести. Он никогда тебя не предаст и не сделает ничего такого, что унизило бы тебя. Или его.

Лиана молчала.

— Эй. Ты еще тут?

— Да, — после некоторого замешательства проговорила Лиана. — Прости, что я так вываливаю на тебя наши проблемы. Ну, а ты как? Как твои школы?

— Брось, Лиана, — отозвался Арчи. — Друзья для того и есть, чтобы обсуждать и облегчать душу. Я никогда не забуду, как ты помогла мне выбраться из депрессии после расставания с Тиной. Я никогда не забуду твой совет... Помнишь, что ты сказала мне тогда?

— Да, помню, — тихо отозвалась Лиана, и Арчи даже по телефону смог почувствовать, что она улыбается.

— Ты сказала...

— Нет! — вскрикнула Лиана, останавливая его. — Эти слова ты еще произнесешь. Но позже. Помнишь?

— Помню, — теперь уже улыбался Арчи.

— Вот и все. Время придет. Так как дела с твоими школами?

— Ты знаешь, а ведь я и звоню тебе по этому поводу...

И Арчи рассказал Лиане свою идею. А идея эта была проста и незамысловата. Он хотел предложить Иосифу Табидзе — знаменитому писателю и сценаристу Грузии — долю в своем проекте в обмен на денежные инвестиции и имя. Арчи не сомневался, что имя такого талантливого человека принесет больше клиентов его школам, упрочит его репутацию и, конечно, позитивно скажется на имидже самого Иосифа. А кроме того, но об этом он умолчал, его деньги позволят Арчи реализовать все задуманное на этот год. От Лианы же требовалось просто подготовить почву, рассказать отцу про проект и помочь Арчи уговорить Иосифа на участие.

Лиана внимательно выслушала все аргументы Арчи, а затем тихо сказала:

— Послушай. Я никогда и никому не говорила об этом. Ты будешь первым и, я надеюсь, единственным, кто об этом узнает. Я говорю тебе это, не чтобы объяснить мой отказ, а чтобы...Чтобы ты действительно знал.

Она остановилась, словно переводя дыхание.

— У моей семьи больше нет денег, — она остановилась в ожидании реакции Арчи, но ее не последовало. — У нас больше совсем нет денег. Моя семья находится в бедственном положении.

Лиана объяснила, что в последние несколько лет родители потеряли много денег, но не вдавалась в подробности. Из ее рассказа он понял, что ее семья живет на скромную зарплату Наны — мамы Лианы. Арчи было бесконечно жаль Лиану, ее семью, но еще больше ему было жаль себя и свои несбывшиеся надежды. Ну что ж. Вероятно, расширение откладывалось еще на несколько лет. Не впервой ему расставаться с мечтами — переживем.

Каково же было удивление Арчи, когда через несколько месяцев после этого телефонного разговора ему пришла СМС от Карду:

«Привет, Арчи. Лиана сказала, ты ищешь партнера. Поговорим?»

Лучшего подарка судьбы Арчи и не мог ждать. Карду стал бы идеальным партнером для него. Он моментально набрал номер брата.

## Глава 52. 2018 год. Батуми

Мне было сложно войти в дом бабушки Тинатин. Но как только я переступил порог, все мои страхи моментально исчезли. Я снова был в этом доме, доме моего детства, юности, в доме, где я был так счастлив как никогда после. Мы снова собрались всей семьей за одним большим столом на террасе: я, мои родители, Катя — невеста, которая уже после завтра станет женой Ики, тетя Аня, сам Арчи и бабушка Тинатин. Дедушки больше не было с нами. Не было и дяди Михаила — отца Арчи. Да и мы все так изменились. Мы больше не были одной большой дружной семьей.

Во время ужина мне позвонил Бердиа. Я не взял. Тогда Бердиа позвонил еще несколько раз.

«Что-то срочное?» — написал я ему СМС.

«Достаточно срочное. Это насчет сделки по отелю».

Я закатил глаза. Серьезно? Я сижу в Батуми, впервые спустя столько лет после трагедии, я готовлюсь наконец поговорить с Арчи и, возможно, даже простить его. Неужели эта сделка не может подождать?

«Бердиа, ты серьезно?»

«Да, черт тебя дери!»

Я вздохнул, извинился перед родными и вышел из-за стола. Оставшись один, я набрал Бердиа.

— Господи, да что же ты хочешь от меня? — начал я наш разговор.

— Карду, ты помнишь Надю?

Надя. Еще бы мне ее не помнить. Безответная любовь Бердиа и по совместительству — чья-то содержанка.

— Да. Ты позвонил мне для этого? Проверить мою память?

— У нее есть приятель, который знаком с нашим потенциальным покупателем, — игнорируя мои колкости, продолжил Бердиа. — Так вот, он говорит, что наш покупатель банкрот. Он не просто тянет время, он не собирается покупать объект. Наша сделка не состоится.

Я застонал. Денег у нас больше нет, а теперь и не будет еще долгое время. Поиск нового покупателя займет месяцы. Строить новый объект, вкладывать в бизнес, да и просто жить нам теперь было абсолютно не на что.

— Ты же понимаешь, что у нас совсем не осталось денег? И я не знаю, где их взять, — заметил я.

— Когда мы с тобой начали заниматься недвижимостью, у нас не было почти ничего. Но мы же где-то нашли деньги.

Я не стал объяснять Бердиа, как мы нашли эти деньги и что это были за деньги. Сейчас не время рассказывать о моем прошлом. Но факт оставался фактом — мы терпели крушение и надо было срочно найти выход.

— Хорошо. Я что-нибудь обязательно придумаю. А ты бы поторопился лететь в Грузию. Позволь напомнить, что свадьба уже завтра и моя сестра никогда не простит тебе, если ты не увидишь ее в свадебном платье.

Мы распрощались, и я вернулся на террасу. Ужин уже был закончен, и за столом остались только Арчи и мой отец. Они весело и оживленно беседовали. Когда я подошел, разговоры смолкли. Я пристально посмотрел на Арчи. Мне было сложно говорить: язык словно прилип к небу. Но я понимал — пришло время все понять, все принять и простить. Пересиливая себя, я произнес:

— Арчи, я бы хотел поговорить с тобой наедине. Ты не хочешь прогуляться в саду?

Они оба уставились на меня.

# Глава 53. 2010 год

Нам с Вадимом было очевидно, что придуманная схема заработка была не вечной и что рано или поздно придется все это прекратить. И лучше раньше, чем позже. А потому мы почти одновременно начали заниматься созданием параллельного источника дохода. Он открыл «Луч», который, по его мнению, должен был вскоре стать самым модным баром среди золотой молодежи, а я стал равноправным партнером Арчи, вложив в его бизнес крупную сумму денег и обязавшись продолжить инвестиции в течение следующих шести месяцев. Я прогнозировал неплохой доход в будущем — через пару лет. А главное, этот доход будет абсолютно независим от сомнительных сделок и позволит мне покинуть банк.

Я был на седьмом небе от счастья. Казалось, такое развитие событий было самым наилучшим из всех возможных. Я становился партнером брата, пусть и только финансовым. Но даже несмотря на то, что я не буду принимать участие в ежедневной работе школ, я надеялся, что снова смогу сблизиться с братом.

Жизнь неожиданно увеличила скорость. Я не успевал наблюдать за сменой событий, за новыми обстоятельствами и за сумасшедшими переменами, происходящими вокруг меня и моей семьи. Арчи строил по-настоящему большую компанию, с такой правильной и честной идеологией, с такими большими и светлыми целями. Я был частью его истории и невероятно этим гордился. Мы с Арчи стали чаще общаться. Между тем Вадим все свое свободное время проводил в баре, поначалу занимаясь ремонтом и отделом помещения, а затем и работая в нем. Днем он работал в банке, вечером и по выходным — в баре. Встречались мы теперь редко и все чаще для простой передачи мне новой фамилии, впечатанной черными чернилами, и мятого клочка бумажки. Я скучал по другу, мне не хватало его.

Но времени на тоску у меня не оставалось: мы с Лианой наконец объявили родным о помолвке и предстоящей свадьбе. Пожениться мы собирались 10 августа. На удивление, ни одна из семей не пришла в восторг. Мой папа настолько прохладно отреагировал на данную новость, что мне стало не по себе. Но когда он в третий раз спросил, хорошо ли я подумал и окончательное ли это решение, мама вступилась за меня:

— Ика, дорогой, Лиана хорошая девочка. Разве ты не помнишь, как хорошо они все вместе дружат? Они с Арчи и Карду, с Бердиа, Ираклием и Катей проводили каждое лето в Батуми.

А эта чудесная затея с фруктами? Это же была ее идея. Она добрая и светлая девочка. Карду, дорогой, я очень за тебя рада.

— Яблочко от яблоньки, — неодобрительно произнес отец. — Она все же дочь своего отца.

— Папа, что это значит, — спросил я. — Что ты хочешь мне сказать?

— Я хочу сказать, что тебе стоит хорошо подумать и присмотреться не только к Лиане, но и к ее отцу, семье.

— Но я женюсь не на ее отце, — искренне не понимал я.

— Верно. Но воспитание, характер и модель поведения закладываются в семье. Просто подумай.

— Боже, Акакий, — вступилась мама. — Перестань. Твой сын женится. Разве ты не счастлив? Ика, я вообще узнала твою семью за несколько месяцев до свадьбы!

Больше эта тема в моей семье не обсуждалась.

Своим родителям новость о свадьбе Лиана сообщала по отдельности. Незадолго до нашей помолвки Нана решила уйти от Иосифа. Мне казалось, Лиана смогла пережить развод родителей только потому, что уже готовилась к свадьбе. Только мысли о нашей женитьбе отвлекали ее от мрачных мыслей о своей семье, о том, в каком положении остался ее отец и что теперь будет с ними со всеми.

А в мире тем временем разворачивался настоящий кризис, который, казалось, затронул всех и каждого. Даже бизнес моего отца почувствовал изменения в экономике. Как-то за ужином я спросил у него, как идут дела, на что папа ответил:

— По правде говоря, я немного обеспокоен. И в ресторанах, и в сервисах у нас падение прибыли.

— Ну с ресторанами-то понятно. Люди меньше тратят деньги на развлечения. Но ведь для того вы и открыли сервис, чтобы снизить риски.

— Так-то оно так, но сервис страдает даже сильнее ресторанов.

— У людей перестали ломаться машины?

Отец только вздохнул и пожал плечами. Он рассказал, что вот уже несколько месяцев они наблюдают падение прибыли.

— А что говорит дядя Вова? — спросил я.

— Объясняет все подорожавшими запчастями, оттоком клиентов из-за кризиса и бог знает чем еще.

— А ты смотрел отчеты?

Отец строго посмотрел на меня:

— Сынок, не лезь не свое дело.

Тон, выражение лица, мимика и слова, резко брошенные мне в лицо, сильно задели меня. Он все еще видел во мне несмышленого ребенка, не способного на здравые мысли. Даже если бы прямо сейчас я проанализировал его отчеты, операционную деятельность, положение дел и выдал ему настоящую причину убытков — он только бы отмахнулся.

Я внимательно посмотрел на него. В последнее время отец стал раздражительным и импульсивным. Он сильно похудел — я объяснял это его новым пристрастием к спортзалу и бассейну. Отец стал много времени уделять своей фигуре и внешнему виду, сменил костюмы, прибавлявшие ему лет, на джинсы и пуловеры, завел новых приятелей на десятки лет моложе его и постоянно проводил вечера и ночи в своих ресторанах. Отец выглядел моложе и активнее, но вместе с тем болезненнее и изможденнее. Кожа его стала бледной и тонкой. На почти белом лице выделялись огромное темно-карие глаза, которые, казалось, стали еще больше, чем прежде, красный нос, сизые тени под глазами. Движения его стали резкими и порывистыми, а временами он, наоборот, словно погружался в сон и не реагировал на происходящее вокруг. Я вдруг подумал, что мы с отцом так отдалились друг от друга. Я совершенно не знал, чем он живет, о чем мечтает, чего боится. В последнее время я почти перестал интересоваться его жизнью. А после этих слов я перестал даже спрашивать о чем-либо.

И если дела моего отца просто ухудшились, то Вадим терпел настоящее крушение. В начале года он потерял те деньги, что вложил в акции. Рынки упали, и сбережения полностью обесценились, оставляя Вадима без подушки безопасности. Бар из инвестиции постепенно превратился в огромную черную дыру, засасывающую все большие ресурсы и ничего не возвращающую взамен. Он не просто не приносил денег и не окупал себя, но и требовал все новых денежных вливаний каждый месяц. Долги росли, и даже хороший доход Вадима уже не справлялся с ними. Я посоветовал другу избавиться от этого бара.

— Ты сошел с ума? Знаешь сколько я уже в него вложил?! Надо только немного продержаться, и прибыль придет.

Но прибыль не шла. Аренда, зарплаты и другие расходы продолжали требовать все новых средств. Вадим начал сильно пить и все чаще употреблял кокаин. Теперь уже не ради удовольствия на лихой волне кутежа в веселом угаре, а как лекарство от страха и беспокойства, как последнюю возможность почувствовать себя на вершине мира, почувствовать себя кем-то стоящим — успешным и победившим эту жалкую жизнь. Где был тот рубеж, за которым стираются грани реальности и когда Вадим его перешагнул? Где была черта, после которой все средства становятся хороши? Я не сразу заметил перемены — мы редко общались.

Тревогу я забил тогда, когда Вадим не вышел на работу в банк. Он никогда не позволял себе ничего подобного. На работе он был образцовым руководителем, дисциплинированным сотрудником. Вечером я направился в его роскошную квартиру на Невском, где застал друга грязного, неопрятного и пьяного, в одном белье посреди груды хлама, объедков, грязной посуды и горы опустошённых бутылок водки. На стеклянном журнальном столике я заметил остатки белого порошка. Вот только этого мне не хватало.

— Какого черта, Вадим!

Я прошел к столу, собрал остатки порошка и слил их в раковину.

— Нотации пришел мне читать, — с трудом произнес Вадим. — Пшел вон отсюда. Тебя мне тут еще не хватало.

Это было что-то новенькое.

— Вадим, я хочу помочь. Посмотри на себя. Что происходит с тобой?

— А тебя это вообще волнует?

Он был жалок и зол. Зол не на меня — на жизнь, на удачу, которую не успел схватить за хвост. На что-то еще, может быть. Но не на меня, я знал это. А вот чего я пока еще не знал, так этого того, что Вадим теперь, словно тонущий дайвер, был готов на все, лишь бы выплыть. И пусть даже ценой чужой жизни.

— Волнует. Чтобы выплыть, нужны силы. Приляг, поспи. Отдохни. Я вызову домработницу. Она приведет тут все в порядок.

Говоря это, я ходил по квартире и собирал все, что намекало на прием наркотиков. Не хватало еще, чтобы, протирая полы, домработница наткнулась на какую-нибудь дурь и вызвала полицию.

Осматривая квартиру, я мимолетно бросил:

— Вадим, тебе стоит продать бар.

— Много ты понимаешь в бизнесе, я посмотрю, — зарычал Вадим. — Что ты возомнил о себе? Я тебя спрашиваю?! — он уставился на меня воспаленными красными глазами. Говорить с ним сейчас было бесполезно, и я попробовал отмахнуться.

— Ничего, давай поговорим об этом завтра.

Но отмахнуться уже не вышло. Моя фраза сработала как триггер. Вадим уже завелся и распалял себя все больше, выплевывая горький яд мне в лицо.

— Нет, не завтра. Сейчас, — он громко икнул. — Твое место перекладывать бумажки. Что ты себе навоображал? Что ты великий бизнесмен? Ты никто без меня. Вот сиди и молча передавай папки куда надо, пока я не нашел тебе замену. И будь благодарен, что я не нашел эту самую замену!

Он приблизился ко мне почти вплотную. Я почувствовал запах его немытого тела.

— Ты, — он сильно ткнул меня пальцем в грудь, — никто. Понял?

Тут он качнулся и без сил рухнул на диван, а я стоял, не в силах пошевелиться. Да, Вадим был пьян. Но значит ли это, что на самом деле он так не думает обо мне? Как минимум в одном Вадим был прав — я тут же лишусь дохода, если он найдет мне замену. Я вдруг представил на секунду, что в конце этого месяца Вадим не привезет мне пухленький конвертик. Липкий холод пробежал у меня по спине.

На следующий день, придя в себя, Вадим не вспомнил нашего разговора. Он вообще не помнил, чтобы я заходил к нему и наводил порядок. Или он только так говорил, что не помнит? Но я, конечно, предпочел ему верить. Я хотел верить, что это был просто пьяный угар, ничего не значащий разговор, стертый из памяти трезвостью нового дня.

Подтверждения нашего продолжающегося союза не заставили себя ждать. Уже через несколько дней в «Моллис» я получил от него новую бумажку с данными клиента. Я с радостью принял ее, но, признаться честно, думал только о том, как скорее выпутаться из всего этого, как выйти из этой финансовой зависимости. По нашим с Арчи расчетам уже через год мы смогли бы получать стабильную прибыль. Пусть пока еще не такую большую, но достаточную для свободы. Всего год.

Но, с другой стороны, год — это очень много. За год много чего могло бы случиться. Нужно было думать, я должен был придумать что-то еще, откуда я смогу получать доход. Что-то честное и чистое, не запачканное мошенничеством. Я хотел избавиться от текущей истории, а пока моя задача была — принять клиента Вадима.

Когда же клиент пришел ко мне с документами, я не поверил собственным глазам. Передо мной стоял хорошо мне знакомый дядя Вова, в то время как фамилия, указанная в бумажке, и паспорт были зарегистрированы на некоего Козловского Антона Викторовича. Я никак не мог взять в толк, что здесь происходит. Судя по всему, дядя Вова был удивлен не менее, чем я. Он первый вышел из ступора и понял, что к чему:

— Так вот на чем ты разбогател, — усмехнулся он. — А я-то думал, ты работаешь в продаже кредитов, привлекаешь клиентов. А ты вот оказываешь *содействие* в получении кредитов.

Я потерял дар речи. Я не знал, что ответить. В моем мозгу проносились ужасные картины разоблачения перед семьей. Я не мог и представить, что мой отец, так гордившийся мной раньше, начнет стыдиться меня, что дядя Давид, который всегда ставил меня в пример своему сыну Бердиа, поймет вдруг, что я — далеко не пример для подражания. А моя мать? Она сгорит от стыда за меня. Все, абсолютно все поймут, что я жалкий обманщик и бесчестный мошенник. Семья отвернется от меня.

— Ай, ай, ай, — погрозил пальцем дядя Вова. — Но не переживай, я не расскажу твою маленькую тайну. Я ведь тоже не сказал твоим родителям, что собираюсь брать кредит. Не хочу их волновать. Так что, услуга за услугу.

Он подмигнул мне. На какой-то момент железные тиски, сдавившие мне горло, ослабили хватку. Я смог вдохнуть в легкие воздуха и, наконец, спросить.

— Дядя, зачем тебе кредит?

Он заколебался, как будто раздумывая, стоит ли мне говорить.

— Обещаешь никому не рассказывать? — вдруг совершенно серьезно сказал он. — Я облажался и заказал партию запчастей у непроверенного поставщика. У них была хорошая цена. Я хотел сэкономить. Не знаю, говорил ли тебе отец или нет, но сервисы и так находятся в непростом положении из-за кризиса. Клиентов стало меньше, цены на расходники — выше. Вот я и решил сэкономить. Но, как известно, бесплатный сыр бывает только в мышеловке. Это оказались мошенники — я недосмотрел. Деньги ушли. Слава богу, только часть предоплаты. Деталей нет. Ну я и решил покрыть расход из своего кармана. Денег у меня нет, поэтому пришлось взять кредит. Буду отдавать с зарплаты, что же делать.

— А почему на чужой паспорт?

— Я же сказал, не хочу беспокоить твоих родителей. Если твой отец или Давид узнают, что на мне есть кредит, то начнут сильно беспокоиться, предлагать помощь. А это моя ошибка, и я сам хочу понести все расходы и восполнить ущерб. Ну а кроме того, мне придется им рассказать про этот случай. А значит, они начнут сомневаться во мне. Мне бы этого не хотелось. Поэтому я решил всю ответственность взять на себя и самостоятельно расхлебывать заварившуюся кашу. Твой отец ни о чем не должен узнать. Ему не стоит беспокоиться еще и об этом. Я все улажу, а они с Давидом пусть поднимают рестораны. Там сейчас ситуация хуже.

Он помолчал, а затем добавил:

— Карду, ты можешь ни о чем не беспокоиться. Я никому не расскажу. Мне нет дела до того, кто как зарабатывает себе на жизнь. Кроме того, ничего плохого ты не делаешь. Наоборот, ты помогаешь людям решить их сложности и приносишь своему банку клиентов. Что в этом может быть плохого? Ты хороший парень.

Я поморщился от его слов, но ничего не ответил.

— Так ты передашь мои документы?

— Да, конечно.

— Вот и славно. Спасибо.

Уже перед самым уходом он вдруг обернулся и сказал:

— Услуга за услугу, Карду. Услуга за услугу.

У меня осталось склизкое, неприятное чувство. Я позвонил Вадиму и попросил увидеться с ним вечером.

Но ни вечером, ни на следующий день Вадим не приехал в «Моллис». Увиделись мы лишь спустя несколько дней.

— Вадим, последний клиент принес поддельный паспорт.

— Ну и?

Вадим был весь не похож на себя. Он сидел как на шарнирах, не мог удержаться на месте, то и дело оборачивался, тер нос, и безостановочно пил воду. Я посмотрел ему в глаза — зрачки были размером с монету.

— Ты под кайфом?

— Какое тебе дело? — огрызнулся Вадим. — В мамочки мне заделался?

— Вадим, что с тобой происходит? Твой бар идет ко дну, ты спиваешься и травишь себя дрянью, пропадаешь где-то неизвестно с кем, а еще подсовываешь мне клиентов с липовыми паспортами. Какого черта ты творишь со своей жизнью? И с моей тоже? Мы партнеры, забыл? Я должен знать, что происходит.

Он ухмыльнулся:

— А тебя не смутило, что в конце прошлого месяца ты получил почти в два раза больше, чем обычно?

— Я думал, суммы кредитов были выше, — попробовал оправдаться я.

Но это была полная чушь. Я прекрасно знал, что суммы кредитов не были выше обычного, ведь, получив такую большую сумму от Вадима, я на следующий же день поднял бумаги и сверился с суммами выданных кредитов. Тогда я подумал, что Вадим просто хочет загладить свою вину за тот разговор, который он якобы не помнил. А уж если быть совсем честным, я даже допускал, что Вадим просто обсчитался или что-то там перепутал. Но меня это не сильно волновало — мне нужны были наличные деньги для того, чтобы скинуть ярмо как можно скорее.

— Полная ерунда. Ты наверняка все пересчитал. Вот тогда ты не задавался вопросом, откуда деньги. Так с чего ты задумался о них сейчас?

И тут меня как громом поразило. Я вдруг все понял. Вадиму нужны деньги. Много денег. Много больше, чем мне, ведь он буквально тонет, идет ко дну. Пан или пропал. Обычными «нашими» клиентами он их заработать уже не мог. Он начал подыскивать тех, кто по той или иной причине брал кредит на чужой паспорт. Но… Разве была хоть какая-то нормальная причина, по которой ты возьмешь кредит на чужой паспорт? Причина была только одна — ты не собираешься отдавать этот кредит.

— Я на такое не подписывался. Вадим, это воровство. Это уже статья.

— А то, что мы делали раньше — не статья? Или ты думал, что случись что и ты расскажешь в дирекции сказочку о том, как хотел увеличить поток клиентов в банк? Действительно, никто же не страдал, мы просто выдавали больше кредитов. А они растрогаются, пустят слезу и отпустят нас? Не-е-е-ет, Кардушка, ты уже давно под статьей ходишь.

Я ударил ладонью о стол с такой силой, что посетители стали оборачиваться, а официанты встревоженно вглядывались в наш стол, словно пытаясь понять, стоит ли звать охрану или пока рано.

— Тише, тише, — неприятно заржал Вадим. — Посмотрите-ка на него, как рассвирепел. Зубки мне свои решил показать?

— Я не собираюсь в этом участвовать, — я вынул бумажку из кармана, бросил на стол перед Вадимом и собирался уходить. — Я этого делать больше не буду.

— Успокойся, малыш. Будешь. Еще как будешь, — что-то в его голосе заставило меня помедлить. — Присядь и послушай.

— Вот уже несколько лет в банке лежат поддельные документы о доходах «наших» клиентов. И если вдруг один из новых топ-менеджеров, ну, скажем, новый директор по продажам кредитных продуктов банка, — тут он сделал драматическую паузу. Совсем недавно Вадима повысили до этого звания. Он не просто зарабатывал на левых клиентах. Он еще и строил карьеру при помощи этих продаж, — так вот, если один из новоиспеченных директоров захочет выслужиться, а потому инициирует проверку подлинности документов, и вдруг — я говорю, абсолютно случайно! — обнаружит поддельные документы, то всем очевидна будет связь Карду—Антон. Ведь все клиенты проходили через абсолютно всех менеджеров продаж — новых и старых. Следов моего вмешательства не осталось. Даже почерк на твоих записульках — не мой.

Тут он остановился, облизнул губы, потер нос и опрокинул в себя стакан минеральной воды. А затем продолжил:

— Так вот. Следов моего участия в схеме нет. Зато есть твои следы. Так как абсолютно каждый из поддельных документов прошелся через твои руки. А знаешь, чьи еще следы есть на этих документах? Правильно! Безопасника. На каждом из этих документов стоит экспертиза и одобрение сотрудника службы безопасности — Козловского Антона Викторовича.

Меня прошибло током. Именно на этот паспорт недавно был выдан кредит моему дяде Вове. Я похолодел от страшной догадки.

— О, вижу, ты начинаешь смекать что к чему. Но погоди. Я поясню тебе весь расклад. Ты ведь не знаешь, что этот самый паспорт у нашего безопасника Антона пропал несколько дней назад. Он даже успел вчера написать заявление в полицию о краже. Но, как ты понимаешь, он не мог не узнать сегодня свой паспорт в руках нашего клиента. Да-да, это не был поддельный паспорт. Это был настоящий ворованный паспорт, данные по которому все еще числились действительными. Но наш безопасник Антон, в отличие от системы, четко знал — паспорт уже недействительный, потому что это его собственный паспорт. И, несмотря на это, он все же принял документы и даже, — тут Вадим поднял голос, чтобы подчеркнуть смысл сказанного. — Одобрил их. Чем не доказательство умысла? То же можно сказать и о тебе. Разве ты не узнал сегодня своего дядю? Разве не знал ты, что его зовут не Антон? Может, знай ты полное имя, фамилию и отчество нашего безопасника, ты бы еще насторожился. Но ты никогда не интересовался людьми вроде него. Тебя всегда тянуло к другим — к богатеньким и красивеньким людям, к роскошной жизни, дорогим вещам. Все, что тебя интересовало в жизни, — это пшик: блестки, мишура и бабло. Ты настолько сильно любишь бабло, что даже поняв, что передаешь поддельный паспорт, все равно сделал это.

Капкан захлопнулся. Вернее, он захлопнулся еще несколько дней назад, но увидел я это только сейчас. Мне хотелось ударить Вадима. Со всей силы, со всего духу, вложив в удар всю ту ненависть и отвращение, которые в этот момент чувствовал. Но не к нему — к себе. В кого я превратился? Что со мной стало? Мальчишка со светлыми соломенными волосами и распахнутыми голубыми глазами, мечтавший об успешном будущем, о победах, о счастливой и достойной жизни вдруг запутался в липкой паутине смертоносного паука. Или не вдруг? Или все это было закономерностью и единственным логичным выводом из серии последовательных неправильных выборов, сделанных мной по жизни? На каждом шагу, на каждой развилке я принимал решения. Каждый день, каждую минуту я совершал выбор. И даже не делая чего-то, не принимая решения — я все равно совершал выбор. Была ли моя текущая ситуация случайностью? Или к такому исходу меня подвел набор этих самых ежедневных выборов?

Но если тогда я думал, что упал на дно, то я сильно ошибался — настоящее дно было еще впереди. Осталось совсем не долго, и скоро я узнаю, до какой степени может опуститься человек. Как абсолютно нормальный хороший в общем понимании этого слова парень может предать все свои идеалы, перечеркнуть всю свою жизнь и пасть так низко, как он и представить себе не мог.

— Что с тобой стало, Вадим, — тихо произнес я. — Мы же были друзьями. Что же я сделал тебе?

— Друзьями? — он ухмыльнулся. Как же раньше я не замечал его этой мерзкой ухмылки. Ведь он всегда ухмылялся именно так. Даже в нашу первую встречу эта ухмылка была на его лице. Но тогда она казалась мне признаком уверенности и харизмы, а теперь — свидетельством подлого характера. — Мы никогда не были друзьями. Мы просто делали деньги, а попутно тусовались вместе. Не более того. Ты был нужен мне, а я — тебе. Не хочешь, кстати, сказать мне спасибо за все, что ты имеешь сейчас? Ведь все это — только благодаря мне.

— Какая же ты гниль, — тихо сказал я.

— Такая же, как и ты, — все так же ухмылялся Вадим. — Так вот тебе первая причина, по который ты не захочешь прекращать мне помогать, — это уголовный срок за мошенничество в особо крупном размере. Возможно, даже за воровство. Я, если честно, не силен в Уголовном кодексе, но, думаю, особо рьяный прокурор сможет верно квалифицировать твои преступления. Вторая причина, — это стыд и позор, которым заклеймит тебя твой гордый папаша, такой принципиальный грузинский мужчина и почетный отец семейства, для которого самое важное — это честь его семьи. А ты ее запятнал. Ну и третья, самая банальная причина, тебе все еще нужны бабки. Ты же все просрал, вложившись в эти жалкие школы своего братишки. А у тебя свадьба на носу, все дела. Как же тебе теперь зарабатывать на ваши с женушкой развлечения?

Я весь кипел. Я еле сдерживал себя от порыва вскочить и ударить его. Мои кулаки так и чесались. Он с ногами залез в мое семью. Он прошелся грязными сапогами с ошметками слякоти по самым сокровенным уголкам моей души.

— Ну, ничего, у тебя еще будет время подумать. Всего лишь шесть месяцев. Шесть месяцев с этого дня, и больше я ни о чем тебя не попрошу. Я подкоплю денег, вытяну бар, а ты как раз придумаешь, что тебе дальше делать по жизни. Договорились?

Он посмотрел на меня своими огромными кокаиновыми глазами.

— Я ведь расскажу, что во всем был замешан ты.

— Я? Потенциальный инициатор внутреннего расследования, которое вышло на тебя? Отличная версия, но где же доказательства?

Я молчал.

— Ну что, по рукам? Не волнуйся, в эти шесть месяцев денег будет существенно больше. Ну, если ты не в силах вымолвить не слова от радости, то хотя бы кивни.

Я молча кивнул. Еще один выбор.

— Вот и славно. Я найду способ, как теперь передавать тебе данные с именами безопасным для себя способом.

Он остановился на секунду. Моргнул. И как будто-то что-то слетело с него. Он мгновенно переменился, и мне показалось, что передо мной снова мой друг Вадим — человечный, готовый всегда поддержать, веселый и успешный. Мне на какую-то долю секунды показалось, что всего этого не было, все это — страшный сон. А на самом деле все как раньше хорошо. Мы просто добрые друзья, вместе делающие хорошие деньги. Он произнес, словно из прошлого:

— Карду, давай нормально доработаем эти шесть месяцев и не будем вставлять палки в колеса друг другу. Мы все еще можем остаться в нормальных отношениях. Ведь ничего страшного не произошло. Пока не произошло.

Он внимательно посмотрел мне в глаза, и я увидел, что он нуждался во мне и моем молчании так же, как я нуждался в нем и его молчании. Пелена прошлого развеялась.

Я встал со стула и вышел из бара, даже не попрощавшись.

## Глава 54. 2010 год

Лиана всегда была уверена, что счастье — это то, что случается с другими. И что ей точно не суждено быть счастливой. Она была уверена в этом так же, как многие верят в свою исключительность и в то, что в их жизни непременно все сложится самым наилучшим образом. Она и сама уже не помнила, когда вдруг в ней все переменилось. Ведь раньше, совсем давно, когда она была девочкой, и она, подобно другим, верила, что ни одного облачка не будет на небе ее жизни, что все будет так, как только она сама пожелает. Когда все пошло не так? Теперь она знала, что если сейчас в ее жизни все хорошо, то за этим обязательно последуют неприятности.

Так случилось и в этот год. Как только Карду перешел в отдел продаж, он стал получать бонусы. Их жизнь кардинально поменялась. Карду стал как будто счастливее. Сначала ей было горько наблюдать, что простые деньги делают его счастливее, чем могла бы сделать она. Лиана ревновала, и ревность ее была ужасно глупой — она ревновала к деньгам. Но затем Лиана начала получать удовольствие: удовольствие от радостного и легкого, теперь вечно улыбающегося Карду, удовольствие от этой уже давно забытой жизни, в которой не нужно считать деньги и нет необходимости отказывать себе в чем-либо. А ведь когда-то она именно так и жила. Тогда, когда ее семья еще была богата, а папа — знаменит.

Они с Карду переехали в прекрасную квартиру. Лиане казалось, что тут они точно не будут ругаться, ведь такая чистая и незапятнанная тут была энергетика. Они стали покупать дорогую одежду. Сначала немного, а затем все больше и больше. Приобрели хорошую машину, наняли домработницу, ужинали в ресторанах. Она наняла персонального тренера, стала частым гостем в салонах красоты и перестала брать учеников. Беспокоило ее только то, что Карду часто летал в Лондон. Но и это прошло, как только Карду решил с ее подачи вложить свои деньги в бизнес Арчи. Все было по-настоящему хорошо, и Лиана уже собиралась расслабиться, принять все как есть и просто наслаждаться жизнью, как вдруг...

— Дочка, я знаю, что было бы лучше поговорить обо всем лично. Но скоро Новый год, ты наверняка приедешь домой, навестить нас с папой... Я... я не хочу, чтобы это было неприятным сюрпризом.

— Мама, что случилось? — оборвала ее встревоженная Лиана. Господи, только бы с папой все было в порядке. Только бы ничего не было с его здоровьем.

— Я должна сказать тебе две очень важные вещи. Прошу, не перебивай и внимательно выслушай меня. Первое, и самое важное — твой папа начал сильно пить. Он и раньше пил, и пил часто. Но мы... мы старались скрывать это от тебя. Ты помнишь конечно же, что иногда папа, — она запнулась, как бы набираясь сил продолжить дальше. — Иногда он играл. И всегда проигрывал. Часто ему бывало сложно контролировать себя именно после проигрышей. Но теперь... Теперь он пьет совсем часто и без игры.

— Насколько часто? — спокойно спросила Лиана.

— Каждый день.

Боже мой. Как могла она этого не замечать? Почему, приезжая домой, не обращала внимания?

— Мама, может быть, стоит положить его в клинику.

Мама молчала. Почему она молчала?

— Лиана, я должна признаться тебе, что эта ситуация продолжается уже не первый год.

Не первый год? А сколько же лет это длилось? Значит, пока она была занята переживаниями своей жизни с Карду, обустройством первой квартиры, затем второй, в ее родной семье происходили ужасные перемены. Пока она думала о себе, ее отец погружался в зависимость.

— Твой отец не хочет ложиться в клинику, он говорит, у него нет проблем. Он кодировался. Два раза. И оба раза точно после срока кодировки он срывался и все начиналось сначала.

— Насколько все плохо?

— Все плохо, — спокойно и твердо ответила мама. — Пока он не возьмет себя в руки, все так и будет плохо. Нет, он пока еще не болен ничем серьезным. Нет, он не играет как прежде. По крайней мере я не замечала серьезных проблем тут. Но он постоянно пьян, постоянно угнетен и постоянно в депрессии. Он не хочет разговаривать со мной, не хочет выходить на улицу. Он запирается у себя в кабинете как прежде, и что уж он там делает — я не знаю. Говорит — пишет роман. А как по мне — так пьет и плачет. Никаких романов из-под его рук не выходило вот уже много лет. Ни романов, ни сценариев. У него просто нет больше дохода.

Лиана почувствовала раздражение в голосе матери, и ей вдруг стало неприятно, что она так холодно говорит об отце. Неужели ей его не жаль? Неужели она не понимает, как ему должно быть сейчас тяжело? Но мать продолжала:

— Я старалась. Я всегда старалась, ты знаешь. Сколько я себя помню, я все время только и думала о том, накормлен ли Иосиф, как себя чувствует Иосиф, пишет ли Иосиф, чистые ли рубашки у Иосифа, как справиться с долгом Иосифа. Я жила для него. Для вас, — поправилась она.

Лиана вдруг почувствовала, что тошнота подкатывает к горлу, и, прежде чем мама продолжила, Лиана уже знала, что та скажет.

— Но у меня больше нет сил. Лиана, это очень тяжело. Вся моя жизнь превратилась в один сплошной серый мрак, в котором нет ничего светлого, нет радости, нет счастья. Я подала на развод.

— На развод? А как же папа?

— Я буду присматривать за ним, конечно. Я буду давать ему деньги на жизнь. Если ему что-то потребуется — еда или простой уход, поговорить с кем-то, ну — все что угодно. Я приду и помогу. Но быть его женой я больше не могу.

— У тебя кто-то есть, — язык разбух и прилип к небу. Лиане было сложно произносить эти слова. Это был даже не вопрос.

Это было скорее утверждение. Еще несколько минут назад в ее жизни было все прекрасно и вот…

Нана помолчала, а затем тихо ответила:

— Да.

Этого Лиана себе никак не могла вообразить, хотя и знала, что все именно так и обстоит. Как же так? Как вообще это было возможно? Как возможно, чтобы у мамы был кто-то, кроме папы?

— Кто это? Я знаю его? — слова вылетели резче, чем ей бы того хотелось.

— Лиана, это не важно. Милая, я переезжаю от папы. Я буду жить без него. Я бы очень хотела, чтобы ты приезжала ко мне в гости…

Лиана не стала слушать. Она бросила трубку. Бросила и больше не поднимала. А на следующий день она улетела в Батуми. Она еще застала маму в их доме, но разговаривать с ней у нее не было сил. Она не могла даже смотреть матери в глаза.

Отец же казался нормальным. Ничто в нем не выдавало запойного алкоголика с первого взгляда. Но проведя в доме несколько дней, Лиана осознала, что мама права — он пьет и пьет беспробудно. Все время отец проводил в кабинете. По ночам оттуда доносились рыдания, но утром отец как ни в чем не бывало выходил к завтраку, который теперь готовил себе сам.

— На что же он будет жить? — спросила Лиана мать перед самым отъездом.

— Во-первых, у него есть сбережения. Кроме того, он все еще получает деньги с продаж своих книг. Деньги небольшие, но это регулярные отчисления. Он не будет нуждаться, но и шиковать, конечно, тоже не сможет. Главное, чтобы не играл. Во-вторых, как я и говорила тебе, я тоже буду регулярно помогать твоему отцу деньгами. Лиана, он ни в чем не будет нуждаться, я прослежу за этим.

Ни в чем не будет нуждаться? Как будто он собачка или кошечка. Как будто у него есть только физиологические потребности вроде еды и ухода. Как будто ее отцу не нужна любовь, теплота и ласка. Как будто он не достоин. Как будто не заслужил.

Они расстались с матерью холодно. Прощаться с отцом было невыносимо. Лиане казалось, что и она бросает его. Он остался совсем один. Тоска и жалость накрывали Лиану с головой. Сердце ныло и болело, но не вернуться в Питер она не могла. У нее уже была своя семья. И совсем скоро она станет женой.

Развод родителей стал тяжелым ударом. А спустя несколько месяцев за ним последовал еще один. Карду вдруг резко переменился. Ей было сложно сказать, что произошло. Все началось тогда, когда он неожиданно не пришел домой.

«Лиана, мне надо срочно уехать в Лондон. Прошу не переживай. Все хорошо, срочное дело. Я вернусь, как только смогу, скорее всего завтра. Люблю тебя», — вот и все, что она получила от него в тот вечер. Ужин уже стоял на столе и ждал Карду, но никто к нему так и не притронулся в этот день.

Все попытки дозвониться до Карду не принесли успеха — очевидно, самолет уже взлетел и связь была потеряна. Не брал Карду телефон и после. Он прилетел на следующий день, глубокой ночью. Он был сам не свой. Тревожный, мрачный, озадаченный — она никогда не видела его таким прежде. Она пыталась говорить с ним — он молчал. Пыталась устраивать сцены — он просто молча и осуждающе смотрел на нее. По взгляду этому Лиана поняла: случилось что-то серьезное, но она пока еще не знает что. Очевидно было лишь то, что жизнь снова стала нестабильной и тревожной.

А как же свадьба? Все ли хорошо, состоится ли свадьба? Почему-то она не решалась задать этот, самый волнующий ее, вопрос Карду. Она надеялась на лучшее, потому что знала, если 10 августа свадьбы не будет — ее не будет уже никогда. Но он молчал, и она продолжила готовиться к этому дню.

В мае она купила себе свадебное платье. Оно было неземной красоты. Платье было настолько прекрасно, что Лиана прослезилась, меряя его. Такой красивой, такой нежной и женственной оно делало ее. Такой заслуживающей любви! В этом платье она была идеальна. Конечно, сам этот день, выбор платья Лиана представляла себе не так. Еще девочкой она мечтала о дне, когда они с мамой пойдут вместе по свадебным магазинам. Они будут смотреть каждое платье, трогать его, изучать. Они вместе выберут несколько самых лучших, которые Лиана примерит. Она представляла, как выйдет из примерочной, а мама замрет в безмолвном восхищении. Она будет любоваться ей, своей маленькой девочкой, ставшей теперь уже совсем взрослой. Будет ей гордиться. Лиана так часто представляла себе эту картинку. Ей так сильно хотелось именно этого. А после, когда платье будет уже куплено, они вместе отправятся в ресторан и наедятся там сладких пирожных. Какая глупая детская наивная мечта. И при чем тут вообще пирожные?

Ни пирожных, ни совместных примерок не было. Лиана не могла теперь разделить эти приятные моменты с мамой. Она даже не была уверена, что сможет пригласить ее на свадьбу. Не пригласить маму было бы чудовищной жестокостью. Но как же ей простить мать за то, что она предала отца? Как вынести ее присутствие рядом с собой в самый радостной день в ее, Лианиной, жизни?

Она одна пошла по магазинам. Ни подружек, ни друзей, ни мамы — никого не было рядом. Сама выбрала себе свадебное платье — именно такое, о котором всегда и мечтала. Она сама его оплатила и поехала в кафе, где ее уже ждала девушка-флорист. Еще столько всего надо было выбрать к свадьбе! Они уже оплатили помещение, выбрали меню, составили список гостей. Но столько всего еще было впереди!

И тем не менее все складывалось вовсе не так, как должно было. Лиану не оставляло ощущение, что свадьба была нужна ей одной. Она одна к ней готовится, а мир словно и вовсе не замечает ее свадьбу. Мир живет так, как будто никакой свадьбы и вовсе не будет.

Вернувшись домой после встречи с флористом Лиана решила еще раз спокойно примерить свое платье, рассмотреть его, насладиться своей красотой, почувствовать себя невестой, понять, что все это — реально, что скоро она выйдет замуж. Ее мечта наконец осуществится. Она уже собиралась надеть платье, как вдруг раздался звонок в дверь. На пороге стоял Вадим.

— Привет, Лиана, удивлена? — как всегда, шикарно выглядит, как всегда, широкая улыбка, как всегда, обходителен.

— Ну что ты, — смущенно произнесла она. — Рада видеть. А Карду нет дома.

— Знаю. Поэтому я и здесь. Я войду?

Лиана заколебалась было, но затем пустила Вадима. Лиана знала, что Вадим и Карду не просто работают вместе, они дружат. Вадим часто бывал у них, а они — у него. Они вместе ходили в рестораны и много проводили времени вместе. Сейчас, правда, виделись они совсем редко. Она и не помнила, когда в последний раз. Карду говорил ей, что Вадим все время занят в баре и у него совершенно не остается ни на что время.

— Проходи. Будешь чай?

— Не откажусь.

— Жаль, что тебя не будет на свадьбе. Карду сказал, у тебя какие-то семейные обстоятельства. Ты улетаешь в этот день?

Лиана заметила, что лицо Вадима переменилось.

— Семейные обстоятельства? — то ли спросил, то ли засомневался Вадим. Лиана не могла понять, что это значит.

— Карду сказал мне, что тебя не будет, — смущенно ответила она.

— Да, — немного помедлив, отозвался Вадим. — Не будет. Мне тоже очень жаль, что пропускаю свадьбу лучшего друга.

Он ухмыльнулся и добавил:

— К огромному сожалению, мне придется уехать. О, что это, Лиана? — он вдруг подошел к платью. — Неужели самое сказочное платье самой очаровательной невесты?

Он весело подмигнул ей.

— Сколько комплиментов. Да, это оно, — рассмеялась Лиана.

— Ни за что не поверю, пока не увижу его на тебе.

— Брось, я не стану.

— Нет, нет, нет. Не принимаю твои возражения. Примерь его. Хочу увидеть его. Меня не будет на свадьбе, хотя бы посмотрю сейчас. Я же не жених: мне можно видеть твое платье до свадьбы.

Сама не зная отчего, Лиана вдруг поддалась желанию показаться в этом платье кому-то еще. Как будто так она делала свадьбу более реальной. Как будто заявляла этому миру: «Видишь, все реально. Люди знают о свадьбе, люди видят мое платье, видят меня в нем, а значит, свадьба точно будет».

— Погоди, я поставлю чай и померяю его. Подождешь меня тут, пока я переоденусь в спальне?

— Конечно. Не торопись.

Она оставила Вадима одного и вышла из комнаты.

Надев платье, Лиана почувствовала себе удивительно. Она закрыла глаза, представляя, как пойдет по проходу между рядами гостей к Карду. Как он будет смотреть на нее и улыбаться. Как подмигнет ей и тихонечко шепнет, что она невозможно красивая. Как, стоя друг напротив друга, на виду у всех, они будут смотреть друг другу в глаза. Как все вокруг станет сразу неважно: есть только он, есть только она. И они любят друг друга.

Она открыла глаза, провела рукой по белоснежной слегка просвечивающейся ткани и вышла к Вадиму. Он стоял у книжного шкафа.

— Что ты делаешь?

— Разглядываю ваши книги в ожидании принцессы.

Она заулыбалась. Ей нравилось видеть, какое впечатление она произвела на Вадима. Нравилось нравится ему. Он сделал ей целую кучу комплиментов. Оказалось, что Вадим пришел узнать, что подарить им на свадьбу.

— Но почему ты пришел? Мог бы просто позвонить, — удивилась Лиана.

— Ну, мы давно не виделись. Карду я вижу регулярно, а тебя — совсем больше нет. Разве это странно, что я захотел увидеть тебя? Так что мне подарить вам, Лиана?

Было все же в этом что-то странное. Но Лиана не стала думать об этом. Она стала заверять Вадима, что никакого подарка не надо, они и так ценят и любят его, но он настаивал, говорил, что не хочет дарить просто деньги. Лиана только отшучивалась в ответ. Уже уходя, он бросил:

— Лиана, я хочу сделать сюрприз Карду. Пожалуйста, не говори, что я приходил и спрашивал о подарке. Мне бы искренне хотелось удивить твоего будущего мужа.

— Конечно, не переживай.


## Глава 55. Июнь 2010 год

Ходить на работу стало невыносимо тяжело. Каждый день я сидел за своим столом и думал о том, что все должно быть смотрят на меня, им всем известно про мои грязные дела. Я всматривался в лица коллег, пытаясь отгадать, кто из них что-то уже знает о моем мошенничестве. Я все никак не мог сосредоточиться на работе. Меня одолевала тревога и беспокойство, казалось, надо мной вот-вот захлопнется крышка и я окажусь в западне, из которой уже не будут выхода. Несколько недель, а может, даже и месяцев я не виделся с родителями: и, хотя мы жили в одном городе, я придумывал и придумывал оправдания, только бы не показываться им на глаза. Мне казалось, увидев меня, они все поймут. По правде говоря, и родителя не настаивали на встрече: мама говорила, что отец все время пропадает на работе, так как дела у них теперь идут совсем не важно. А мне некогда было думать об этом. Я был рад возможности выиграть время, пока все не образуется.

В голову лезли мысли о побеге. Наплевать на все, собрать вещи и вместе с Лианой уехать в Лондон, где никто меня не достанет. Что тогда? Но это, конечно, было совершенно несбыточно — у Лианы и визы-то нет, а получать ее придется не одну неделю. Да и как я объясню все своей семье? Почему я собрался и вдруг уехал? Но самая главная причина, по которой я не уезжал, — это Вадим. Как только я уеду, он озвереет. Он инициирует-таки расследование, выявит мою причастность, а так как я к тому времени уже буду в Лондоне, повесит на меня всех собак, сам получит повышение и закроет этот кейс навсегда. А мне будет закрыт доступ в любую компанию в России — я просто не смогу устроиться на работу. Хуже того, возможно, я не смогу приехать в Россию. По правде говоря, я не понимал, какой исход возможен из сложившейся ситуации. Или не хотел понимать очевидного? Не хотел действовать, потому что любой из возможных вариантов, кроме предложенного Вадимом, мне не нравился? При любом из раскладов, кроме текущего, я терял доход, уважение, репутацию и, возможно, даже свободу и будущее. А что если скоро я окажусь за решеткой? Что если все серьезная и единственная перспектива, которая остается, — это тюрьма?

А между тем мы снова начали работать как раньше. Клиентов приходило, еще больше, чем прежде. Конверты с деньгами, которые передавал мне Вадим, стали все больше. Я опять летал в Лондон, но теперь чаще, чем прежде. Когда мы встречались, Вадим снова был тем, что прежде: он приезжал трезвый, шутил, звал меня в «Луч». Я неизменно отказывался, а он неизменно повторял, что пора бы мне все забыть и снова стать ему другом. Так продолжалось несколько месяцев, пока однажды все не изменилось.

В начале июня всех сотрудников банка созвали на собрание. Вскоре такие собрания станут нормой. Но в тот день это случилось впервые. Я шел как на казнь. Я рисовал себе страшные картины того, как все пройдет и о чем нам собираются сообщить. Я так и видел, как вице-президент банка объявляет всем о группе мошенников, которая вот уже не первый год орудует в банке, нанося непоправимый вред прибыли и репутации всей компании. А затем он прямо со сцены конференц-зала укажет на меня пальцем, а осветитель (откуда вдруг в банке возьмется осветитель, я не представлял), направит софит прямо на кресло, в котором я буду сидеть. Все громко ахнут, кто-то скажет: «А я так и знала», и это непременно будет рыжая Настя. Мне хотелось убежать из нашего офиса прямо сейчас, пока еще не поздно, бежать до самого аэропорта в Пулково бегом по Московскому шоссе и остановиться только тогда, когда я пройду паспортный контроль и сяду в самолет до Лондона. Но, конечно, я этого не сделал. И не потому, что у меня не было с собой загранпаспорта, а скорее потому, что, как обычно, надеялся, что все еще может обойтись. «Непринятие решения — тоже выбор», — промелькнуло вдруг в моей голове.

На собрании нам объявили о том, что процент невозврата кредитов сильно возрос и стал критичным для банка. Ни в один кризис до этого, а их было не мало, размер невозвратов не достигал таких масштабов. Приглашенный специалист из отдела аналитики долго и убедительно показывал какие-то слайды, какие-то цифры, графики. Все говорили о необходимости пересмотра профиля риска и усилении мер безопасности. Как-то вскользь обозначили необходимость проведения более детального анализа невозвратов и их возможных причин, изучения документов и личностей самих должников. Дальнейшее я не слышал. В висках стучало, кровь хлынула к лицу, я сидел ни жив ни мертв. В этом огромном душном зале сидели абсолютно все сотрудники, работающие с кредитами. Я поискал глазами Вадима и по его лицу прочитал, что новости сегодняшнего дня — сюрприз и для него.

После собрания я искал возможности пообщаться с Вадимом, я звонил, я писал — ответа не было. Я не находил себе места от страха. Ведь если кто-то начнет проверку документов невозвратных кредитов, то все всплывет на поверхность. Наконец, Вадим ответил и назначил мне встречу.

«Привет, приятель. В «Луч»? В пятницу сразу после работы? Как в старые добрые)))» — и всего-то что я получил. Он маскировался. Но я понимал для чего это встреча. Я знал, что это не просто приглашение на посиделки в баре.

Я не помнил, как дожил до пятницы. Всю неделю на работе я не находил себе места. Дома я не мог общаться с Лианой, не мог притронуться к ней. Я перестал звонить домой маме и даже перестал отвечать Арчи на его сообщения. Вся моя жизнь сузилась до одного только события — встречи с Вадимом. Я ждал как, наверное, заключенный ждет своего приговора. Я знал, что приговор будет точно, но мне так хотелось верить в какое-то чудо.

И чудо случилось.

— Я не встречался с тобой, потому что думал, что делать, — сказал Вадим при встрече.

— Мог бы хоть какой-то сигнал подать. Ты же понимаешь, в какой я ситуации.

— Я вообще не хотел встречаться с тобой — ничего такого и не произошло. Однако потом я подумал, что ты еще, чего доброго, делов наворотишь. Вот я и здесь. Ну что, по пиву?

— Вадим, какое пиво. Скажи мне, пожалуйста, что нам делать теперь.

Но он как будто не слышал, не видел моей паники. Я удивлялся его небывалому спокойствию. Его абсолютному спокойствию. Понемногу оно начало передаваться и мне.

— Тебе как обычно?

Я кивнул.

Вадим сделал заказ. Откинулся в кресле.

— Даже не спросишь, как мои дела с баром, — он обвел рукой зал.

Я внимательно посмотрел на него. Нет, не было в нем ни тени сарказма, ни тени злорадства и той дикой агрессии, которую мне доводилось видеть в нем раньше. Он словно прочитал мои мысли.

— Ты прости меня. Я тогда был не в себе. Ты знаешь, бар был всем для меня, и я верил, что вытяну его. Мне только нужно чуть больше денег. Плюс эти наркотики, — Вадим поморщился. — Дрянь. Никогда не употребляй. Да ты и не употребляешь.

Он помолчал, затем продолжил:

— Прости, Карду. Я сожалею о том, что заставил тебя силой, грубостью, шантажом, возможно. Но другого выхода у меня не было просто. Я не знал, как поступить. Я так зависел от тебя. Вся моя жизнь зависела от тебя. И я глубоко признателен тебе за то, что ты не бросил. Мой бар наконец на плаву. Как ты сам видишь — посетителей валом. Прибыль льется рекой. Он приносит мне хороший доход. Я теперь наконец могу бросить. Надеюсь, и ты смог построить свой независимый доход. Мы теперь бросим, если ты хочешь. Если ты готов. Но ведь всего бы этого не было бы без тех денег, без «наших» клиентов.

— И куда нас это привело, Вадим? К тюрьме?

— Эй, погоди. Куда ты гонишь, — рассмеялся Вадим. — Какая тюрьма? О чем ты? В банке всего лишь увеличился процент невозврата. Да, увеличился существенно. Да, они поднимут все документы. И что увидят? Они увидят, что в городе увеличилось количество мошенников, которые обманывают банк, получая кредиты по поддельным документам. И что с того?

— Как что с того? — спросил я осипшим голосом. — Они заметят, что на всех документах стоят моя виза и виза Антона, безопасника. Они увидят связь, начнут копать и найдут документы моего дяди под фамилией и с паспортными данными Антона. Ты же сам все это рассказывал мне.

— Во-первых, с чего ты взял, что большинство документов имеют твою визу? — и он медленно достал из портфеля ворох бумаг.

— Что это? — спросил я, уже понимая, что это.

— Это страницы с твоей подписью. Пришлось их изъять и заменить на новые. Теперь там много разных подписей. Не только твои. Связка Карду—Антон больше не существует, — он победоносно смотрел на меня, наслаждаясь эффектом, который произвел.

— А как же договор на моего дядю? Хотя, он же, наверно, платит кредит. Он не должен попасть в список документов для анализа. Ведь он платит кредит? — с надеждой спросил я.

— Ну, платит он или нет, — я понятия не имею. Но не стоило оставлять такую улику в банке, согласен?

Я кивнул.

— И... И что с этим договором?

— Он исчез.

— Куда исчез?

— Ну не знаю. Куда исчезают вещи? Просто исчез и все.

Я молчал. Я не мог понять, верить ему или нет.

— Хорошо. Бумага, может, и исчезла, но должны же быть базы данных. Нельзя же просто взять и стереть все с концами.

— Антон — безопасник. У него есть доступ к базе данных. А еще он тоже был в связке. Неужели ты думаешь, что Антон оставил бы все как есть?

— Так зачем же ты тогда, несколько месяцев назад, пугал меня этим, если все так просто?

— Все так просто только потому, что нас было трое. У Антона — доступ только к базе. У меня, — он запнулся, — ну... Не совсем у меня, но у одного человека. В общем, не важно. У меня — доступ к архивам. А вместе мы что?

Он наклонился ко мне и посмотрел мне в глаза.

«Преступная группировка», — пронеслось у меня в голове, но вслух я произнес:

— Что?

— Свободны! Приятель, — он улыбался мне. — Мы свободны. Мы по-настоящему свободны. Все позади. Наслаждайся молодостью, деньгами и своим счастьем. Отпразднуй свадьбу, слетай в медовый месяц. Открывай новое дело. Одним словом — живи.

Я не мог поверить своим ушам.

— Но... — начал было я, но он не дал мне продолжить.

— Карду, прости меня еще раз. Я очень раскаиваюсь. Тем, что я сделал для тебя сейчас, я хотел искупить то, что заставил тебя мне помогать. Фактически принудил. Но мне это было жизненно необходимо. Я знал, что не смогу объяснить. И наркота затуманила мозг. Я решил действовать силой. Но я знал, что все продумаю до конца и все получится. Не держи на меня зла, приятель. Ты не пригласил меня на свадьбу — я понимаю. Но я хочу отплатить добром.

Я не знал, что и сказать. Он почти разрушил мою жизнь, а потом спас меня. Благодаря ему за последние месяцы я заработал столько, что еще долго мог ни в чем не нуждаться.

Мы еще посидели и поговорили немного.

— Какие планы? — поинтересовался он. — Больше не будет клиентов. Останешься в банке?

— Наверно. Не знаю. Еще не думал. А ты?

— Я останусь. У меня хорошая должность, хороший доход. Есть бар. Я доволен полностью. И тебе советую остаться. Ну, знаешь, чтобы не вызвать подозрений. Хотя бы еще на пару недель — месяц.

Наверно, он был прав. И наверно, мне стоило простить его. Мы столько пережили вместе. И, в конце концов, где бы я сейчас был, если бы не Вадим?

Я отправился домой в прекрасном настроении и впервые за много месяцев спокойно уснул. Завтра надо будет съездить к маме. Я не видел родителей вот уже несколько месяцев.

Наутро в офисе у кофемашины меня поймала рыжая Настя. Она вся так и светилась от нетерпения:

— А вот и ты. Я ждала тебя.

— Чего ж это вдруг я понадобился тебе с утра пораньше? Документы снова помочь заполнить?

— А вот и нет. У меня тут горяченькая информация.

— Настя, — закатил я глаза. — Я не готов к новой порции сплетен с утра. И мне все равно, кто с кем спит.

Настя знала все про всех. Обычно она не болтала о чужих секретах. Но о том, что было известно уже многим — с удовольствием рассказывала за чашечкой кофе.

— А ты все ещё дружишь с Вадимом?

Я насторожился:

— Мы общаемся, но не близко. А что?

— Рассказать тебе новости? Ты сейчас упадёшь.

Мне почему-то казалось, что я абсолютно точно не упаду. Более того, я наверняка сильно расстроюсь от этой новости, потому что она, скорее всего, мне уже известна или имеет отношение ко мне.

— Валяй, — старался я ответить как можно более небрежно, чтобы не выдать волнения.

— Ты же помнишь моего друга?

Вице-президент. Конечно, я помнил ее друга... Весь офис знал про их так называемую дружбу, о которой лучше не знать жене вице-президента.

— А ещё, как ты теперь знаешь после недавнего собрания, у нас большой процент невозврата.

Я напрягся еще сильнее.

— А теперь угадай, кто вызвался возглавлять группу по внутренней проверке?

Я похолодел. Нервная дрожь прокатилась по всему телу. Мне стало тяжело стоять, я чувствовал, что еще немного и упаду.

— С тобой все в порядке? Погоди падать в обморок, — шутила рыжая Настя, не понимая, какой ужас я испытывал от ее слов.

— Душно, — слабо оправдывался я.

— Вот, выпей воды, — она протянула мне пластиковый стаканчик.

— Нет, спасибо. Так что там дальше? Не томи.

— Ну, как ты уже догадался, Вадим ведёт внутреннюю проверку по данному факту. А вчера мой друг по очень большому секрету сообщил мне, что Вадим-таки не промах и, кажется, напал на след мошенников. Я не особо поняла, но там обнаружилась пропажа каких-то документов. Там все настолько серьезно, что дело передадут следователям.

— Следователям? — я не мог поверить в то, что слышу. Он обыграл меня! Он подставил меня самым циничным, самым мерзким способом, снова втеревшись мне в доверие. И если бы не Настя...

— Ну, конечно. Материалы передадут в полицию и возбудят дело. Там пропали какие-то документы. У Вадима даже есть подозреваемый. Мой друг рассказал, что они планируют возбудить дело, получить ордер на обыск, найти дома у этого подозреваемого пропавшие документы и прижучить его. Но знаешь, что самое интересное? — ее глаза сияли от возбуждения. Я видел, как ей не терпелось поделиться сенсацией.

— Ну?

— Только никому не говори. Ты же понимаешь, что это настоящая секретность. Дело очень важное. Мошенник-то знаешь кто?

Знаю. Я-то знаю, Настя. А вот расскажи-ка мне, что ты знаешь об этом.

— Нет. Кто?

— Я пока не знаю, но мой друг сказал, что он работает... — она сделала театральную паузу и посмотрела на меня. — Работает в нашем отделе!

— В нашем? — я облизал пересохшие губы.

— Ну да. Мой друг не сказал кто. По-моему, Вадим и ему-то ещё не раскрыл имя подозреваемого. А может, и раскрыл, почем я знаю. Мне-то он ничего не собирается говорить. Секретно. Но ты прикинь! В нашем отделе. Наверняка это Сашка. То-то он мутный такой. Он мне никогда не нравился. Сегодня еще заявление написал на увольнение. Одним днем. Прикинь?

— Зачем же ты мне рассказала? Вдруг это — я?

Она звонко рассмеялась:

— Карду, ну не смеши. Ты! Если бы это был бы ты, я бы точно заметила.

Я всматривался ей в глаза. Настя была очень умная, хотя всегда старательно это скрывала. Знает ли она что-то и хочет предупредить или правда просто сплетничает?

— А он не сказал, когда дело передадут в полицию?

— Ой не знаю. Может, и сказал, а я не запомнила. Ну ничего. Скоро все узнаём. Только смотри мне — никому не слова. Спугнем еще. Но мой друг говорит, уже совсем скоро они инициируют обыск. Ну, удивила я тебя?

— Да уж, Настя, — улыбнулся я через силу. — Удивлять ты умеешь. Пойдём работать.

От кофемашины я отправился прямиком к выходу из офиса. Я понятия не имел, что делать. Я знал наверняка только то, что абсолютно все пропало. Уже ничего нельзя было спасти. Кому звонить? Куда бежать? Я знал только одно — мне нужен совет человека, которому я смогу доверять. А еще человеку, который ни при каких обстоятельствах не выдаст мою тайну. Я набрал номер.

— Дядя Давид?

— Привет, Карду. Что-то стряслось?

— Да... Боюсь, что да. Мы можем встретиться?

Дальше все было как в тумане. Я приехал в ресторан и рассказал отцу Бердиа абсолютно все. Все как есть. Мне было все равно, что он подумает обо мне, я хотел только одного — любой ценой сохранить свободу, а по возможности — репутацию. Хотя бы в глазах семьи. Я просил дядю Давида сохранить все, что я сказал, в секрете, хотя и знал, что это излишне. Он бы не рассказал. Дядя Давид заверил меня в том, что это останется между нами. Он не задавал лишних вопросов, не осуждал. Он думал и пытался придумать решение.

— Что эта Настя сказала про документы? — спросил дядя Давид, морща лоб.

— Что их будут искать дома у мошенника. То есть у меня.

— Но у тебя же их нет?

— Нет.

— А не мог он подкинуть тебе эти документы?

— Только если на рабочий стол в офисе. Но Настя говорила именно про дом.

— Может, машина?

— Исключено.

— Ты был, может, на сервисе? Подвозил других коллег? Незнакомцев?

— Нет, нет и нет.

— Домой он к тебе точно не приходил?

— Нет, конечно, нет.

— Домработница, доставка, любой обслуживающий персонал?

— Исключено. Домработниц заказываем через сервис. Они постоянно меняются, подговорить кого-то он бы не смог.

— А когда тебя не было? Он не мог прийти?

Я задумался. Я не мог себе представить, чтобы Лиана оставила его в квартире одного, даже если бы он и пришел в гости, пока меня не было.

— Нет.

— Не хочешь позвонить Лиане?

— Нет, он точно не был у меня и не оставлял там ничего. Я не хочу беспокоить Лиану. Я не хочу, чтобы она знала.

Дядя Давид посоветовал мне немедленно отправиться в Лондон. Вылететь ближайшим рейсом. Родителям, Лиане, Арчи и даже Бердиа стоило сообщить только то, что я уже давно планировал поступление в магистратуру. Но не хотел никого беспокоить накануне свадьбы, а потому все держал в секрете. Я должен был сказать всем, что еду всего на недельку-другую, договориться со старыми преподавателями, сдать экзамены, подать документы. Я должен был врать о том, что все уже спланировано, что мои прежние визиты в Лондон были связаны именно с магистратурой. Что меня там уже ждут на заочное обучение. Но к свадьбе я непременно вернусь.

— Скажешь всем, что вернешься в начале июля. Успокой Лиану и скажи, что это не угрожает свадьбе. Запланируй с ней шикарное свадебное путешествие. В общем, найди слова, которые успокоят бедную девочку.

— А я вернусь в начале июля?

— Не знаю, Карду, не знаю. Для начала нам надо отправить тебя подальше и выиграть время. Мы что-нибудь придумаем, но самое главное сейчас — уехать отсюда подальше. Кто его знает, как все обернется. А еще. Я бы на твоем месте попробовал поступить в магистратуру. Может так случиться, что тебе потребуется долгая виза. При самом худшем раскладе ты не успеешь вернуться в Россию через 90 дней для соблюдения визового режима по туристической визе.

— 90 дней? Но у меня свадьба!

— Я понимаю. Надеюсь, всего этого удастся избежать. Просто будь готов.

Он помолчал, а затем добавил:

— Карду, и не заезжай домой. С твоими родителями я поговорю сам. Не звони им. Арчи тоже не звони. Я боюсь, ты не сможешь им солгать. Боюсь, они поймут, что что-то тут не чисто. Я возьму всех на себя. Кстати, Катя отправилась в Грузию пару дней назад. Она сейчас у твоих бабушки и дедушки.

— В Грузию? Но почему? Я ничего не знаю об этом. Мне не сообщили.

— На каникулы к бабушке. Должен же хоть кто-то навещать ваших бабушку и дедушку, пока все так заняты. Она поехала с Икой.

— Они стали чаще общаться, как мне показалось.

— Сейчас не время, — оборвал меня дядя.

Я вдруг почувствовал, как сильно скучаю по своей семье.

— Дядя Давид, я уже давно не говорил со своей семьей. Совсем этим, — я неопределенно развел руками в воздухе. — Я совершенно забыл о них. Не звонил, не навещал. Как они?

Мне показалось, что он как-то странно на меня посмотрел. Всего секунда, но я отчетливо уловил эту тень на его лице. А потом он бодро сказал:

— Нормально, Карду. Ты знаешь, и им сейчас, по правде говоря, совсем не до тебя. У нас с бизнесом беда. Твой отец на фронте — сражается с прибылью и убытками, — он улыбнулся. — Ну, сейчас уже скорее с убытками. А твоя мама помогает ему удержаться в седле, так сказать. Это даже хорошо, что в такое время вас с Катей не будет — пусть родители займутся своими делами.

Давид внимательно слушал Карду и старался придумать, как помочь ему. Еще одна проблема, еще одна задача. И все это сразу, в одно и то же время. Маша, мать Карду, попросила сделать что угодно, но убрать ее детей из Питера на какое-то время, пока все не уляжется. Но вряд ли она была бы рада услышать, что заставляет Карду покинуть город и даже страну.

Дома я приложил все свои силы к тому, чтобы Лиана поверила мне. Я убеждал, как сильно я люблю ее, заверял в верности, давал клятвы и обещания, просил спланировать наше свадебное путешествие. Я убеждал, что это всего на пару дней, что я вернусь. Объяснял, как все это важно для меня. И снова заверял в том, что люблю ее больше всех на свете и тоже жду не дождусь нашей свадьбы. Мое отчаяние придавало мне сил. Я врал так, что верил сам себе. Наконец, мне поверила и она.

Она ласково обняла меня, поцеловала. И тут я вдруг решил спросить на всякий случай:

— Лиана, — тихо позвал ее я. — Скажи, а Вадим случайно не заходил к нам домой?

Лиана вдруг отпрянула, внимательно на меня посмотрела.

— Почему ты спрашиваешь?

— Да так. Видел его сегодня, а он сказал, что заходил на днях, — соврал я, сам не понимая, как буду выкручиваться, если всего этого и в помине не было.

— Странно. Он и правда заходил пару недель назад. Но очень просил не рассказывать тебе.

— Не рассказывать мне? — я изумился. Нет, не тому, что Вадим это попросил, а скорее тому, что Лиана не рассказала мне об этом.

— Ну да. Он зашел спросить о подарке. Что подарить нам на свадьбу. Сказал, не может присутствовать лично, но хочет сделать тебе сюрприз.

— А... А он не оставался один?

— Что за странные вопросы? Конечно же нет.

Я старался контролировать себя. Мне надо было выяснить абсолютно все, не наводя на себя подозрений.

— Лиана, ты что-то мне не договариваешь?

Она вспыхнула.

— Карду! Что за упреки? Ты ревнуешь меня к своему другу? Откуда я знаю, что он хотел и почему пришел! Он спросил про подарок, сказал, что хочет сделать сюрприз! Мы попили чай. Мы сидели вместе, вот тут. И в конце концов, я что, не могу попить чай с тем, с кем мне захочется? Мне надо было закрыть дверь перед его носом?

— Извини, милая, извини. Я ничего такого не имел в виду. Прости.

Уже позднее, когда я собирал чемодан, я украдкой обшарил все места в гостиной. На книжной полке в шкафу я сразу заметил чистое от пыли пятно — как будто книжку недавно вытаскивали. Я достал ее. И конечно же между страниц я нашел сложенный вдвое договор. Это был кредитный договор на моего дядю Вову, маминого брата, который я оформил на чужой паспорт, — прямое доказательство не только моего умысла, но и попытки зачистить улики.

«Какая же ты гнида, Вадим», — подумал про себя я и засунул договор в чемодан. Как минимум теперь им будет сложнее что-либо доказать.

**Вечером я улетел в Лондон.**

# Глава 56. Июнь 2010 год. Лондон

Только по прибытии в Лондон я почувствовал себя в безопасности. Это было прекрасное чувство, которое охватило меня сразу, с первой секунды пребывания здесь. Я вдруг осознал, как сильно устал жить в постоянной тревоге и стрессе. Я расслабился от того, что, во-первых, эту тяжелую ношу моей тайной жизни я, наконец, разделил с кем-то еще — со своим дядей. Во-вторых, мне стало легче дышать, потому что прямо здесь и сейчас мне ничего не надо было решать. Жизнь словно замерла. Теперь многое решалось само, вдали от меня, без моего участия. Дядя помогал мне в этом. Это ощущалось как каникулы. Возможно, последние каникулы перед страшной бурей.

Спустя неделю дядя Давид позвонил и заверил меня, что сделает все возможное, чтобы дело не было возбуждено. Более того, он сказал, что, кажется, самого страшного можно будет избежать. Ну а пока, чтобы не рисковать лишний раз и не искушать судьбу, мне лучше оставаться вдалеке от России еще некоторое время.

— Я вернусь к свадьбе?

— Я думаю, да. Мне кажется, уже через месяц тебе можно будет вернуться обратно. Но пока еще рано говорить. Поживем — увидим.

Месяц. Как сказать Лиане?

Разговор с ней не был легким. Я не мог рассказать ей всего. Довольно туманно я обрисовал некоторые сложности и упомянул о том, что для моей же собственной безопасности мне пока лучше остаться в Лондоне. Тем не менее я вернусь к свадьбе, я точно вернусь. Разумеется, она устроила скандал. И пока она кричала, плакала, умоляла, угрожала, билась в истерике, я думал о том, почему все именно так? Почему Лиана никогда не способна услышать, понять? Почему, будучи самым близким моим человеком, она так и не поняла, что я из себя представляю? Почему не осознала, что я выбрал ее, что я не собирался никогда оставлять ее. Почему она не может просто принять, понять, успокоиться и подумать о том, как двигаться дальше. Ведь свадьба сама по себе — не конечный пункт, не задача, которую надо выполнить.

Гораздо важнее ежедневное счастье. И даже если свадьбу придется отложить — это не конец света. И уж точно — не конец нас с ней.

Но это, разумеется, был конец света для нее. Она говорила о том, что унижена, раздавлена, оскорблена. Она не могла контролировать себя. Она звонила, писала, снова звонила и снова писала. В ее сообщениях угрозы и оскорбления попеременно сменялись мольбами и заверениями в вечной любви. Она ежедневно заявляла, что мы больше не вместе, затем просила простить и вернуться к ней снова, затем обещала так больше себя не вести, только бы я вернулся. А я вдруг отчетливо увидел, что меня во всей этой истории как бы нет. Ей было не важно, что я говорю, что пишу, что думаю. Она жила в своем собственном придуманном мире, драмы разворачивались в ее голове, а не в нашей реальной жизни. Вот тогда-то я окончательно понял, что устал. Какой был смысл в том, что я делал, что говорил и что чувствовал, если мысли Лианы сформировались как бы сами по себе, в отрыве от меня? Какой смысл был в моем выборе, в моей верности, в моем желании не оставлять ее, в надуманном долге перед ней за то, что стал ее мужчиной так рано, до свадьбы? Не было в этом смысла! Она все равно винила меня во всем. А раз она уже обвинила меня во всем, уже вынесла мне приговор изменника, уже сама решила, что свадьбы не будет, уже живет в той концепции, где свадьбы и правда нет, так почему я должен сопротивляться этому? Ради кого? В конце концов, это ее выбор — жить так, думать так.

В любой момент из России могли прилететь новости о том, что я преступник и место мне за решеткой. А если этого не случится, то через месяц я буду женат на женщине, мир которой настолько мрачен и страшен, что мне становилось тошно. Я вдруг подумал, что хочу жить, хочу радоваться, хочу наслаждаться. Возможно, уже завтра я буду сидеть в тюрьме. Возможно, завтра у меня не останется ни копейки денег, меня оставят друзья, а родители отвернутся от меня. И мне страстно захотелось жить. Мне захотелось веселиться, захотелось пить, гулять, любить и дышать. Дышать так, как будто завтра уже никогда не настанет. Мне казалось, что мне отведен всего один месяц, один последний месяц перед свадьбой и больше я никогда не смогу чувствовать себя так, как теперь. Но этот месяц я проживу только ради себя.

Я снял огромную светлую квартиру в центре, прошелся по люксовым магазинам и обновил гардероб, сменил стрижку и пустился во все тяжкие. Бесконечные рестораны, клубы, бары, автопати в шикарных домах моих прежних приятелей. Все, что сдерживало меня раньше, теперь перестало иметь значение. Честь? К черту честь, ведь уже завтра весь мир может узнать, что я мошенник, месяц за месяцем обкрадывающий банк. Верность Лиане? Я посвящу ей всю свою оставшуюся жизнь, но перед тем я хочу узнать, что еще может быть. Я хочу попробовать другую женщину на вкус. И я стал пробовать. Вот тогда-то я и достиг дна. Тогда-то я опустился так низко, как никогда не мог даже представить в своем воображении. Я не просто лег на дно, я радостно зарывался в его илистой пучине. Мне казалось, чем хуже — тем лучше. Чем развратнее, бесстыднее и аморально я проведу этот месяц, тем счастливее будет наша будущая жизнь с Лианой и тем спокойнее я буду в браке.

На одной из первых таких вечеринок я заметил Мариэль. Казалось, с годами она стала еще привлекательнее. Она была элегантной, соблазнительной и доступной. Странно, почему я вообще думал о том, что все годы в колледже она просто моя подруга? Она всегда хотела меня. О, в последнем я не сомневался. Я вдруг отчетливо почувствовал это, почувствовал, как она вожделела меня. Мне не составило большого труда уложить ее в постель — она прыгнула в нее сама. Красавица Мариэль стала первой, но далеко, далеко не последней из череды девиц того месяца.

— Знал бы ты, как долго я этого ждала, — сказала она, раздевая меня в своей квартире. — Я знала, что когда-нибудь ты вернешься, что мы все же будем вместе.

Должно быть, ее разочарование не знало границ, когда, увидев меня всего через пару дней в ресторане с другой девушкой, она поняла, что быть вместе я не планировал.

— Я думала, ты совсем другой. Я думала, ты никогда не воспользуешься мной, если не будешь уверен в своих чувствах. За это я и полюбила тебя. И любила все эти годы. Я ждала, когда ты поймешь, что Лиана — не та, кто нужен тебе. Я всегда была рядом. Я так любила тебя!

Мне было смешно это слышать. Ее чувства и переживания не тронули моего сердца.

Возможно, Мариэль была права и когда-то я действительно был другим. Но теперь все изменилось. Я заливал страх чистым виски, заглушал голос совести стонами белокурых красоток. Сколько их перебывало в моей постели за эти недели? Я перестал считать, перестал запоминать их имена. Я не записывал их номера в свой телефон. И никогда им не перезванивал. Я тонул в алкоголе, сигаретном дыму и пороке.

Все мое существование свелось к тусовкам. Я просыпался поздним днем, завтракал, когда нормальные люди обедали, медленно приходил в себя и отправлялся на новый светский раут — по самым новым ресторанам в обществе приятелей с дурной репутацией. Клубы, бары, алкоголь и секс — это все, к чему сводилось мое пребывание в Лондоне. Иногда мне казалось, что я даже не трезвел. Изредка я созванивался с Лианой или отвечал на ее сообщения. Но наши звонки становились все реже, а эсэмэски все короче.

Как-то раз она написала, что хочет прилететь в Лондон.

— В Лондон? Что ты будешь тут делать? — искренне удивился я, понимая, что не могу этого допустить.

— Я соскучилась, Карду. Если ты не можешь приехать, прилечу я. Я сделаю визу.

— Милая, подожди еще немного, съезди к отцу, повидайся с матерью. Я скоро приеду.

— Ты не хочешь, чтобы я приехала?

Я и не помню, какую чушь нес о том, что ей не стоило приезжать. Она конечно же все поняла. Но мне было плевать. Я начал терять счет дней, я уже и не мог себе представить свадьбу. Мне казалось, что все это будет в другой, очень далекой жизни. И будет ли?

Иногда я получал СМС от мамы: «Сынок, у тебя все хорошо?» Я отвечал, что все в порядке. «У нас тоже», — коротко отвечала мама. Никто по-прежнему не беспокоил меня, но я не переживал.

А чего мне было переживать? Они в Питере, по их следам не идут следователи и все у них хорошо. Если бы что-то и было не так, дядя Давид сообщил бы мне.

Первой новостью, которая отрезвила меня, стала смерть дедушки, отца моей мамы. Эту страшную новость сообщила мне сама мама. Я слышал ее надломленный горем голос, слышал и чувствовал ее боль, но в моем воспалённом сознании промелькнула только одна паскудная и малодушная мысль: что же мне ей соврать, чем объяснить, что я не приеду на похороны?

— Милый, Давид сказал, что ты там очень занят. Я бы не хотела, чтобы все бросал и приезжал. Мне будет легче, если ты останешься в Лондоне. Похороны будут через два дня в Питере. Папа...Папа болел. Знаешь, он сейчас в больнице, ничего серьезного, ты не думай... Но я вот была без папы, а твой дедушка... — она всхлипнула и замолчала.

— Мама, — только и смог выдавить я.

— И вот случилось... Я попросила Катю тоже не приезжать. Будут очень скромные поминки. Теперь уже ничего не поделаешь. Прошу, не приезжайте.

Я был так благодарен ей за эти слова, что даже не стал думать о том, почему вдруг мама произнесла их. Наверняка дядя Давид что-то ей наговорил про мою магистратуру и занятость, вот она и просил не приезжать.

И хотя мы редко общались с дедушкой по маминой линии, его смерть все же потрясла меня. Где-то на задворках сознания зашевелились мысли о том, что я нужен маме, что нужен семье, что происходит что-то, чего я не вижу и не замечаю, но я заглушил их своей эгоистичной трусостью. Я позволил маме уговорить меня не прилетать, потому что я не хотел прилетать.

Когда через пару дней я получил сообщение от Лианы, то не удивился. Наоборот, я вздохнул с облегчением.

«Карду, мы расстаемся. Это конец».

Я ничего не ответил. Не написал, не позвонил — вообще ничего. Я знал, что она передумает, а пока еще не передумала, я хотел хоть немного пожить без нее в моем телефоне.

# Глава 57. Август 2010 год. Санкт-Петербург

Лиана начала переживать сразу, как только Карду уехал в Лондон. Она чувствовала: дело не в магистратуре. Нет, не чувствовала — знала наверняка. Но он обещал вернуться к свадьбе, и она верила. Когда Карду позвонил и сказал, что приедет только через месяц, а свадьбу, возможно, даже придется отложить, на нее словно вылили котел с кипящей водой. По всему ее телу от макушки до пят пробежала жаркая волна, ее бросило в пот. Она почувствовала, как теряет почву под ногами. Ее замутило.

— Карду, как же так? Что я скажу своей семье? Ты понимаешь, какое это унижение.

— Милая, я понимаю, что ты очень хотела эту свадьбу. Но случилось кое-что очень серьезное. Я не могу рассказать тебе всего. Я только хочу, чтобы ты знала, мы не отменяем свадьбу. Я точно приеду. Или мы ее перенесем, — говорил Карду.

— Скажи мне правду, ты больше не любишь меня?

— Лиана, я люблю тебя. Между нами ничто не изменилось — все также. Сейчас мне очень нужно твое понимание, твоя поддержка. Просто, прошу, поверь мне. Я вернусь и все будет как раньше. А если вдруг я не смогу вернуться, то ты приедешь ко мне.

— Не сможешь приехать? Что происходит, Карду? Почему ты не сможешь приехать?

— Все слишком сложно. Не заставляй меня объяснять. Только не по телефону. Просто верь. Прошу, просто верь мне. Хоть раз в этой жизни я обманул или предал тебя?

— Ты уже говорил мне когда-то о прекрасной жизни вместе в Лондоне. Этому не суждено было случиться.

— Разве в этом есть моя вина, Лиана? Все годы в Лондоне я был верен тебе. В моей жизни никогда никого не было, кроме тебя, и я вернулся из Лондона в Россию только ради тебя.

Он говорил что-то еще, убеждал ее. Но она уже потеряла контроль, она уже не слышала. Она начала плакать, задыхаться. Она снова проваливалась в эту глубокую темную яму, где эмоции полностью захватывали все ее существо, а она была простой марионеткой в их власти. Она закричала. Она закричала так, что воздух оцарапал ей горло. Голос сел, силы оставили ее. Тело превратилось в комочек боли и отчаяния.

Она кричала и плакала всю следующую неделю. А затем другую. Лиана перестала есть, почти перестала пить жидкость и не вставала с кровати. Спать она тоже не могла. Ночи были страшнее всего. Ночью она понимала, как одинока, как несчастна. Она знала — она никому больше не нужна на свете. Все, чего ей хотелось — забраться в какой-то темный угол и исчезнуть, полностью раствориться, чтобы сама сущность ее растаяла в воздухе. Лиана не понимала, как перестроить свою жизнь, как понять, что произошло, как поверить Карду и как вернуть все в привычное русло. Все дни смазались в одно сплошное серое бытие. Это не была жизнь — это было существование. Пустое, бессмысленное и очень мучительное.

В один из таких дней она решила позвонить Арчи. Она понимала, что сходит с ума. Ей нужен был кто-то, кто поможет, кто вытащит ее, кто поддержит. Ей хотелось внимания и сочувствия. Она знала, Арчи поможет. Знала, как много значит для Арчи. Но вопреки ее мыслям Арчи не ответил. Она отправила сообщение. Он не прочел.

На следующий день она снова позвонила Арчи — и снова он не ответил. Она позвонила Карду, но он, как и следовало ожидать, молчал. Что вообще происходит? Через пару дней ей все же удалось застать Арчи. Но, когда они наконец созвонились, он был рассеян, невнимательно ее слушал, а потом и вовсе оборвал ее, сказав, что все пройдет, что все вовсе не так плохо, как она это видит. Карду лучше бы и правда сейчас побыть в Лондоне, но, когда он приедет, все снова станет хорошо. Арчи явно не хотел разговаривать. Наконец, он скомкал слова поддержки и наскоро распрощался с ней. Она пробовала звонить ему еще и еще, но он, сославшись на то, что сейчас сильно занят, по-прежнему не находил время на простой разговор. Она поняла, что Арчи просто избегает ее.

Лиана решила позвонить Кате. Кто еще мог поддержать ее? Подруг у Лианы особо не было, а мать… Эта женщина бросила, растоптала и отвергла ее отца, как Карду бросил, растоптал и отверг ее саму. Сможет ли она утешить Лиану? Ну уж нет. Они с Карду одинаковые. И он, и ее мать — им обоим плевать на честь, на обещания, на семью и на чувства других. Мать не могла бы утешить ее. А вот Катя... Но и Катя не взяла трубку. И не ответила на сообщение. Лиане вдруг стало стыдно. Зачем она им звонит? Все они — семья Карду. Все они отвергли ее. Все они не хотят больше ее видеть. И уж тем более никто из них не смог бы ее утешить. Возможно, они даже знали, что свадьба уже точно не состоится.

По правде говоря, никто бы не мог утешить ее, кроме Карду. Только он, его слова, его объятия, его любовь могли бы вернуть ее к жизни. Только он мог восстановить ее хрупкий мир. Она была готова простить все. Предательство, отмену свадьбы, других женщин — абсолютно все, только бы он вытащил ее из этой ямы, только бы снова полюбил ее.

Она набралась мужества и сообщила, что прилетит к нему в Лондон. Она знала, она наперед знала, что он ответит. Но вдруг? Что если он позволит, что если он обрадуется ее предложению так, как раньше радовался ее звонкам. Почему же они все это растеряли?

Но он отказал. Он прямо сказал, что не будет рад ее видеть в Лондоне. И если до этого звонка в ней оставалась еще хоть капля надежды, то теперь ее просто не было. Осталось понять только одно: как жить дальше?

Через старых университетских подруг и каких-то их психотерапевтов Лиана раздобыла «Атаракс» — сильное успокоительное. Он нисколько ей не помог, разве что притупил боль и сделал Лиану пассивной. Ей по-прежнему ничего не хотелось, она по-прежнему не могла есть, по-прежнему ненавидела себя за то, что убила любовь Карду к ней, за то, что такая навязчивая, за то, что не научилась жить своей жизнью. В ней все так же смешивались боль, стыд, бешенство, отчаяние и страх. Но теперь все эти эмоции она как бы созерцала со стороны. Она стала пассивной, и эмоции ее протекали как бы без ее участия. Она не знала, сколько времени пребывала в таком состоянии. Не помнила, сколько дней, недель прошло. Ей казалось, что хуже уже быть не могло.

Но обычно всегда может быть еще хуже.

Лиана проснулась от звонка мобильного. На часах было девять, в окно било яркое августовское солнце. Первая мысль Лианы:

какой, должно быть, чудесный день за окном. Вот бы позагорать где-то у воды. Но затем она вспомнила. Вспомнила, что она брошенная невеста, что ее любимый не хочет видеть ее, что вся его семья ненавидит ее, что мать бросила отца, а тот потихоньку спивается. И все навалилось на нее снова. Вот поэтому она не любила теперь просыпаться. Такое теперь бывало с ней часто: первые секунды после пробуждения она чувствовала себя прекрасно. Затем мозг быстро восстанавливал в памяти все недавние события, все детали ее жизни и высвечивал ее неполноценность. Тогда на нее накатывало состояние несчастья. Каждый новый день она встречала уже несчастной.

Телефон все звонил и звонил. Она встала, взяла его в руки, затаила дыхание. Хоть бы — он. Господи, пусть это Карду звонит. Она перевернула экран и прочла: «Мама». Лиана отклонила звонок и снова легла в кровать. Она накрылась одеялом с головой и уже собралась снова уснуть, снова забыться и во сне на короткое время избавиться от этого ощущения несчастья, как вдруг опять услышала звонок. Снова мама. Чего она названивает? Лиана подумала было, что что-то случилось, но затем отбросила эту мысль. Телефон звонить перестал. Лиана поставила его на беззвучный и завалилась в кровать.

Когда она проснулась в следующий раз, на часах было одиннадцать, а на телефоне — куча пропущенных звонков от мамы и одно сообщение.

«Дочка, позвони мне. Случилось несчастье».

В мгновение ока Лиана скинула с себя сон, скептицизм и брезгливое отношение к матери. За долю секунды она поняла — отец! С ним что-то стряслось. Дрожащими от волнения и страха пальцами она набрала номер мамы.

— Привет, милая, — начала мама, но Лиана резко оборвала ее.

— Что с отцом?

— Милая, мне так жаль. Папа умер.


Неотвратимость этих страшных слов придавила Лиану, лишила ее равновесия. Вчера еще она думала, что хуже уже быть ничего не может. О боже, да пусть Карду никогда не возвращается к ней, лишь бы только папа, ее родной папочка, ее единственный и любимый отец был рядом. Она бы все на свете отдала ради этого!

— Нет, нет, нет, что ты такое говоришь? Это не правда, это невозможно.

— Милая, доченька моя, я очень люблю тебя. Мне так жаль.

— Жаль?! Это ты виновата во всем, — выплюнула ядовитые слова Лиана маме. — Ты бросила его. Это ты во всем виновата. Ты!!!

Лиана в ужасе бросила трубку. Что-то сильно защемило шею. Боль жгла ей шею так, что казалось, голова оторвется и покатится по полу сама по себе. Лиана закрыла глаза. Она вспомнила лицо папы. Она больше никогда не услышит его голос, не сможет спросить его совета, не сможет увидеть его. Глаза обожгло выступившими слезами. Она никогда больше не заговорит с папочкой.

Конечно же в эту минуту Лиана не вспоминала плохое. Она словно забыла, стерла вечер, когда отец пришел домой пьяный и ударил ее кулаком в лицо. Удар был настолько сильный, что она отлетела к лестнице, из губы хлынула кровь. Теперь она не помнила всего этого. На губе остался едва заметный белый шрам как свидетельство того, что все же было. Она не вспоминала, как отец, пьяный, рыдал у себя в кабинете, говорил сам с собой и вслух жалел о том, что жизнь сложилась как сложилась, что у него нелюбимая жена и дочь не от той женщины. Она не вспоминала, как отец, уже изрядно выпив, орал на нее — девочку четырех лет — за то, что она вымазала краской обои. А затем ударил ее наотмашь. Не так, как ударяют иногда детей, чтобы не баловались. Нет. То был удар ненависти. Не помнила Лиана и того, как отец унижал, оскорблял и обзывал ее всегда, когда бывал пьян, а она оказывалась рядом. А если еще ей случалось и провиниться, тогда в свой адрес она слышала такое, от чего у любого человека мурашки побегут по спине. Она не помнила жестокую гримасу, искажавшую лицо отца после литров выпитого алкоголя. Как будто бы всего этого не было. Никогда не было. Не то чтобы эти воспоминания исчезли сейчас, нет. Она старательно стирала их день за днем, год за годом, десятилетия, стараясь понять и простить вспышки гнева и агрессии. Все эти долгие годы своей жизни она убеждала себя в том, что папа любит ее, просто какой-то своей, особой любовью, она верила, что она для него важна. А сейчас папы не стало, и в памяти всплывали совсем другие картины.

Ей три. Они с семьей на берегу Черного моря. Папа катает ее в надувной резиновой лодке. Ее ножки болтаются в воде, ей весело, она хохочет. Папа что-то весело рассказывает ей. Она смотрит в его добрые большие такие красивые глаза. Она — счастлива.

Ей пять. Папа называет ее Лиана Иосифовна, и она так гордится этим. Она еще совсем крошка, а папа уже видит в ней взрослого человека. А ведь папа большой и умный. Он столько всего знает, столько умеет. И оттого ей еще приятнее слышать это «Лиана Иосифовна».

Ей семь. Первое сентября. Она в бархатной черной юбочке, белой блузке с двумя огромными бантами и тяжелым букетом цветов идет в первый класс. Папа фотографирует ее. Такой большой, такой сильный, такой надежный и такой красивый. «Какой же у чудесный у меня папа!» — думает она. И улыбается ему своей детской, широкой, наивной улыбкой. А вечером вместе они пойдут в парк.

Ей десять. Вот они шумно отмечают Новый год в издательстве, что публикует папины романы. Вокруг папы толпа — все стремятся с ним поздороваться, пообщаться. Ее папа — известный писатель и сценарист, душа компании, любимец общественности. Вот краем уха она слышит, как он рассказывает коллегам о ее успехах в школе, о ее победах в спортивных соревнованиях, о том, как хорошо она рисует и поет. «Гордится!» — понимает Лиана, и тепло разливается по ее сердцу.

Ей пятнадцать. Они с папой вместе идут выбирать ей платье ко дню рождения. Легкий воздушный шелк с черным поясом. Она выходит из примерочной и видит полные восхищения глаза папы.

Ей восемнадцать. Выпускной. Папа, растроганный и прослезившийся, приглашает ее на танец. «Какая ты взрослая! Как быстро летит время», — тихо говорит он ей, наклонившись к ее уху. Они вместе плавно двигаются под музыку, а она крепче обнимает его.

Вот он, совсем уже изменившийся, совсем другой, сидит в кабинете один. Заказов все меньше, сценариев почти нет. Нет и толпы желающих пообщаться с ним, пожать ему руку. Нет тех, кто просто хочет позвонить, поговорить, поддержать. Почти никого не осталось рядом. Он один.

Ей двадцать два. Он пытается заговорить с ней. Тихо, вкрадчиво, аккуратно. Она вежливо отвечает. Разговор не клеится. Сколько лет они почти не общались? Она — в Питере, он — никогда ей не звонил. Ни разу. Лишь иногда она просила маму передать ему трубку. Лишь пару раз в год она навещала их. Они оба чувствуют неловкость. Да и о чем им теперь говорить?

Пару месяцев назад. Она уезжает в Питер. Он вышел на крыльцо их большого светлого и когда-то роскошного дома проводить ее. Он смотрит, как она, забрав сумку, идет по гравию к низенькой калитке, за которой уже стоит такси. Она оборачивается. Его грустные, полные тоски глаза на постаревшем, выцветшем лице. В них стоят слезы, страх одиночества, разочарование жизнью. «Дочка», — тихонько позвал он. Она обернулась. «Привези мне из Питера пышки». Она улыбается, стараясь не расплакаться. Кошки скребут у нее на сердце. Как он одинок и как жаль ей его. «Обязательно», — отвечает она. Он смотрит вслед. Это был последний раз.

Как будто это были две параллельные жизни. Как будто это были два разных человека: тот, что бил и унижал, оскорблял, не замечал ее. И тот, что любил и гордился ей. Первого она давно позабыла. Второго... Второго она только что потеряла.

Как же простить себе то, что папы больше нет, а она его почти и не знала? Как простить себе то, что так редко обнимала его, что так редко говорила: «Я люблю тебя, папа»? Как простить себе то, что так и не узнала его при жизни? Каким он был?

Был... Как странно, как тяжело и неповоротливо это слово. Был. Оно совсем никак не подходит к ее папе. Почему это страшное слово «был» она должна говорить теперь? Ох, если бы только у нее был еще хотя бы один год в запасе...

Лиана взяла телефон. Она поискала билеты на ближайший самолет до Батуми, купила билеты в один конец. Уже собирая вещи, она вновь взяла в руки телефон и набрала: «Карду, мы расстаемся. Это конец». Затем стерла его телефон и начала паковать вещи.

# Глава 58. Август 2010 год. Батуми

Нана уставилась на экран телефона. Дочь бросила трубку. Она попробовала снова набрать номер, но Лиана не ответила. «Она меня ненавидит», — с болью в сердце подумалось Нане. Лиана, наверно, даже и представить себе не может, что и ей, Нане, очень больно и пусто внутри. Как будто со смертью Иосифа в прошлое ушла целая эпоха, утащив с собой и частичку ее души.

Она вспомнила, как Иосиф провожал ее до дома тогда, когда они еще не были женаты. Нана и подумать не могла, что нравится ему. Но месяц за месяцем Иосиф все чаще заходил за Наной и брал ее с собой на прогулки. Они гуляли, болтали и много смеялись. Говорил чаще он, а она слушала и не могла скрыть своего восхищения: так много он знал, таким красивым он был и так увлекал ее в свой интересный внутренний мир. Его мир манил. Казалось, он был яркий, бурный, радостный и живой. Он весь сам был живой. Но так было не всегда. Случалось, она встречала Иосифа в дурном расположении духа. И тогда даже самый яркий солнечный день словно выцветал, терял свои краски и радость жизни. Но все же с Иосифом ей было так хорошо и легко. Ей казалось, что нет в мире лучше мужчины. Она принимала и понимала его, она слушала и поддерживала, она восхищалась им. Она безусловно любила его таким, какой он был во всех его проявлениях. Она дала ему все то, чего он так жаждал получить — она дала тепло и любовь. Она любила его всего, без остатка, а он... А он нашел в ней утешение.

Они поженились, и вскоре у них появилась дочь. С появлением Лианы их с Иосифом взаимоотношения изменились. Она помнила, как он однажды сказал ей:

— Ты совсем перестала уделять мне внимание. Ты вовсе не заботишься больше обо мне. Ты меня больше не любишь?

Он ревновал. Он больше не чувствовал себя любимым и нужным. Вся ее забота, все драгоценное внимание, все силы и энергия уходили теперь на этот маленький розовый комочек, который она родила. Лиана заняла все мысли Наны, все ее чувства и ее время.

Нана видела, что Иосифу не хватает ее поддержки, тепла, эмоций и, главное, восхищения. Поначалу она не придавала этому значения, но затем стала замечать, что муж понемногу угасает и отдаляется. Это встревожило Нану, и тогда она стала больше тепла давать Иосифу, меньше — дочери. Иосиф не часто проводил время с дочерью. Он заботился о ней, обеспечивал ее всем, что ей только могло бы потребоваться. Он не жалел никаких денег, но никогда не стремился проводить время с ней. Любил ли он ее? Или видел в ней конкурента, отбирающего внимание Наны? Дочь пошатнула их гармонию и спокойствие.

Лиана росла. Лиана взрослела. В отличие от Наны, ей было сложно безусловно принимать отца. Лиана бунтовала против несправедливого гнева отца, против его пьяных выходок, против его плохого или капризного настроения. В доме сложилась странная обстановка: эти двое никак не могли найти общий язык. Но хуже того было то, что Нане всегда надо было выбирать чью-то сторону. И она всегда выбирала Иосифа. Нана не знала, осознавала ли Лиана это, но однажды дочь сказала:

— Ты поощряешь его. Ты поощряешь такое отвратительное поведение.

— Я не поощряю. Но он мой муж. Мне бы тогда стоило развестись с ним. А я не хочу. Поэтому я стараюсь сгладить острые углы. Это и есть — мудрость женщины.

— Но он не прав! Ты сглаживаешь углы за счет того, что сваливаешь вину на меня. Ты выворачиваешь ситуацию наизнанку и там, где я не сделала ничего плохого, выставляешь меня крайней.

Лиана конечно же была права. Но что ей, Нане, было делать? Иосиф был ее жизнью. Она им жила. Она жила для него. А Лиана… У Лианы была впереди вся жизнь. Она выйдет замуж, заведет детей, у нее будет своя семья. Не стоит портить отношения с Иосифом, ведь он — навсегда, а Лиана их скоро оставит.


Но кто бы мог подумать, что Нана не выдержит. Что в один прекрасный день пелена упадет с ее глаз и она осознает, что никогда, ни разу, ни секунды в этой жизни не жила ради себя. Что, положа руку на сердце, и любима-то она никогда не была.

Когда же она осознала это? Когда ночами напролет ждала мужа из казино, обеспокоенная и встревоженная? Или когда Михаил показал ей, что и она может быть любима?

С Михаилом, отцом Арчи, они жили по соседству. По иронии судьбы он был мужем Анны Курдиани, которую в молодости так любил Иосиф. Она не общались, ни с Анной, ни с кем-то еще из их семейства. Не то чтобы у них была вражда — вовсе нет. Они с Иосифом по-соседски здоровались, иногда перебрасывались парой слов, но в дом Курдиани были не вхожи. Поэтому Нана очень удивилась, когда однажды машина Михаила затормозила возле нее:

— Гамарджоба, Нана, садись, довезу.

Нана возвращалась с покупками из магазина. Ей хотелось пройтись, прогуляться перед тем, как войти в пустой дом и снова начать тревожиться за мужа, о том, где он и когда вернется. Неожиданный ливень застал ее врасплох на пустой дороге. Она вся промокла и замерзла.

— Спасибо, не откажусь, — согласилась Нана и села в его машину.

— Возвращаешься с работы? — поинтересовался Михаил.

— Да. Зашла по пути в магазин, — она указала на сумки.

— Почему же ты не взяла такси?

— Мне хотелось немного пройтись. На улице было так свежо и хорошо. Кто же знал, что будет дождь.

— Любишь прогуливаться после работы?

Всю дорогу он задавал вопросы, а она отвечала. Впервые кто-то интересовался ей.

С того дня Нана стала чаще возвращаться домой пешком, а Михаил все чаще оказывался на ее пути. Они и сами не заметили, как стали возвращаться домой вместе. В машине они болтали о прошедшем дне, работе, планах, незначительных мелочах. Он живо интересовался ее днем, она с любопытством слушала его новости. Позже Михаил стал заезжать за ней утром и отвозить ее на работу. Нана знала, ему не по пути, но он все равно делал это, потому что хотел остаться с ней дольше. Затем он стал приглашать ее на ужины. Теперь они старались меньше попадаться людям на глаза и чаще бывать вдвоем.

Жизнь Наны стала контрастной: тихая, спокойная и радостная — с Михаилом, тревожная, серая и пустая — с Иосифом. Но ей больше не хотелось тревожиться. Ей захотелось выбрать себя.

А теперь Иосифа не стало, дочь ненавидит ее за то, что оставила отца совсем одного, ненавидит ее за выбор, который Нана сделала в пользу себя.

## Глава 59. Август 2010 год. Батуми

Отец лежал в большой комнате на первом этаже. На нем был черный костюм, белая сорочка. Лицо было трудно узнать: смерть исказила черты, окрасила его в зеленоватый оттенок. Вокруг стоял неприятный едкий запах, похожий на тот, что встречаешь в больницах. Лиана старалась не думать, гнала мысли из головы, но они, как назойливые жужжащие мухи в знойный день, толпились в ее голове. Этот дом, в котором она выросла, казался ей теперь страшным, пустынным. В нем поселилось горе. Вот кухня, на которой они, бывало, все вместе ужинали, весело болтали, смеялись. Но теперь это воспоминание меркнет, растворяется, уплывает. Лиана хочет зацепить его, ухватить, не дать ему исчезнуть, но все тщетно. Перед ней кухня, на которой ее одинокий, брошенный всеми отец жарит себе яичницу и заваривает чай. Она представляет, как он, дрожащей, но не от слабости, а от осознания разбитости и несчастья собственной жизни, рукой трет глаза, прогоняя уже подступившие слезы. Она видит, как он тихонько садится на краешек стула, отламывает вилкой подгоревшую яичницу, пережёвывает ее и силится проглотить. Ему не нравится вкус, не нравятся эти черные подгоревшие паутинки еды, но делать нечего — это все, что ему осталось.

Лиана секунду за секундой выстраивает его день: вот он моет тарелку, вот поднимается, кряхтя, в свой кабинет, где все напоминает о былой славе, о былом величии. Вот он садится в кресло, открывает компьютер, создает документ. Он сидит и смотрит в пустой монитор, не в силах вывести ни одной строчки, ни одного слова. Он один. Он несчастен. Он брошен. Он сломлен. Вот наступает вечер. Он бредет в магазин, покупает рис, овощи, хлеб, молоко. Все самое дешевое, ведь больше он не может себе позволить. Вот он смотрит на сочный стейк, лежащий перед ним на прилавке. Ему вдруг вспоминаются роскошные ужины с коллегами —

издателями и режиссерами в Тбилиси, Кутаиси и Москве. В самых дорогих, роскошных ресторанах. Он сглатывает слюну и подступившие слезы, проходит мимо стейка, так и не бросив его в корзину. Расплачивается у кассы. Не спеша возвращается домой. Налетает ветер и пронизывает его до костей. Ему холодно. Надо бы купить теплых вещей. Но на что? Средств у него совсем мало, а старую куртку пришлось выбросить. Он приходит в пустой дом, ест невкусный слипшийся рис, смотрит новости и ложится спать за тем, чтобы повторить все это снова завтра.

Где-то в глубине души Лиана знает, что все это не правда, что все это — ее больное воображение. Но ей так больно, что она не слышит голос рассудка. Она продолжает представлять несчастного дряхлого отца, ругая себя за то, что не была рядом, что не помогала ему. Она накручивает себя и сознательно рисует все более драматичные картины у себя в воображении. Это позволяет ей все больше ненавидеть себя и мать за то, что бросили отца. Лиана ненавидит себя за то, что так мало любви давала ему, так мало его обнимала, так редко с ним говорила. А теперь... А теперь у нее уже никогда не будет шанса все это восполнить.

Ей вдруг страшно захотелось написать Карду. Ей так хотелось, чтобы он обнял ее, сказал, как сильно любит ее. Чтобы утешил, успокоил, сказал, что ни в чем нет ее вины. Но он больше не мог этого сделать и не потому, что он далеко, а потому, что ему больше не важно, что с ней происходит. А вдруг?.. Лиана достала телефон, с надеждой посмотрела на экран — нет, от Карду не было сообщений. Тогда она написала Арчи: «Арчи, привет. У меня умер папа. Похороны завтра в 10 утра. Ты придешь?» Доставлено. Не прочитано. Она подождала немного и набрала телефон Арчи: длинные гудки без ответа. Как странно. Ей захотелось пройтись вверх по Варшанидзе, позвонить в дверь дома Курдиани, позвать Арчи и позволить ему утешить ее. Но она не смогла. Не смогла даже взглянуть на дом, где была такой счастливой вместе с Карду.

Она поднялась на второй этаж. В кабинете отца среди бумаг, документов и ручек в верхней полке стола Лиана нашла «Феназепам» — сильнодействующее успокоительное, в больших дозах вызывающее галлюцинации и зависимость. Лиана знала, что стоит выпить только половину таблетки. Но она достала две, закинула их в себя и проглотила. Голова ее стала ватной, язык набух, руки и ноги отяжелели. Сон мгновенно схватил ее.

Лиана сидела на деревянных качелях, привязанных толстыми канатами к огромному дубу. Она осмотрелась. Дуб стоял на краю поляны. Солнечный свет разливался по яркой сочной траве, еще хранящей утреннюю росу на своих стеблях. Голубое небо было усыпано белыми пушистыми комочками облаков. Поляна искрилась, манила, обещала покой и радость.

По другую сторону дуба раскинулась страшная пропасть. Не было видно ни глубины ее, ни стен — одна сплошная черная тьма разверзлась под дубом. Казалась, упадешь в эту пропасть — и никогда уже не выберешься оттуда, никогда больше не увидишь свет.

А качели качались: туда-сюда, туда-сюда. Они неслись навстречу пропасти, и кровь стыла в жилах, а сердце замирало. Они мчались обратно к поляне, и отступала тревога. Но как же сложно было Лиане сидеть на этих качелях, как тяжело было выносить эти колебания: от ужаса к радости, от страха к спокойствию, от темноты к свету. Ей казалось, она не выдержит больше. Надо было выбираться отсюда.

И только Лиана подумала о том, что надо попробовать остановить качели, встать на твердую землю ногами, как вдруг почва под качелями начала сыпаться. Песок, камни, булыжники — все летело вниз, в пасть к черной бездне. Господи, как страшно! Вот показались корни дуба. Почему они такие маленькие? Совсем как ниточки. Такие не смогут удержать дерево. Вдруг она почувствовала падение. Легкое, свободное, несдерживаемое ничем. Она обернулась: дуб накренился, заскрипел, вырвался из земли и полетел прямо в бездну. «Наконец, это кончится», — подумала Лиана. Еще она успела посмотреть на поляну. В это время туча заслонила ей солнце и тьма сомкнулась над ее головой.

От чувства падения во сне Лиана проснулась. Мысли путались. Где она? Ах, она в Батуми. У нее умер папа. Лиана горько заплакала. Сквозь слезы она взглянула на экран телефона. Сколько она проспала? Час? Два? Пятнадцать! Пятнадцать часов. Она проспала так долго. Скоро начнутся похороны. Надо сходить в душ. Надо надеть черное платье. Надо повязать на голову платок. Она надеялась спрятаться за этими простыми механическими действиями. Любые мысли о том, что папы больше нет, она просто блокировала — не позволяла себе даже думать об этом.

От Арчи пришло сообщение. Лиана посмотрела на время отправления — 00.50. Интересно, почему он не спал так поздно? И почему не мог весь день написать. «Боже, Лиана, милая, мне так жаль. Держись. Я знаю, тебе не просто, но ты должна быть сильной. Я не смогу быть завтра на похоронах, но дай мне знать, если я могу чем-то помочь». Сердце Лианы провалилось куда-то далеко-далеко. Она осталась совсем одна. У нее и правда больше никого не было — это не иллюзия. Папы больше нет. Матери она не нужна. Карду ее разлюбил. Друзья от нее отвернулись. Она не нужна даже самой себе. Больно было так, что Лиана поняла — ей не прожить этот день самой. Она достала из чемодана белую маленькую пачку с красными буквами «Атаракс», взяла оттуда одну таблетку и закинула ее в себя.

На кладбище и после на поминках Лиана не могла выдавить из себя ни слезинки. Она чувствовала себя так, как если бы кто-то собрал все ее эмоции, все горе и страх, засунул это в полиэтиленовый пакет и положил напротив нее. Она смотрела на этот пакет, она видела, что в нем, она понимала — все это ее эмоции. Но сейчас они не с ней, сейчас она не может их прочувствовать. Она была словно сторонним наблюдателем.

На поминках было немного людей, но она почти никого не знала. Пара соседей с улицы Варшанидзе, несколько бывших папиных коллег из издательства. Не было тут ни режиссеров, с которыми папа когда-то работал, ни издателей, ни одноклассников, ни однокурсников. Не заметила она и Курдиани — никто не пришел, кроме отца Арчи Михаила. Лиана обратила внимание на мысль, которая промелькнула в ее мозгу, скользнула через сознание и выпрыгнула в пакет с эмоциями: «Как странно, что он тут. Почему он тут, а его семья — нет? В этом есть что-то неправильное». Но додумать эту мысль Лиана не могла: ее обволакивал туман «Атаракса», не давая сосредоточиваться.

Ей так хотелось, чтобы эти люди ушли. Ей хотелось остаться одной, хотелось забраться под одеяло и уснуть. Ей не хотелось быть здесь, не хотелось, чтобы другие люди видели ее, говорили с ней, соболезновали. Ей нужно было остаться одной. Нужно было понять, как жить дальше, чем жить дальше и, главное, — для чего.

— Доченька, ты такая бледная. Может, приляжешь? Я могу остаться здесь сама и прибрать, когда все уйдут, — лицо мамы выражало беспокойство.

Лиана не хотела разговаривать с матерью, но сейчас она была ей благодарна. Лиана поднялась наверх, выпила таблетку «Феназепама» и мгновенно уснула.

Проснулась она спустя пару часов от звенящей тишины. В доме было мертвенно тихо. Лиана с трудом разомкнула свинцовые веки, подняла отяжелевшую голову от подушки и на ватных, мягких ногах спустилась вниз. В доме было пусто и идеально чисто. Все выглядело так, как будто тут никто уже давно не живет. Лиана вышла на улицу. Было уже совсем темно, но жара не отступала. Она разглядела две тени в беседке в саду. Она не видела, кто это — картинка в глазах после сна все еще была нечеткой. Ноги плохо слушалась ее. Она осторожно и медленно направилась к беседке. До ее слуха долетели обрывки фраз.

— Я так хочу жить вместе. Я уверен, она поймет.

— Ты не знаешь ее. Эта новость убьет ее. Я… Я хочу сначала наладить с ней отношения. И потом надо хоть немного подождать.

«Это мама, — поняла Лиана. — А с ней ее новый мужчина. Как он смеет приходить сюда, в их дом, в день похорон ее отца? Как она посмела позволить ему прийти?» Лиана ощутила, как обжигающая волна ярости прокатилась по ее телу с головы до ног. Руки непроизвольно сжали еще непослушные пальцы в кулак. Ей хотелось знать, кто он. Она двинулась вперед и вдруг остолбенела. Она узнала его. В беседке возле дома ее отца Иосифа папа Арчи Михаил держал ее мать за руки и нежно смотрел ей в глаза.

Она закричала. Она закричала так громко, словно перед ней был страшный хищник, готовый наброситься на нее в любую секунду. Она кричала и кричала что было мочи от ужаса, от предательства, свидетелем которого она была, от боли, от горя, от страха и от одиночества. Она кричала, пока не охрипла.

Нана вскочила и подбежала к ней, но Лиана оттолкнула мать и бросилась к дому. Ненависть придала ей сил. Забежав в дом, она направилась прямиком в свою комнату, нашла телефон и набрала телефон Арчи. На этот раз он снял трубку почти сразу.

— Лиана... — начал было он, но она не дала ему сказать ни слова.

— Ты знал? — заорала она в трубку. — Ты все это знал?

— Лиана, я...

— Да или нет? Я хочу услышать только да или нет!

— Я не понимаю, о чем...

— Ты все понимаешь! — орала она в трубку. — Твой отец! Ты знал?!

— Да.

Она бросила трубку. Он перезвонил. Ей вдруг почудилось, что это не телефон вибрирует на кровати, а маленькое ядовитое злобное существо хочет подобраться к ней и ужалить ее. Она вскрикнула, оттолкнула телефон и вжалась в стену. На пороге комнаты показалась мать. Лиана закричала, чтобы та не смела к ней приближаться и выметалась из их дома. Ей больше нечего тут делать. Она предатель, она эгоистка, она чудовище. Она спала с соседом, пока отец нуждался в ней. Она спала с отцом ее друга. Лиана билась в истерике, начала бредить, металась по комнате. Она не знала, как успокоить себя. Вдруг она что-то вспомнила, бросилась к своим вещам и достала оттуда «Феназепам». Она закинула в себя две таблетки и снова уснула.


## Глава 60. Август 2018 год. Батуми

От меня не скрылся долгий взгляд, брошенный Арчи на моего отца. Отец отвел глаза.

— Арчи? — повторил я. — Я хочу поговорить.

— О чем, Карду?

— О том, что случилось восемь лет назад.

Арчи тяжело вздохнул:

— Твоя сестра завтра выходит замуж. Ты думаешь, нам стоит сейчас начинать этот разговор?

— Мы не общаемся восемь лет, и я подумал…

— … подумал начать? Я открыт, Карду, всегда был открыт. Но стоит ли нам бередить прошлое? Стоит ли вспоминать накануне такого светлого дня? Ты хочешь испортить свадьбу сестре? У тебя было столько шансов. Мы столкнулись с тобой нос к носу в Ницце, но ты не захотел говорить тогда. Что же изменилось теперь?

— Мне нужен этот разговор. Я просто хочу все понять. Сегодня или завтра. Но пришло время. Восемь лет я живу в этом. Восемь лет я день за днем прокручиваю все в голове. И не могу начать жить.

— А стоило бы.

— Я хочу знать, почему ты так поступил с ней. Почему не приехал на похороны. А главное, почему не сказал мне, что умер ее отец? Ты же звонил мне на следующий день после его смерти. Ты помнишь? Ты спросил — звонила ли мне Лиана? Я сказал нет, сказал, что мы больше не вместе. Еще я спросил у тебя, не случилось ли чего. Ты ответил, нет, все в порядке. Почему ты соврал мне? Я ничего не знал. Я бы мог приехать, мог бы ей помочь!

Я прикусил язык. Конечно, я не мог приехать. Я бежал из Питера, спасаясь от возможного преследования. Но ни родители, ни Арчи до сих пор не знали, почему я на самом деле уехал в Лондон. Они не знали, что я никак не мог вернуться без опасений оказаться под следствием.

— А мог ли ты приехать, Карду? — неожиданно спросил Арчи.

Я посмотрел ему прямо в глаза. Что он знал? Нет, дядя Давид никогда не сказал бы ему…

— Папа, ты не оставишь нас? — попросил я.

— Сынок, — тяжело произнес папа, не глядя мне в глаза. — Я … Я думаю, что это я, а не Арчи должен тебе многое рассказать.

— О чем ты, папа? Я всего лишь хочу знать, почему мой брат, почему самый близкий друг Лианы оставил ее в беде и не пришел ей на помощь? Я хочу знать, почему все вышло именно так. Я хочу понять, чтобы простить.

— Тебе не за что прощать Арчи. Во всем, что случилось, нет его вины. Как нет и твоей.

— Много лет все твердят мне эти слова. Но мы могли все это предотвратить! Если бы только ты, Арчи, рассказал мне все. Или… Или если бы ты оказался с ней рядом. Что могло быть важнее в тот момент? Умер отец Лианы. Она уже не общалась с матерью. Она…она ушла от меня. У нее не осталось никого, кроме тебя. Что могло быть важнее Лианы в тот момент?

— Семья, — тихо сказал Арчи.

— Но она и была семьей!

— Карду, если бы тебе пришлось выбирать между Лианой, братом и отцом брата, кого бы ты выбрал? Сложная дилемма, не правда ли?

— О чем ты? — не понимая, сказал я.

— Присядь, — попросил отец. — Если хочешь поговорить, то приготовься. Разговор не будет коротким. Не будет он и легким.

Я послушно сел. Я видел, как Арчи вопросительно посмотрел на отца.

— Я думаю, — произнес отец. — Настало время мне рассказать тебе все. Хотя, не скрою, я надеялся, что этот момент никогда так и не наступит. Арчи, останься с нами.

Я молча слушал, не понимая, что происходит.

— Я не знаю даже с чего начать. Прежде всего, сынок, я хочу, чтобы ты понимал: ты, Катя, родители, вся наша семья — это самое дорогое, что есть у меня в жизни. Ваше уважение, ваша любовь были и остаются очень важными для меня. Ты много не знаешь про тот год. Потому что… Потому что я не мог найти в себе силы признаться. Ни тебе, ни Кате, ни собственному отцу и матери. Я… Мне было стыдно. Больно, стыдно и… Я люблю тебя, Карду. Люблю свою дочь. Люблю и любил своих родителей. Мне хотелось остаться хорошим отцом и сыном. Поэтому я сделал неверный выбор. Я молчал и попросил молчать Арчи — свидетеля моего бесчестья. Я не думал, что все это так далеко зайдет. Я не думал, что Лиана… что она будет нуждаться в Арчи, в тебе. Мой эгоизм привел к таким страшным последствиям. У тебя есть вопросы к брату. Но отвечать на них стоит мне, а не ему.

— О чем ты, папа? — мне становилось не по себе.

— Ты сейчас все поймешь. Но прежде я хочу, чтобы ты хотя бы попробовал понять меня. Не суди меня. Мне нет оправданий, мои поступки были безответственны и уродливы. Я все это знаю. Но ... Я хочу, чтобы ты знал, что я люблю и любил тебя. И что единственным моим желанием было и есть — оставаться для тебя хорошим отцом. Арчи не был на похоронах Иосифа Табидзе потому, он не был в Батуми. Он был в Питере. И он не мог прилететь, так как он был нужен здесь. Мне и твоей матери. Но эта история началась задолго до смерти Иосифа Табидзе.

## Глава 61. 2010 год. Санкт-Петербург

В доме Акакия и Марии Курдиани всегда было по-грузински шумно, весело и легко. И не важно, была ли это скромная квартирка на окраине, или роскошные двухэтажные апартаменты в самом сердце города. Карду и Катя приходили из школы и, перебивая друг друга, делились всем, что случилось у них за день. За ужином всегда было о чем поговорить, поспорить, пошутить и посмеяться. Разговоры возникали сами собой из ниоткуда. Вся жизнь вертелась вокруг детей, они много лет были смыслом существования Акакия и Марии. Школа, секции, мероприятия, тренировки, каникулы в Грузии, поездки в Европу, колледж в Лондоне. Весь быт, вся активность, вся жизнь — в детях. Они не просто были смыслом жизни, они были центром этой вселенной Курдиани. В те годы в доме постоянно кто-то бывал: друзья и подружки Кати и Карду, Бердиа с родителями, Вова с семьей. Взрослые общались, их дети проводили время вместе. Жизнь била ключом. Вокруг всегда было много народу, всегда было полно забот. Это было звонкое счастливое время.

Но жизнь движется в своем русле. Дети росли. Карду уехал в Лондон, а когда вернулся, стал жить своей собственной взрослой жизнью в новой съемной квартире. Катя оканчивала университет и почти перестала бывать с родителями. Бердиа переехал в Лондон и больше не заглядывал на ужины. Вова не появлялся в их доме, ссылаясь на вечную занятость, и иногда, казалось, что он избегает их. Давид все время проводил на работе в ресторанах. Дела и правда шли не важно: вопреки всем прогнозам и ожиданиям автосервисы стремительно теряли прибыль, и они едва удерживали этот бизнес на плаву. Дом неожиданно опустел, из него словно ушла жизнь.

Мария и Акакий вдруг поняли, что им практически не о чем говорить. Пока дом бывал полон детей и гостей, они всегда находили темы для разговоров. Но стоило им остаться вдвоем, как все беседы стихали. Мария старалась удивлять мужа сложными кулинарными изысками, со вкусом сервированным столом, но, садясь за еду, они ужинали молча. Разговор больше не завязывался сам собой как раньше, когда они обсуждали школьные неприятности, успехи детей, внешкольные занятия и кружки, проблемы и заботы Кати и Карду, планы на отпуск, подарки к праздникам, наряды на мероприятия. Теперь в их доме царила гнетущая тишина. Чтобы развеять молчание и скуку, они стали чаще бывать в гостях, приглашать к себе людей, выходить на выставки или в театры. Такие вечера разгоняли тоску, а жизнь вновь наполнялась событиями и впечатлениями. Они снова говорили между собой. Но когда они садились в такси по пути к дому, их вновь настигала тишина. Они обсуждали увиденные картины или фильмы, других людей и их жизни, но никогда — себя и то, что с ними происходило. Смысл утекал из их слов. Разговоры стали пустыми, ничего не значащими пересудами. Прежде они были заняты детьми и не обращали на это внимание, не замечали, что им больше нечего друг другу сказать.

Акакий скучал по детям и по гостям. Ему казалось, что дети больше не нуждаются в нем, что он перестал быть героем для них. Из главы семьи, мудрого советника и надежной опоры он превращался в одинокого родителя, на почтенном расстоянии наблюдающего за детьми. Ему казалось еще, что проблемы в бизнесе отталкивают его друзей, как будто убыток — это что-то заразное, что-то передающееся по воздуху, что-то, что может прилипнуть к тебе навсегда, стоит только побыть с ним рядом. Акакию снова хотелось завоевать внимание, восхищение, любовь. Опять хотелось быть нужным. Он дарил детям дорогие подарки, готовил сюрпризы, старался удивлять. Он заказывал самое дорогое вино в ресторанах и оплачивал ужины друзей. Он звал их к себе домой и покупал только самые удивительные и экзотические продукты, превращаемые Марией в роскошный ужин. Но все это не меняло существующего положения вещей. Тогда он решил искать признания и внимания в других местах.

Акакий стал завсегдатаем ночных клубов и баров. Он начал следить за собой, занялся спортом, сменил гардероб. Он хотел нравиться молодым горячим девчонкам, стайками слетавшимся на дорогое шампанское. Бутылка за бутылкой он заказывал его к своему столу. И чем больше бутылок несли официанты, тем больше девчонок окружало его. В одну из таких ночей он оказался в новом месте под названием «Луч», где лицом к лицу столкнулся с Вадимом.

— Акакий Кардувич, вот уж не ожидал увидеть Вас у себя в баре, — как всегда широко улыбаясь, поприветствовал его он.

— Это твой бар? Я и не знал!

— Разве Карду не рассказывал Вам о том, что я открыл бар?

Вадим пригласил Акакия к своему столу. Тот ломился от яств: огромная бадья, до краев наполненная льдом, а в ней — три бутылки водки и штук десять—пятнадцать сине-серебряных баночек энергетиков. Тут же расположились два ведерка с шампанским, по две бутылки в каждом. Молодые девчонки на высоких каблуках танцевали вокруг стола. А одна из них то и дело бросала бесстыдные красноречивые взгляды на Акакия. Акакий наслаждался этой обстановкой. Ему здесь нравилось все. А потом он и сам не заметил, как оказался в туалете с Вадимом с пластиковыми картами в руках и белыми дорожками у носа.

В ту ночь Акакий впервые попробовал кокаин. Наркотик окрылял. Благодаря ему Акакий почувствовал себя молодым, привлекательным, желанным и вновь самым лучшим, самым умным, самым успешным. Не было в этом мире никого, равного ему. Он был королем, он был на вершине мира. Теперь он больше не думал о Марии, он думал только о себе.

Пока Акакий ночь за ночью пропадал в клубах, одурманенный алкоголем и кокаином, разгоряченный молодыми горячими телами, его жена Мария страдала от того, что теряла мужа. Она скучала по нему и отчаянно хотела ему нравиться. Но она прекрасно видела в зеркале — она постарела. Каждое утро она осматривала свое уже немолодое тело. Каждый день, выходя на улицу, она сравнивала себя с молодыми девушками. У них было все то, что ей больше не доступно: розовая свежесть лица, высокая упругая грудь, гладкие бедра и подтянутый плоский живот. Каждый вечер она ложилась в постель одна, прекрасно понимая, что уже не вызывает у мужа желание.

А между тем ей так отчаянно хотелось ему нравиться! Ей хотелось, чтобы он смотрел на нее как раньше, горячо целовал, крепко прижимал к себе. Ей хотелось, чтобы он любил ее снова, чтобы снова желал ее. Она шла к косметологу, колола ботекс, вставляла нити, подтягивала веки и — ждала его восхищенный взгляд. Он не замечал, и тогда она шла к массажисту, нанимала тренеров, истощала себя диетами — и снова ждала его восхищения. Он вновь не замечал изменений, и тогда она шла к хирургу, вставляла импланты — все, только бы он снова любил ее, только бы снова восхищался ей. Но и тогда муж ничего не замечал. Она шла в магазин, покупала соблазнительное белье, интригующие наряды и ждала его ночью в спальне. Но он приходил под утро, пьяный, уставший, грубый и, не замечая жену, ложился спать.

Она тихонько плакала, уткнувшись в подушку, и мечтала только о том, чтобы он полюбил ее снова. Чтобы опять зажглась между ними искра. Пусть ненадолго, пусть на короткий миг, но она снова почувствует себя женщиной, она снова почувствует себя любимой. Пусть он захочет ее, пусть возьмет ее, хотя бы один только последний раз, но так, как это было когда-то. Как это было, когда они остались вдвоем первый раз в студенческом общежитии Ленинграда, как это было, когда они зачали сына, как это было, когда они праздновали первый год с открытия их ресторана, как это было бессчётное количество раз под жарким небом Батуми. Но муж неизменно оставался равнодушен. Акакий чувствовал себя брошенным детьми и друзьями, а тем временем бросал в одиночестве жену. Она страдала и не могла понять, что еще ей сделать, чем привлечь его.

Пока Мария старалась восстановить их семью и пробудить в нем воспоминания о счастливом прошлом, Акакий стремился поменять все вокруг. Ему не хотелось вспоминать прошлое. Ему хотелось обновиться, помолодеть и стать другим. Он перестал любить то, что они столько лет ели на завтрак, обед и ужин. Теперь он увлекся здоровой пищей. По выходным он отправлялся в спортзал, где без устали трудился над своим телом: новым, красивым, постройневшим и подтянутым. Он записался на яхтинг и учился управлять парусами. А вечером он неизменно приходил в «Луч», где под звуки громкой музыки представлял себя одним из них, его новых друзей — молодых, беззаботных, успешных и таких привлекательных.

И неожиданно его настроение изменилось. Ему снова было хорошо. Он понемногу становился тем парнем, в которого когда-то влюбилась Мария. Она старалась для него пуще прежнего: она меняла гардероб, прическу и парфюм, она покупала чулки, высокие каблуки и коротенькие платья. Она ходила на гимнастику и пластику, старалась быть более легкой и грациозной. Она тратила часы, дни и сотни тысяч рублей, но он оставался безучастным к ее усилиям. Кто она такая теперь? Стареющая жена, не способная снова быть привлекательной для собственного мужа? Мария была несчастна.

А потом… Потом случилась та страшная ночь. Акакия не было дома до самого утра. Она не спала — не могла уснуть без него, волновалась. Вдруг раздался звонок. Акакий никогда не звонил — у него был свой ключ. Сердце подскочило к горлу. Мария встала с кровати, трясущимися руками натянула на себя халат и поспешила к двери. Посмотрела в глазок — в коридоре стоял Вова и кто-то еще. Они держали под локти Акакия, а Акакий…

— Божечки, — прошептала она и непослушными пальцами стала отворять замок.

— Маша, прости, — не глядя ей в глаза, проговорил брат.

— Вова, что случилось. Что с Икой? Почему у него лицо в крови? Что с его руками?

Все лицо мужа было бурым от спекшейся крови. Под глазами уже наливались синяки, а губы были вывернуты и распухли. Костяшки на руках были стесаны и сочились кровью.

— Прости, Маша, прости, — продолжал приговаривать Вова, отодвигая ее с прохода. Он и еще какой-то парнишка оттащили ее мужа в прихожую и положили на диван.

Мария взяла себя в руки. Она осмотрела мужа. Скорую вызывать не было смысла. Нужно было промыть раны, приложить лед и переодеть его — одежда была запачкана кровью и грязью.

Она смотрела на Вову — видимых повреждений на нем не было. Так с кем же подрался муж?

— Вова, ты расскажешь мне что случилось? Я переживаю, — абсолютно спокойно сказала она.

Брат, наконец, взглянул ей в глаза.

— Маша, прости меня. Надеюсь, ты сможешь меня понять. Я тоже хочу, чтобы мой сын учился в Лондоне. Я тоже хочу ездить отдыхать в Шамани. Я тоже хочу иметь свой «Рэндж Ровер». Я работаю как проклятый, я все это заслужил. Я просто хочу иметь достойную жизнь для своей семьи.

Мария открыла рот, чтобы что-то ответить, но он, не слушая ее, уже развернулся и быстрым шагом направился к двери, увлекая за собой парнишку. Он вышел из квартиры так же быстро, как и вошел. Он не попрощался и ничего не объяснил.

Муж что-то бессвязно бормотал себе под нос, икал и вяло грозил кому-то кулаком. Она не решилась расспрашивать его в этот час. Она принесла чистую одежду, аптечку, бинты и теплую воду в тазике. Она привела мужа в порядок, накрыла его одеялом и уложила спать.

Едва дождавшись утра, Мария позвонила Давиду. Он ответил сразу же.

— Давид, привет. Скажи, ты знаешь, что вчера случилось с Икой? Вова принес его домой, всего в крови, побитого, пьяного. Я так волнуюсь.

— Не переживай, Маша. Поставь чайник. Я могу быть у вас примерно через час и все тебе расскажу. Это не телефонный разговор.

Мария была не из тех, кто поддается панике. Она отогнала от себя самые страшные мысли и пошла заваривать чай. В конце концов, ее муж жив и спит у нее дома. А все остальные проблемы можно решить. Но что же натворил ее брат?

«Прости, Маша, прости». За что брат извинялся?

Вова был младше Марии на восемь лет — ровно настолько же и его сын Егор был младше ее первенца Карду. Но несмотря на разницу в возрасте, Марию и Вову всегда связывали нежные родственные отношения. Она всегда защищала брата, заботилась о нем. Это она предложила Ике взять брата на работу. Она хотела и брату помочь, и мужу облегчить работу. Ей казалось, что это так здорово, что все они будут работать вместе, все будут заняты одним делом, будут приумножать благосостояние семьи. Семьей Мария всегда считала все их бесконечное множество родственников: родителей Акакия, его сестру Аню и ее мужа Михаила, Вову с Таней, Егора, Арчи и Катю. Все они были самыми близкими людьми для Маши.

Ей вдруг вспомнилась школа. Она уже была в старших классах, когда Вова только пошел в первый. Мария Мишкина — староста класса, отличница, любимица учителей. Вова Мишкин — балбес и задира. Когда он не слушался, учителя всегда приговаривали: «Не стыдно тебе! Сестра вон какая умница, а ты!»

Однажды на перемене к Маше подошла завуч. За руку она держала маленькую, заплаканную девочку, с растрепанными волосами, порванным платьем и пластырем с запекшейся под ним кровью.

— Машенька, можешь проводить девочку в больницу и потом домой? Первоклашка. Поранилась на уроке труда. С твоим учителем физики я договорюсь, чтобы не ставил прогул.

— Конечно, Нина Григорьевна, провожу.

Девочка хныкала, и, чтобы как-то ее отвлечь, Маша решила узнать, что случилось.

— Меня мальчик ударил.

— Как ударил?

— Катушкой.

— Какой катушкой?

— С нитками.

— А царапина и кровь откуда?

— Там были иголки.

— Откуда же там иголки?

— Так урок труда же.

— А зачем он ударил?

— Я его дураком назвала.

— А он?

— А он взял пакет с катушками и иголками и ударил меня по голове.

— Ну не плачь. Что ж это за мальчик такой, что девочек бьет?

— Вовка это! Дурак.

— Какой Вовка? — насторожилась Мария.

— Мишкин!

Мария улыбнулась воспоминаниям.

Вспомнился ей и другой день, лет на пять раньше. Лето, жарко. Все подружки и друзья собрались идти на озеро — купаться и загорать. Она не могла отправиться с ними: родители попросили посидеть с братом, пока они съездят на рынок. Мария помнила, как играла с братом, читала ему книжки, как кормила и укладывала спать. Ей конечно же хотелось с ребятами на озеро. Ей так сильно этого хотелось! Но ведь Вова же — братик. Кто-то должен за ним посмотреть.

А вот ей вспомнилось, как брат привел к ним с Икой в дом Таню — знакомиться. Таня Марии совсем не понравилась. Яркий макияж прибавлял ей лет. Она громко смеялась и болтала без умолку. Была вызывающей и дерзкой. А Вова... А Вова заглядывал ей в глаза и делал все, что она только пожелает. Что ж... Раз брат влюбился, то и ей, Марии, стоит уважать ее. И Мария полюбила Таню. Вскоре брат женился. Вова и Таня, а потом и Егор стали постоянными гостями у них в доме. Ни один праздник, ни одно событие, ни один субботний ужин не обходился без них. Они были не просто членами семьи, они были настоящими друзьями. Столько белых ночей они провели вместе за душевными разговорами на маленькой тесной кухоньке в Ленинграде. Столько рассветов встретили. Они крестили детей друг друга, делили вместе радость и горе, вместе мечтали, вместе смеялись, вместе плакали.

— Так что же ты натворил, братец, — тихо произнесла Мария.

Когда Давид появился на пороге их квартиры, Акакий все еще спал.

— Как он? — спросил Давид.

— Не знаю, он спит. Ночью Вова привез его домой и оставил тут. С тех пор Ика не просыпался. Так что случилось?

— Маша, твой брат украл у нас бизнес.

Марии показалось, что она ослышалась.

— Что ты сказал? Извини, я не понимаю… — начала было она, но Давид жестом остановил ее.

— Но это не самое страшное. Боюсь, Акакию нужна помощь. Он наркозависим.

Здесь самообладание изменило Марии. Она почувствовала, как горло словно сдавили, а в груди стало жарко и тесно. Она подалась вперед, обхватив себя руками за плечи, как будто защищая от страшной новости.

— Прости, я думал, до этого никогда не дойдет. Акакий просил не говорить тебе, обещал, что со всем справится сам.

— Ты можешь рассказать мне все по порядку. Я ничего не понимаю.

И Давид рассказал все.

Когда они только открыли автосервисы, то бизнес быстро стал прибыльным. Причиной тому были высокий уровень обслуживания, приемлемые цены, качественный сервис и хорошая реклама. Сервис был настолько популярным, что Акакий и Давид открыли еще несколько точек в разных частях Санкт-Петербурга. Им вдвоем было сложно управляться и с ресторанами, и с сервисами. Тогда они негласно разделили сферы влияния, хотя по-прежнему оставались равноправными партнерами: Давид стал больше внимания уделять ресторанам, а Акакий — сервисам. Но чем популярнее становились рестораны, чем больше автосервисов они открывали, тем больше понимали, что им нужен хороший помощник. Так у них появился Вова — брат Марии, человек с большим опытом работы с автосервисами. Это был свой человек, член семьи, которому можно доверять. Вова быстро взял все под свой контроль и продолжил наращивать прибыль. Он отвечал за все: за продажи, управление, закупки, подбор персонала, финансы. Он был генеральным директором сети, настолько успешно справляющимся со своими обязанностями, что Акакий и Давид предложили ему долю в этой части бизнеса — 2 %. Вовин и без того высокий доход стал еще больше. Он, окончивший в свое время только техникум и работавший до того управляющим в одном из «Тойота-сервисов», вдруг стал вывозить семью несколько раз в год за границу, купил хорошую машину, переехал в квартиру побольше, отдал сына Егора в частную школу и секцию карате.

Но месяц за месяцем он видел, какую прибыль забирали Давид с Акакием, он видел, что его заработок — всего лишь часть существенно большего куска, который никогда не будет ему доступен. И тогда в его голове родился план.

Когда к нему приезжали клиенты на хороших дорогих машинах, он ставил на них самых лучших механиков и пробивал услуги с огромными скидками, чем быстро завоевал их расположение. С каждым из таких клиентов Вова знакомился лично и всегда при случае общался. Такие клиенты получали все: высокий сервис по ценам в два, а то и в три раза дешевле прайса, первоклассное обслуживание и внимание самого генерального директора сети. Естественно, сервис начал недополучать прибыль от такой щедрости Вовы. Вова же объяснял падение прибыли внезапно подорожавшими на фоне мирового кризиса запчастями. Акакия и Давида такое объяснение вполне устраивало, и ни один из них не проверял документы.

Тогда, заручившись лояльностью ключевых клиентов сервиса, Вова открыл свой автосервис, который оформил на жену. Он увел самых лучших механиков к себе в сервис, сделал информационную рассылку по всей базе клиентов Давида и Акакия, предложив им более низкие цены, а также просто перевел тех самых привилегированных клиентов в свой сервис. Новый сервис стоял прямо через два здания, от сервиса Давида и Акакия.

— Но ведь, чтобы открыть сервис, нужны большие вложения. Откуда же у него деньги? — спросила Мария. — Насколько мне известно, у него не было возможности для такой инвестиции.

— Этого я, к сожалению, не знаю. Может, скопил. Может, взял в долг.

— Но это большая сумма. Одна аренда чего стоит. Да и ты сам знаешь, в первый год, а то и два сервис не приносит дохода. Как же он стал бы отдавать долг? Да и кто бы ему дал такую большую сумму?

— Может, взял и не вернул. Я не знаю, Маша. Одно я могу сказать точно: уже больше полугода он работал на нас с Акакием, а параллельно развивал свой бизнес и выводил его на окупаемость. Он раз за разом переводил клиентов к себе, разоряя нашу сеть. Он грабил нас день за днем. Полгода! Только подумай: он получал у нас зарплату, имитировал работу, а сам тем временем вовсю работал в соседнем сервисе через два дома. Клиентов, приходивших к нам по дорогущей рекламе, им же и оплаченной из нашего кармана, он просто переводил к себе!

— Ты уверен? Неужели все это правда? Ведь он не мог так поступить с нами, Давид. Он мой родной брат! Мы его семья. Ика — его семья.

Ситуация в сети Акакия и Давида ухудшалась стремительно. Убыток был колоссальным. Тогда Давид решился на разговор с Акакием: если Акакий один не справлялся со своей зоной ответственности, тогда ему, Давиду, придется запустить свои руки в дело и проверить все самому. Терпеть и дальше такой катастрофический убыток означало подписать себе приговор на банкротство. Давид назначил встречу Акакию у них в ресторане, но сильно задержался в пути. А когда приехал, то застал Акакия за кокаином. Это был словно гром среди ясного неба.

К тому моменту Давид уже начал замечать перемены во внешнем виде и поведении друга: нервное возбуждение, чрезмерная активность, следы бессонных ночей, моложавый внешний вид и стремление выглядеть молодым и спортивным. Но, признаться по правде, он думал, что дело в какой-нибудь молоденькой любовнице или просто в новом круге общения, большую часть которого составляли ровесники их сыновей. Темные круги под глазами, изможденное, осунувшееся лицо, чрезмерная худоба могли быть просто причиной постоянных ночных попоек. Но Давид и представить себе не мог, что его самый близкий друг употребляет наркотики.

— Откуда он вообще их достал? — воскликнула Мария.

Ика убеждал Давида, что ничего серьезного не происходит и он всего лишь балуется время от времени наркотиками. Друг сумел убедить его в том, что это всего лишь минутная слабость, часть его ночных тусовок с молодыми ребятами. Они поговорили о бизнесе, и Акакий согласился, что пора навести порядок и все проверить. А главное — найти первопричину сложившейся ситуации и устранить ее. Акакий обещал вернуться с ответом.

Проходили дни, недели, а Акакий так и не подступился к решению задачи. Давид стал чаще звонить Акакию, настаивал на встречах и раз за разом неизменно заставал его пьяным и обнюхавшимся кокаином. О бизнесе и речи не могло идти — он абсолютно не занимался работой. С ним происходило что-то странное. Ночи напролет он проводил в клубах, а днем отсыпался после бурной ночи.

— Все это время он говорил мне, что работает в ресторанах, поэтому его график сместился, — тихо проговорила Мария.

— Как ты теперь знаешь, это было не так. Маша, мне очень жаль, что я сообщаю тебе все это. Я бы предпочел, чтобы ты узнала все от мужа сама.

— А я бы предпочла, чтобы всего этого не было вовсе, — тихо ответила Мария, глядя себе в чашку.

Когда Давид понял, что помощи от Акакия ждать не стоит и что его другу самому нужна серьезная помощь, Давид все взял в свои руки. Он запросил у Вовы все документы, начал проводить проверки в сервисных центрах. Как вдруг Вова закатил истерику, начал кричать, что ему не доверяют и что он в таком случае уходит. А затем просто встал и вышел в дверь. Это ошарашило Давида и стало для него полной неожиданностью. Одновременно с этим ситуация была странная: кто же в здравом уме бросает все и уходит, даже не поговорив с партнёрами о судьбе своей доли?

— Вот тогда-то я и понял, что что-то происходит. Я начал изучать документы, говорить с сотрудниками, рыть землю носом в поисках ответов на мои вопросы. Я начал кое-что понимать. А однажды утром по дороге в сервис я увидел серебристую «ауди» Вовы, припаркованную в двух домах от нашего сервиса. Я остановился, зашел в сервис и увидел наших бывших лучших механиков, которые так стремительно увольнялись в последние месяцы. Тогда пазл сложился: я понял всю картину происходившего до конца. Стоило рассказать обо всем Ике. Я выбрал день, когда застал его трезвым: ни наркотиков, ни алкоголя. Его голова была ясна, и, как мне казалось, он способен рационально мыслить. Это было вчера днем. Я рассказал ему, сопроводив рассказ необходимыми доказательствами.

— Так он знает?

— Знает.

— И... — замялась Мария. — Как он отреагировал?

— Маша, а как он мог отреагировать? Он был вне себя от ярости. Но я успокоил его, рассказал план наших дальнейших действий. Я взял с него честное слово, что он не сунется к Вове в его новый сервис и что не будет с ним говорить. Еще я взял с него слово, что он больше не будет употреблять. Ведь в какой-то мере наркотики привели ко всему этому.

— Но он не послушался, — догадалась Мария.

— Когда я уходил, он уже был абсолютно спокоен. Расстроен — да, обеспокоен — да. Разочарован — да. Но он не был в ярости, и я подумал, что могу оставить его. Мне нужно было еще много чего сделать в этот день.

— Он наверняка вечером отправился в очередной бар, где прилично набрался.

— ...и нанюхался, — кивнул Давид. — Ночью мне позвонил бывший механик и рассказал, что к ним в сервис заявился Акакий. Он был сам не свой. Он был в бешенстве. Кричал, что все предатели и мрази, крушил все вокруг, швырялся предметами. Сервис у них круглосуточный, поэтому там были несколько клиентов, Вова, механики и дежурный охранник. Ика избил охранника, пару механиков, но до Вовы не сумел добраться — тот прятался у себя в кабинете. В ярости Ика схватил компьютер и швырнул его в стену кабинета, где сидел Вова. Тогда на него набросилось человек пять, они пытались его утихомирить. Дальнейшее ты знаешь.

Мария сидела молча, не зная, что сказать. Наконец она бесцветно сказала:

— Но зачем ему было это делать? У него же было все...

— Нет, Маша, это у нас было все. А он смотрел и завидовал. Ему всегда было мало.

— Он мой родной брат. Он — член нашей семьи. Он наш близкий друг. Он... Боже, как же мы будем общаться теперь?

Давид внимательно посмотрел на Марию, и у нее перехватило дыхание.

— ... или как мне теперь объяснить родителям, которые так любят дочь и гордятся сыном, почему их дети больше не общаются.

— Мне очень жаль, Маша. Но сейчас надо действовать быстро и решительно. Первое, о чем надо позаботиться — это Ика.

Я думаю, у него уже серьезная зависимость от кокаина и кто его знает от чего там еще. Я думаю, его надо поместить в клинику.

— Боже мой, Давид! Что ты говоришь! Как я скажу нашим детям? Родителям? Это невозможно. Ика не позволит мне сделать ничего, что унизит и обесчестит его в глазах детей и родителей. Ты и сам понимаешь.

— Скажем, что он заболел.

— И дети захотят навестить своего заболевшего папу. Нет, так не пойдет. Не выйдет скрыть такое. Мы справимся сами.

— Нет, Маша, не справитесь. Он сломлен, он раздавлен. Он будет стараться справиться с эмоциями и снова прибегнет к помощи наркотиков или алкоголя. А ты не боишься, что однажды, обдолбавшись коксом, он подкараулит твоего брата и изобьет до полусмерти? Или, чего доброго, убьет.

— Он не способен на это! Не говори таких страшных вещей.

— Он — нет. А микс наркотиков, алкоголя и злости — способны. Тебе нужно спасать мужа, а мне — наш бизнес. А теперь мы дошли до последней новости, которую я должен тебе сообщить.

— Что еще? Есть что-то еще? — устало подняла глаза Мария.

— Банк отказал нашему ООО, на которой зарегистрированы все сервисы, в овердрафте. Наша задолженность перед банком — минус 43 миллиона. Банк подал заявление о признании нас банкротом.

В абсолютной тишине Мария услышала, как в ванной включилась вода. Проснулся Ика.

— Я посмотрю, как он. Подождешь?

Давид взглянул на часы: времени у него было в обрез, но он кивнул.

Мария вышла из кухни и прошла в сторону ванны. Дверь была не заперта. Она толкнула ее и замерла в ужасе. Ее муж, босой, избитый, в одном белье стоял напротив зеркала с лезвием в руках и сбривал усы. Вид у него был безумный: глаза навыкате и расширенные зрачки бегают туда-сюда, туда-сюда, губы побелели, из спекшихся трещин сочилась кровь, лицо оплыло и посинело.

— Ика, дорогой, — хрипло произнесла Мария. — Что ты... Что ты делаешь?

— Маша, у меня нет времени объяснять. Мне надо бежать.

— Куда бежать?

— В лес.

— В какой лес?

— Мне надо спрятаться там, где меня никто не найдет.

— Почему?

— Я убил человека.

Мария вскрикнула, нервы изменили ей, и она заплакала.

На шум пришел Давид.

— Что здесь происходит?

Ика не отвечал и даже не взглянул в его сторону. В полном молчании он продолжал сбривать усы и волосы.

— Ика, что ты... — начал было Давид, но Акакий перебил его:

— Не будет волос — меня не узнают.

— Кто не узнает тебя?

— Они. Мне надо бежать в лес. Там я отсижусь и двинусь в Карелию. Я построю там хижину и буду жить, — тут он поднял глаза на Давида. Тот отшатнулся: он никогда прежде не видел безумных людей. Но сейчас он понимал — Акакий потерял рассудок.

Путаясь и сбиваясь, Ика объяснил, что ночью он возвращался из клуба, когда на него напали семеро. Они ограбили и избили его, а затем один из нападавших решил изнасиловать Акакия. Тогда тот подобрал кусок арматуры и забил нападавшего насмерть, не дав обесчестить себя. Остальные обидчики разбежались.

Мария слушала, окаменев от ужаса. Ее муж помешался.

## Глава 62. 2010 год. Санкт-Петербург

Теперь сомнений не оставалось: Акакию нужна была профессиональная помощь врачей, и прежде всего — помощь психиатра. Найти подходящую клинику, в которой врачи работали бы одновременно и с зависимостью Акакия, и с его безумием, было не просто. Первые несколько дней Акакию пришлось оставаться дома, под чутким надзором Марии, неустанно сидящей возле кровати мужа. Он просил занавесить все окна, поставить дополнительные замки и приготовить запасной путь к отступлению на случай, если за ним придут, а рядом с его кроватью лежала собранная спортивная сумка — опять же на случай побега. Мария не находила себе места от ужаса. Все, о чем она могла думать в те дни, — это спасение мужа. Ничто больше не существовало в мире. Все ее силы, все ее существование было подчинено только этой задаче. Во что бы то ни стало она должна была поставить его на ноги, вернуть ему рассудок. И даже если бы для этого потребовались все врачи и деньги мира — она бы их раздобыла.

Наконец, Давид нашел хорошую клинику и анонимно поместил туда Акакия. Они с Марией делали все, чтобы ни родители, ни тем более дети не узнали о происходящем. Такого бесчестья и позора Акакий бы не вынес. Мария попросила Давида под любым предлогом убрать ее детей из Питера и, если только это будет в его силах, уговорить Карду и Лиану перенести свадьбу. Какова же была радость Марии, когда она узнала, что Карду уехал в Лондон, поступать в магистратуру, а Лиана согласилась перенести свадьбу. Катю отправили в Грузию: навестить бабушку и дедушку. Теперь Мария была спокойна за детей и репутацию мужа.

Первые шесть дней после той страшной ночи были чудовищными для всех: Акакий не приходил в себя, продолжал бредить, боялся врачей и думал, что его будут судить за убийство. Затем его память начала восстанавливаться, сознание понемногу возвращалось. Шаг за шагом он начал осознавать действительность. Акакий вспомнил все, что произошло на самом деле, и впал в депрессию, осложнённую отсутствием возможности принять наркотик. Он не ел, почти не пил и наотрез отказывался видеться с женой и Давидом, так как стыдился всего случившегося. Врачи говорили, что он пребывает в унынии и часто подолгу сидит один, безмолвно глядя в стену.

Давид разрывался на части. Он не справлялся один со всем, что навалилось на него. Ему очень нужна была помощь. Хотя бы кто-то еще, кто-то один, кто помог бы со всеми делами. Кто-то, кому можно довериться. Ему срочно нужно было найти 43 миллиона рублей, вытянуть бизнес и избежать банкротства, нужно было уладить дело Карду, помогать Маше с Акакием и отцом, который с обширным инфарктом оказался в реанимации и за чью жизнь день и ночь боролись врачи. Удар случился тогда, когда отец Маши узнал обо всем, что сделал его сын. Разумеется, Мария не хотела ничего рассказывать своим родителям. Она просто не понимала, какие слова ей подобрать, как сообщить эту новость. Родители любили их с братом одинаково, не отдавая кому-либо предпочтения. Они любили и ценили Акакия как своего родного сына и были горды за успехи Вовы в компании своего зятя. Они были счастливы знать, что воспитали двух примерных детей, ставших хорошими людьми. И как Мария могла рассказать им такое, как могла нанести страшный удар?

Но разве можно обмануть сердце матери? Мама Марии заподозрила неладное, когда несколько недель подряд заставала по телефону дочку расстроенной и слабой. Дочь отказывалась объяснять, в чем дело, и тогда родители приехали навестить ее. Застав дочь одну, в пустом доме, они начали расспросы. Мария врала, придумывала на ходу объяснения, а затем нервы ее сдали, и она, расплакавшись, рассказала им только то, что произошло с бизнесом ее мужа, и то, что натворил ее брат. О наркотиках и помешательстве Акакия она умолчала, сказав, что Акакий с нервным срывом попал в больницу. Она взяла клятву с родителей никогда ни при каких обстоятельствах не говорить об этом Карду и Кате, ни словом, ни жестом не показать Акакию, что они все знают. Так родилась версия, которую знали дети и все остальные: Акакий и Вова просто разошлись в бизнесе и больше не общались. Но правда была куда страшнее. Горе раздавило родителей. Отец не спал несколько ночей, переживал, пробовал поговорить с сыном, образумить его. А затем сердце старика не выдержало позорного поступка сына.

## Глава 63. Июнь 2010 год. Батуми — Санкт-Петербург

В последние несколько месяцев Арчи посвящал все свое время школам. Благодаря средствам, полученным от Карду, он мог воплотить многие мечты в реальность. И он работал не покладая рук: искал опытных тренеров, новые программы и методы, искал молодых и активных руководителей, выбирал конкурсы, искал помещения. Он не просто с головой ушел в работу, он потонул в ней. Ничто не существовало вокруг — только школы. Но впервые за долгое время он чувствовал себя так, слово за спиной вырастали крылья. Каждый день, каждый час, проведенный в работе, делали его на шаг ближе к победе — к победе над страшным несчастьем, что сломило его, а значит и на шаг ближе *к ней*.

Он никогда не переставал думать о ней. Она занимала все его мысли, она была лучшей девушкой на земле, и она была недоступна. Ее образ, ее красивое лицо, ее доброе сердце, ее нежная душа — все это двигало его вперед. Он так хотел быть с ней! Но он не мог прийти к ней сейчас, такой, какой он есть — несостоявшийся футболист, начинающий предприниматель местного масштаба. Что мог он дать ей? Ведь она заслужила самое лучшее, она достойна большего. Она должна быть рядом с лучшим мужчиной на земле. И ему еще только предстояло стать таким мужчиной. Но он знал — он на верном пути.

Но было бы лукавством сказать, что все это были единственные причины, по котором он, Арчи, с головой ушел в работу. Была и еще одна. Несколько месяцев назад Арчи узнал, что у его отца появилась любовница. Он узнал случайно, увидев их как-то вместе за ужином в городе. Это не был дружеский ужин, не была это и бизнес-встреча. Ошибиться было невозможно — между ними был огонь, была страсть, эмоции. Они болтали и смеялись, не замечая никого и ничего вокруг, они растворялись друг в друге. Отец держал ее за руку, а она нежно заглядывала ему в глаза. А Арчи сидел за соседним столом и внимательно разглядывал своего счастливого, помолодевшего отца и Нану.

Увиденное разбило ему сердце. Арчи было жаль маму — добрую, хорошую женщину, обманутую своим мужем. Разве заслужила его мать такого? Разве не любила она отца, разве не была ему верна? Он чувствовал, что между родителями давно уже нет огня. Отец жил работой, мама — домом. Отец мечтал, бежал, стремился. Мама размеренно жила в привычной среде.

Хуже предательства было только падение идола, каким был отец в глазах сына. Отец с его высокими идеалами, моральными принципами и праведной жизнью задавал высокий стандарт. Он был вправе требовать. А требовал он многое. И Арчи всю жизнь изо всех сил старался не подводить, соответствовать, радовать. Но день за днем, год за годом его съедало чувство вины за то, что не оправдал надежд, что не был идеальным сыном, что не смог жить, соответствуя мечтам отца и его стандартам, его картине мира. Арчи жил и страдал, мучился, переживал. Он бы столько отдал, только бы соответствовать. Он боролся, боролся изо всех сил, чтобы отец мог им гордиться, чтобы заслужить любовь отца. Но всегда при этом Арчи казалось, что он не достоин, что так и не стал тем сыном, которого желал отец. Это ядовитое чувство разъедало его.

И вот идол пал. Все рамки, планки, стандарты, задаваемые отцом, его требования вдруг перестали казаться чем-то незыблемым, чем-то справедливым и обязательным. Раз отец сам не следовал своим же правилам, своим стандартам, то какое право имел он требовать от других? Так что же теперь? Все было зря? Он зря терзал и мучил себя, зря ругал, зря старался быть идеальным?

А может, и не зря. Кем был бы он сейчас и где бы он был, если бы отец не был так строг, если бы отец не требовал всех этих достижений? Сумел бы Арчи тогда воспитать в себе несгибаемую волю и храбрость? Умел бы держать удар? Ведь, по большому счету, в этой жизни по-настоящему важно только одно — уметь держать удар, не падать и не бежать при первом же поражении, при первых же неудачах. Уметь вставать на ноги. Уметь подниматься вновь. Нельзя застраховать себя ото всех бед на свете, нельзя все время жить и бояться неудач. Они будут. Все будет: и беды, и несчастья, и потери. Важно уметь справляться с ними. А справившись — идти дальше.

Но как бы там ни было, с тех пор ему было трудно находиться рядом с родителями. Он не мог решить для себя, что же стоит ему делать: поговорить с отцом, притвориться, что ничего не происходит, рассказать матери? Как правильно поступить? Вопросы эти были настолько пугающие, настолько трудные, что Арчи решил на время снова спрятаться за работой.

Посреди всей этой чехарды прилетела Катя. Она прилетела в Батуми одна: ни Карду, ни ее родители не смогли выбраться этим летом. Арчи не разобрался, почему не приехал Карду, почему не приедут Акакий и Мария, но мысленно благодарил небеса за то, что людей в доме сейчас было не много. В день прилета Кати они поужинали вместе, но после почти не проводили время вместе: Арчи работал с утра до глубокой ночи, а Катя все время проводила в компании Ики. Вот так Арчи и предпочел жить, выстроив хрупкий мир вокруг себя. Мир, в котором не было ни семьи, ни друзей, ни любви. Была только работа, мысли о будущем и невероятное по своей силе желать быть достойным **ее.**

Так тщательно создаваемый безопасный мир Арчи рухнул, когда однажды среди жаркого летнего дня на его мобильный пришло СМС. На экране высветился **ее** номер.

*«Привет. Я не знаю, с чего начать, а потому начну с главного. Я выхожу замуж. Он прекрасный человек и очень любит меня. Ты знаешь, я приняла твое решение, никогда не беспокоила тебя. Но я просто хочу, чтобы ты знал — ты всегда был и остаешься для меня самым лучшим мужчиной. Я никогда не переставала любить тебя. Мне просто хотелось, чтобы ты знал. Но теперь я выхожу замуж и хочу быть хорошей женой своему мужу. Прощай. Тина».*

Арчи словно подбросило, тряхнуло и со всей силы грохнуло об пол. Он и не думал, что она ждала. Он любил ее, хотел быть с ней и знал, что когда-то непременно будет. Он не смел и надеяться на то, что Тина поняла его, приняла, простила. Он всегда знал, что однажды они снова будут вместе, он был уверен, но не знал, где, как и когда это случится. Через год или десять, одинока она будет или с семьей, обрадуется ли ему или заплачет, увидев. Не знал, но чувствовал, что все еще случится. И вот она пишет. Что делать? Написать, позвонить, приехать? Сорвать свадьбу или отпустить? Изменилась она или нет?

Да какая к черту разница? Она любит его! И всегда любила, все это время любила. Это не были просто слова. Это не было простым чувством долга, как он это тогда себе рисовал. Тогда он остался без своей способности играть, без будущего, разбитый и подавленный. Что еще тогда ей оставалось делать? Тогда у нее не было иного морального выбора, как только поддержать и сказать: «Люблю!» Но был ли это ее осознанный выбор или чувство долга? Он не хотел ее держать, не хотел ставить перед выбором. Он просто всегда хотел для нее самого лучшего. Он просто всегда любил Тину. Все эти годы. А она любила его.

Но разве имеет он право вот так врываться в ее жизнь, переворачивать все вверх дном и…

Она заслуживает самого лучшего. Но что было этим лучшим — он, Арчи, или ее будущий муж. Достоин ли он ее сейчас? Сможет ли сделать ее счастливой теперь? Ведь он только на пути и еще не достиг цели.

Арчи был растерян. Он не знал, что делать.

*«Когда?»* — он не смог написать ей больше. Ни здравствуй, ни как дела, ни слова о себе. Он хотел знать: сколько времени у него есть? Но он уже знал! Времени у него нет! Она дала ему долгих четыре года. У него не было времени. Она тоже хотела жить.

Тина не ответила. Она больше не отвечала. Она не дала ни единой подсказки, как ему поступить. Он хотел быть с ней, но не хотел рушить ее сложившийся мир. Одна мысль противоречила другой, одни чувства сметали другие. Он принимал решение и тут же отменял. Он метался, колебался, боялся.

Не отдавая себе отчет в том, что делает, Арчи стал собирать сумку. Джинсы, пара футболок, куртка, сменное белье, носки. Он забрасывал вещи в спортивную сумку, искал в телефоне рейсы: Батуми — Тбилиси, Батуми — Санкт-Петербург. Вызвал такси. Стоп! Что он делает? В своем ли он уме?

Звонок на телефон:

— Я жду вас у калитки, — раздался в трубке голос таксиста.

— Спускаюсь.

На автомате Арчи спустился на первый этаж. На кухне хлопотала мама. Он остановился на секунду перевести дух. Сердце подпрыгнуло к горлу, в висках стучало, руки вспотели.

— Мам, — хрипло сказал Арчи. Голос не слушался, получилось тихо. Мама не услышала его. Он повторил громче: — Мама!

— Да, сынок, — она обернулась, увидела сумку, и тревога отразилась на ее лице. — Что случилось?

— Мам, все в порядке. Не переживай. Меня не будет пару дней.

— Куда ты, сынок? Я волнуюсь.

— Я слетаю на пару дней в Питер.

— Зачем?

— Посмотрю там помещение под школу. Увидел хорошее предложение, не хочу упустить.

Он поцеловал мать, вышел из дома и сел в такси.

Очутившись в аэропорту, он прошел к кассам. Так куда ему лететь? В Тбилиси, чтобы попробовать отыскать Тину? Или в Питер, к Карду, чтобы он дал совета, чтобы помог разобраться. Теперь они с Карду не были так близки, как были когда-то, но Тина была еще из того времени, когда все было возможно, когда они — оба юные, оба восторженно смотрящие вперед, были самыми близкими людьми друг для друга. Только Карду смог бы понять его, только Карду видел и знал, как сильно Арчи любил Тину, как много она значила для него. Брат нужен был ему сейчас, когда пришло время серьезного выбора.

— Ближайший билет в Санкт-Петербург, пожалуйста.

Адреса квартиры Карду и Лианы Арчи не знал. Он позвонил Карду — телефон был выключен. Позвонил Лиане — без ответа.

— Миллионная, дом 11, — назвал Арчи адрес дома родителей Карду.

Когда тетя Маша открыла дверь, он с трудом узнал ее: опухшие от слез глаза красным пятном выделялись на мертвенно бледном лице. Все ее тело сотрясали рыдания, руки тряслись и судорожно сжимали телефон. Увидев его, она попятилась назад.

— Арчи, — заикаясь выдохнула она. — Я… Я ждала… Я не думала, что это ты… Я… Что ты тут делаешь?

— Вы кого-то ждали?

— Да. Дядю Давида. Сейчас должен приехать дядя Давид и…

— Что случилось, тетя Маша?

Она не ответила. Слезы покатились по ее щекам. Она закрыла лицо руками и заплакала. Арчи зашел в дом и закрыл за собой дверь. Он обнял тетю и попробовал успокоить. Что же черт возьми происходит? Мысли о Тине отступили. Он нужен был здесь — в этом не было сомнений. Он нужен был своей семье прямо здесь и сейчас.

— Арчи, час назад умер мой папа.

В этот момент в дверь позвонили. Приехал дядя Давид.

Арчи застрял в Питере почти на месяц. Его приезд оказался как нельзя кстати. На его семью — семью Курдиани — свалились огромные беды и несчастья. Он был нужен семье. И как ни хотел он отправиться к Тине, как ни хотел поддержать Лиану после смерти ее отца, как не стремился скорее вернуться к работе и своим делам, он остался. Ведь самым важным сейчас была семья.

Когда в его помощи уже не было острой нужды, он наконец отправился в Тбилиси, даже не зная, захочет ли Тина увидеть его и состоялась ли уже ее свадьба.

## Глава 64. Утро 10 августа 2010 год. Батуми

Лиана открыла глаза. Сегодня день ее свадьбы.

А что если где-то прямо сейчас есть другая вселенная, в которой живет счастливая Лиана, которая получила все что только хотела от жизни. Та Лиана, наверно, не спала всю ночь и поднялась с кровати с первыми лучами солнца. Она спустилась вниз на кухню и приготовила вкусный завтрак своим маме и папе. Они позавтракали все вместе, и Лиана начала готовиться к свадьбе. Каким счастливым будет ее день!

Но что за злую шутку сыграла с Лианой жизнь? Почему она потеряла любимого мужчину, отца, мать и всех друзей? Как вышло так, что она осталась совершенно одна?

Лиана заплакала, и очередная волна истерики была уже близка. Безысходность и отчаяние — вот что она чувствовала в это утро. Все должно было быть иначе. Ее мечта была так близко. А теперь она ничего не могла поделать, ничего не могла вернуть. И не знала, как теперь жить дальше. Она прокручивала и прокручивала в своей голове то, что должно было случиться сегодня, то, каким должно было быть это утро, доставляя себе все больше боли, все больше мучая себя и терзая. Вот ей уже не хватает воздуха, она ловит его распахнутым ртом и чувствует, как начинает задыхаться. Она плачет громче, сильнее, она кричит, раздирая свои связки. Она схватила стакан, стоящий на прикроватном столике, и со всей силы швырнула его в стену. Он разлетелся на кучу мелких осколков. Это только разозлило Лиану. Она схватила свой телефон: три пропущенных от Кати, два сообщения от нее же, два от Ираклия, девять сообщений от мамы и три звонка от Арчи. Даже имя Арчи на дисплее телефона вызвало животную ярость. Как он мог скрывать от нее! Почему не сказал, что ее мать спит с его отцом! Лиана в бешенстве швырнула телефон вслед за стаканом. Он ударился о стену и отскочил, не пострадав. Тогда Лиана подбежала к нему, подняла и начала яростно стучать им о стол. Экран треснул, сетка из десятков тоненьких трещин поползла по нему. Лиана все и била и била телефон, пока наконец он, рассыпался и, порезал ей руки. Словно легкий электрический разряд пробежал по всему телу Лианы от головы до пят. А затем еще один и, наконец, третий. Истерика достигла пика и, словно морская волна в отлив, отступила.

Лиана остановилась, успокоилась и взглянула вокруг. Босая она прошла по осколкам и направилась в ванную. Там из зеркала на Лиану смотрела красивая, возбуждающая желание женщина с необычайным магнетизмом в глазах. Темные густые тяжелые волосы шелковыми прядями ниспадали ей на плечи. Черные следы от растекшейся туши, не стертой с вечера, невысохшие слезы поверх них. Глубокие и бездонные зрачки, почти полностью закрывавшие глаза. Алые губы, слегка припухшие от рыданий, были приоткрыты так, словно с них вот-вот скатится стон страстного наслаждения. Неровное отрывистое дыхание вздымало красивую грудь, и воздух с сиплым свистом вырывался из ее рта. Кожа бледнее обыкновенного, с ярким румянцем на четких скулах. Как же она была хороша сейчас! Как нравилась самой себе. Слеза упала с густых ресниц и медленно скатилась по щеке, проползла по длинной шее, упала на грудь. В отражении этом было что-то пугающее и притягивающее одновременно. Лиана снова достигла того состояния внутреннего удовлетворения, которое следовало за всеми ее приступами истерик. Она понимала, что сознательно доводит себя до таких состояний, но ничего не могла с этим поделать. Ей нужны были эти эмоции, ей нужна была драма. Она хотела страдать, потому что в страдании было удовольствие.

Лиана продолжала молчаливо ронять слезы. Они струились по ее щекам, а она, все так же не мигая, любовалась собой. Как прекрасна, как чиста была она в своем страдании! Вот бы кто-то заснял это на пленку или написал ее портрет. Простояв так какое-то время, она наконец решила принять душ. Сколько в мире еще таких людей, как она?

За душем последовал завтрак, затем уборка. Но вот дела кончились и отчаяние понемногу стало затягивать Лиану снова. Она чувствовала, как черная бездна раздвигает свои ненасытные челюсти у нее внутри. Как же ей противиться им? Как противостоять? Если бы только друзья не отвернулись от нее, если бы пришли поддержать. Если бы только мама не была столь эгоистична и любила бы ее! Если бы только хоть кто-то был бы рядом сейчас, пожалел ее, обнял. Но она не нужна никому в этом мире.

Лиана заварила себе черный чай, взяла весь «Феназепам», который еще у нее оставался, и вышла на террасу. Если сейчас принять таблетку, сознание подернется белой поволокой и густой туман притупит боль. Если она прямо сейчас выбросит все эти пачки и возьмет жизнь в свои руки, то рано или поздно она снова почувствует себя счастливой. Таблетки, помогающие облегчить боль здесь и сейчас, или жесткая трезвость сознания, контроль над собой и своей жизнью, безусловное и независимое ни от кого счастье в будущем. Выбор.

Лиана сделала глоток чая. Августовское полуденное солнце нещадно жгло руки, грудь, лицо и голову. До носа доносился легкий едва уловимый запах соли. Слух как будто бы различал веселые голоса неподалеку. Это было невыносимо. Все было точно так, как когда-то. Ей вдруг показалось, что голоса эти принадлежат Карду, Арчи, Ике, Кате, Бердиа и ей самой. Что вот она подойдет к калитке и увидит их всех — весело идущих разносить фрукты на пляж. Лиана поднялась с террасы, прошла по тропинке к калитке и взглянула на дорогу. Вокруг было пусто, и только раскаленный жарким солнцем воздух чуть подрагивал вдалеке.

## Глава 65. Вечер 10 августа 2010 год. Лондон

Вокруг было шумно и весело, поэтому, когда в кармане завибрировал телефон, я не торопился его доставать. Звонила мама. Наверняка узнать, как дела. Я сбросил, так как в эту минуту на барный стул возле меня приземлилась стройная красотка. Она качнула головой, и копна волнистых рыжих волос разметалась по ее обнаженной спине. Краем глаза я увидел татуировку на светлой нежной коже. Я повернулся в ее сторону, и она улыбнулась мне глубокой соблазнительной улыбкой, от которой приятная истома разливается где-то чуть ниже живота. Чертовы ирландки! Сомнений не было: она — ирландка.

Телефон зазвонил снова. Мама. В России сейчас десять вечера. Мама всегда звонит примерно в это время. Сбрасываю — перезвоню ей утром. А сейчас есть дела поважнее — например, эта зеленоглазая красотка в неприлично облегающих кожаных брючках.

— Закажешь мне выпить? Услышал я томный голос с хрипотцой, совершенно не подходивший к ее свежей красоте.

— А что ты пьешь, малышка?

Телефон завибрировал третий раз. Странно.

— Погоди-ка минутку. Я вернусь к тебе через мгновение.

Я оставил ирландку у бара и начал пробираться к выходу, чтобы ответить на звонок. Мама звонит третий раз подряд, должно быть, это важно. По крайней мере я надеялся, что это достаточно важно для того, чтобы бросить такую роскошную рыжеволосую женщину одну.

— Алло!

— Сынок…

— Мам, давай поговорим завтра? Я сейчас … — я не успел договорить. Я услышал всхлип. За долю секунды все перевернулось во мне. По всему моему телу разлился огненный страшный мертвый холод, не известный мне прежде. Я не заметил, как заорал в трубку:

— Что случилось, мама? Мама?!

Люди вокруг начали оборачиваться и смотреть в мою сторону.

— Сынок, милый…

— Мама, что с папой? — я отметил, что теряю чувствительность в пальцах. — Что с папой?

— Сынок, папа в порядке. Я звоню не о нем. Милый… Лианы больше нет.

— Что ты говоришь, мама? — смысл ее слов достиг меня мгновенно. Я все понял сразу. Ее нет. Но мой рот продолжал повторять: — Мама, мама, что это значит?

Я знаю, что это значит, мама!! Скажи мне, что мне послышалось. Скажи, что я не так понял, что это шутка, тупой розыгрыш, сон, наваждение. Скажи мне что угодно, верни время, верни эту секунду, когда моя жизнь была счастливой и цветной. Пусть это мгновение просто исчезнет!

— Милый мой мальчик, я очень люблю тебя. Ты — самое дорогое, что есть у меня. Мое будущее и моя опора. Милый, пообещай мне, что будешь держаться? Лиана умерла.

Ноги стали ватными — я не чувствовал их. И эта вата была не только в ногах, она обволакивала меня всего, мою голову, тело, лезла в нос и давила на затылок. Что-то легонько толкнуло меня под голени и мои ноги подкосились. Я только успел ухватиться за стену.

— Мама, что…? — это не был мой голос. Это был и не голос вовсе. Шелест губ, невнятный шепот.

— Карду, несколько дней назад умер отец Лианы — Иосиф. Кажется, у него случился отек легких. Говорили, он сильно пил в последнее время. Лиана прилетела в Батуми и осталась там после похорон. Она была в доме одна. Я знаю все это потому, что… Милый, Катя хотела встретиться с ней, звонила. Лиана не отвечала. И тогда Катя решила зайти к ней, узнать, как она…

— О боже… Нет, — выдохнул я.

— Рядом с Лианой лежала пустая баночка «Феназепама» и упаковка «Атаракса». Пустые. Она покончила с собой.

— Когда это случилось?

— Сегодня утром или днем — мы не знаем точно. Катя нашла ее час назад.

В горле пересохло и жгло, язык распух и не помещался во рту. Я сполз по стене и старался только не потерять сознание. Моя сестра, моя маленькая малышка нашла мою любимую женщину мертвой в доме, где я провел самые счастливые минуты своей жизни, в родном городе, от которого я нахожусь в тысячах километров. И здесь дикий, нечеловеческий крик вырвался из моей груди.

А ведь только теперь я понял, что любил Лиану не из чувства долга.

## Глава 66. Август 2018 год. Батуми

— Арчи, но что же ты делал в Питере? Ты же должен был быть в Батуми!

— Должен был, — кивнул Арчи. — Но мне написала Тина.

— Тина?

— Тина. Та самая Тина, к которой я сбегал из Батуми в Тбилиси еще подростком, та Тина, с которой я знакомил тебя и Лиану после матча, та Тина, которая сейчас, беременная нашим вторым ребенком, ждет меня в нашем доме на Мальте, и та Тина, которую я любил всю свою жизнь.

Честно признаться, я и не знал, как они снова стали встречаться с Арчи. Когда это случилось и что к этому привело. К тому моменту я уже порвал с ним связь.

— Это было в августе 2010-го. Когда она написала, мы не общались с ней уже целых четыре года. Она написала, что выходит замуж, она прощалась со мной. Я всегда любил только ее одну и... Честно говоря, я всегда знал, что мы будем вместе. А тут вот она написала, что выходит замуж.

— В Питере? — глупо спросил я.

— Нет. Но я хотел поговорить с тобой, спросить твоего совета. Мне нужна была твоя поддержка. Я не знал, вправе ли беспокоить ее, вправе ли разрушать ее покой. Я полетел в Питер.

— Ты не мог позвонить мне?

— Не мог. Я просто не знал куда себя деть, не находил себе места.

— Но я был в Лондоне...

— Я не знал этого. Я не знал ваш с Лианой адрес и отправился домой к твоим родителям и... и стал свидетелем всего. Не окажись я там в ту минуту, я, как и ты, оставался бы в неведении.

Я не мог поверить своим ушам. Я слышал слова, но не понимал их значения.

— Но Арчи, почему же ты все же не сказал мне о том, что отец Лианы умер? Если бы я знал… Кто-то должен был быть рядом с ней, кто-то должен был помочь.

— Карду, сынок, мама и Давид просили Арчи не говорить тебе этого. Они боялись, что ты прилетишь из Лондона немедленно и тогда все узнаешь… Увидишь мой позор.

— Хорошо, но почему ты, Арчи, не поехал к ней и не поддержал ее?

— Я был нужен здесь твоему отцу и твоей матери, я был нужен дяде Давиду, который выбивался из сил, стараясь удержать все под контролем.

— Но здесь был дядя Давид, а у Лианы не было никого!

Повисла тишина. Арчи молча смотрел мне в глаза. Наконец он заговорил:

— Я думаю, что даже если бы я смог прилететь, то она не захотела бы видеть меня, — тихо произнес он.

— Что ты такое говоришь! Ты был самым близким другом для нее. Кто еще, если не ты?

— Я звонил ей. Когда все узнал — я звонил. Я хотел поддержать ее. Я бы мог вырваться отсюда хотя бы на денек, чтобы быть с ней рядом, чтобы поддержать. Когда я все узнал, то звонил ей. Она не брала.

— Почему?

— Ты знаешь, почему Нана, мать Лианы, ушла от Иосифа?

— Потому что он пил, — не раздумывая произнес я, уже понимая, что дело не только в этом.

— Нет. Потому что у нее появился другой мужчина.

— И какое это имеет отношение к тому, что Лиана не захотела тебя видеть?

— Этим мужчиной был мой отец, — спокойно произнес Арчи. — И я узнал об этом задолго до того, как это стало известно Лиане.

Тетя Аня и дядя Михаил развелись в 2010 году. Тогда для меня это стало большим сюрпризом. Я никак не мог понять, что же произошло, но, по правде говоря, особо не копался в причинах. Мне было о чем подумать, кроме развода моих дяди и тети.

Я сидел в Лондоне, опасаясь преследования за свои махинации, моя будущая жена только что покончила жизнь самоубийством, а моя мама потеряла своего отца.

— Даже если бы я прилетел в Батуми, она бы выставила меня за дверь, Карду. Она не хотела даже разговаривать со мной по телефону.

Ну что ж, я хотел правды. И вот она — правда. Вся правда о жизни моей семьи. Хорошим ли человеком был мой отец? Не мне судить. Он совершал хорошие, достойные поступки, он ошибался и совершал плохие поступки. Перестал ли я его любить теперь, когда все про него узнал? Нет. Он по-прежнему мой отец, и я по-прежнему люблю его.

— Сынок, — начал мой отец и с мольбой посмотрел мне в глаза.

— Папа, — перебил его я. — И я тоже должен тебе признаться. Я не был в Лондоне потому, что решил поступить в магистратуру. Я переехал в Ниццу не потому, что там вдруг подвернулся хороший проект. Все это время я боялся вернуться в Россию, потому что нарушал здесь закон. А еще я знаю, откуда дядя Вова взял деньги для открытия своего автосервиса.

И я тоже рассказал им все. Все самое плохое, самое подлое и бесстыдное, что годами скрывал в своей душе. И я чувствовал, как слово за словом, предложение за предложением мне становится легче. Я чувствовал, как сбрасываю с себя бремя молчания, как легче становится дышать. Словно все черное понемногу выходило из моего тела, словно я очищался. И еще я почувствовал, как сильно я желал быть прощенным.

## Глава 67. Август 2018 год. Батуми

Я остановился, чтобы перевести дух. В эту минуту в кармане завибрировал телефон. Я отвлекся, чтобы проверить, кто писал. На экране висело сообщение от Теи:

«Я рада, что ты надумал приехать в Москву. И ты мне нравишься, честно. Но, сказать по правде, мне кажется, ты не настроен на серьезное общение».

Я улыбнулся и тут же написал в ответ:

«Возможно, так было. Но я смогу доказать обратное».

Я подумал немного и отправил еще одно сообщение:

«Дай мне шанс показать, что я достоин тебя».

Восемь лет я наказывал себя за случившееся. Восемь лет я не осмеливался ступить на Аджарскую землю. Когда три года назад умер дедушка Карду, чье имя я носил, я не нашел в себе сил прилететь. Восемь долгих лет я винил себя в смерти Лианы. Восемь лет я винил Арчи в том, что не пришел ей на помощь, что подвел ее. Имел ли я право судить его? Виноват ли я был в смерти Лианы?

— Карду, теперь, когда ты все рассказал, я считаю ты имеешь право знать, как разворачивались события в банке, — произнес Арчи.

Я поднял на него глаза.

— Уже через пару дней после твоего вылета в Лондон дядя Давид встретился с Вадимом и все выяснил. Даже если до этого разговора тот и собирался тебя подставить, то после уже точно нет. Дело не передавалось в следственный комитет. Делу вообще не дали хода даже внутри банка. Не было никакого дела.

— То есть я мог прилететь из Лондона уже через пару дней?

— Ты мог вообще не улетать, — кивнул Арчи. — Дядя Давид решил использовать ситуацию для того, чтобы задержать тебя в Лондоне на более долгий срок. До тех пор, пока дядя Акакий не придет в себя.

— И тогда я мог бы остаться с Лианой? И мог бы полететь с ней в Батуми. Возможно, тогда я предотвратил бы ее смерть. Если бы я только знал это...

— ...И если бы не знал, — перебил Арчи. — Ты мог принять абсолютно любое решение вне зависимости от того, что сказал тебе я или дядя Давид, вне зависимости от того, что происходило в банке. Ты мог остаться. Мог улететь. Любой выбор был доступен. Но ты взвесил все и принимал решение исходя из текущего положения дел и твоей картины мира. Но даже если бы ты полетел с Лианой, то и это не гарантировало бы тебе, что она осталась бы жива. Ведь и у нее была своя дилемма. Она так же стояла перед своим выбором. И она сделала его сама. Никто не виноват в том, что произошло. За судьбу и жизнь человека отвечает только сам человек.

Я задумался. Является ли то, где мы есть сейчас, результатом цепи случайных событий или же это логичный вывод из каждого выбора, сделанного нами на протяжении жизни? Что привело нас в ту точку, где мы стоим теперь? Случайные совпадения? Или наши осознанные действия? Я не знаю ответа на этот вопрос, как не знаю и того, могли ли мы поступить иначе в тех обстоятельствах, в том времени и в той среде, в которой мы находились? Там, в прошлом, у нас были определенные цели, стремления, эмоции, переживания, страхи. Мы принимали решения под воздействием их всех. Могли бы мы поступить иначе?

Сейчас, оглядываясь назад, довольно просто сказать: я поступил неправильно, я сделал неверный выбор. Мне стоило тогда принять другое решение, и жизнь моя потекла бы совсем по иному руслу. И возможно, прими я другое решение тогда, сейчас я бы уже достиг своих целей. Проблема только в том, что тогда наши цели были другими. Тогда было невозможно просчитать сто тысяч шагов наперед, увидеть сто тысяч других дорог. Да и вообще возникла бы у нас эта самая сегодняшняя цель, если бы не прошлые ошибки, если бы не прошлые выборы?

Я не знаю ответов. Одно я знаю наверняка: нет смысла копаться в том, что было бы, если бы вы приняли иное решение. Как известно, история не знает сослагательного наклонения. Но есть смысл в том, чтобы понять, почему вы сделали такой выбор, почему приняли такое решение. Понять и принять. Принять ваш собственный прошлый выбор и простить себя за ошибки. Я больше не хочу смотреть в прошлое, не хочу оглядываться назад. Невозможно стереть, забыть, обнулить прошлый опыт. Но можно простить себя и копить новый опыт, который со временем заслонит собой все ошибки прошлого. А потому я собирался простить себя здесь и сейчас. Не начинать все с нуля, не пытаться жить идеальной жизнью. А принять себя, позволить себе быть неидеальным, позволить себе иногда совершать ошибки, позволить себе оступаться. И главное — позволить моим родным совершать ошибки. Ведь все мы — просто люди.

— Карду, — окликнул меня Арчи.

Я поднял глаза на брата и спрятал телефон в карман.

— Что ты скажешь теперь?

— О чем?

— О нас.

Арчи стоял напротив меня. Высокий, статный, со вкусом одетый успешный грузин. Теперь у Арчи была сеть спортивных школ по всему миру: Батуми, Тбилиси, Кутаиси, Питер, Москва, Мальта. Он и сам с семьей перебрался на Мальту, так как планировал теперь открыть здесь настоящую большую школу для учеников. Он вырастил не одного спортивного чемпиона и теперь мечтал растить художников, ученых, писателей, политиков, инженеров, архитекторов, математиков. Арчи мечтал вырастить целое поколение талантливых и счастливых детей, способных менять этот мир к лучшему. Он частенько появлялся на обложках журналов, в которых давал интервью. Он был уважаемым человеком, примерным семьянином и хорошим отцом. Арчи по-прежнему был красив, но зрелость давала о себе знать: на лбу его уже залегли глубокие борозды морщин, виски чуть тронула ранняя седина, под глазами темнели круги.

Но я не видел всего этого. Передо мной стоял мой брат, мой самый близкий на свете человек — мальчишка пятнадцати лет. Я стоял посреди террасы, на которой каждый вечер мы с друзьями болтали обо всем на свете, развалившись на подушках, и смотрели в небо. Здесь дышалось свободно, здесь звезды, лес и запах. Какой же тут запах! Запах разбитых коленок, пойманных ужей, земли после дождя, цветов, посаженных дедушкой, весенних ручьев, аромата фруктов. Здесь звуки гитары и смеха дворовых друзей. А еще здесь полным-полно образов прошлого. Вот дядя Вова веселый и еще не сбившийся с пути. Вот дедушка, еще живой, рассказывает нам свои истории. Вот дядя Миша и тетя Аня — счастливые и любящие друг друга. Вот Арчи — первоклассный спортсмен, будущая звезда мирового футбола, вот Лиана... Такая красивая, такая смелая, такая решительная. Ей горы по колено. Ей все дороги открыты. Вот мама и папа еще такие молодые, еще без тяжести тайн. Вот я — мальчишка с соломенными волосами и большими голубыми глазами, полный надежд и веры в то, что я могу все! И весь мир у моих ног. И я обязательно вырасту хорошим человеком.

— Ты же все еще мой партнер, — голос Арчи вытащил меня из потока воспоминаний.

Я молчал, не зная, что и сказать.

— Когда ты перестал говорить со мной, перестал общаться, я открыл дополнительный счет и каждый месяц переводил туда твою долю. Ты же мой равноправный партнер, ты помнишь?

— Арчи, брось. Я не…

— Ты протянул мне руку помощи тогда, когда она мне была так нужна. Без твоих денег тогда не было бы всего этого теперь. Не было бы моих школ, не было бы спортсменов. Я бы не вытянул. А у нас был уговор. Половина — твоя. Ты примешь эти деньги?

— Но, Арчи, они не мои. Они никогда не были моими и…

— Они твои по праву. Поверь мне, без тебя и твоих денег ничего бы сейчас не было. Я хочу, чтобы ты наконец забрал свою прибыль за все эти годы. Я не нарушаю своего слова.

Я помог Арчи когда-то с его делом, теперь он спас мое.

Я с благодарностью принял деньги Арчи. Теперь наш с Бердиа бизнес в безопасности.


## Глава 68. Август 2018 год. Батуми

В ослепительном белоснежном платье моя сестра кружилась в танце с ее теперь уже мужем Ираклием. Я стоял рядом с Арчи, смотрел на них и не мог налюбоваться на этих двух любящих друг друга людей. Они излучали любовь. А я любил их. Любил свою семью, своего брата, отца, дядю Давида, Бердиа и эту землю, которая воспитала меня и которая видела все наши взлеты и падения. Я любил Грузию.

Мне вдруг отчаянно захотелось услышать голос Теи. Я набрал ее номер.

— О! Ты даже набрался смелости и позвонил мне. Рада слышать тебя, — поприветствовала она.

Я улыбнулся. Мне нравился ее голос. Нравилось то, как она общается со мной. Я представлял, как она улыбается мне в ответ.

— Привет, Тея. Что ты делаешь завтра?

— С чего вдруг такой вопрос? Ты вроде говорил мне, что на свадьбе у сестры в Батуми.

— Сегодня — да. Но завтра я лечу в Москву.

— Ого! И зачем ты летишь в Москву?

— За тобой.

— За мной? — она рассмеялась в голос, и я снова улыбнулся ей словно она могла видеть меня.

— Да. Я хочу увидеть тебя. Нет, не так. Я хочу встречаться с тобой. Завтра, послезавтра и послепослезавтра.

— А что если у меня уже есть планы?

— Тогда я попрошу тебя их поменять и поставить меня в свое расписание!

— Надолго?

— Надеюсь, что навсегда.

И она снова рассмеялась.

— Тея?

— Да?

— Почему у тебя такое необычное имя?

— Неожиданный вопрос. Родители очень ждали ребенка. И когда я появилась, мама назвала меня Тея.

— А что значит Тея?

— Подарок Бога.


Подарок Бога. Я втянул влажный томный воздух Грузии, обвел глазами горы Аджарии. Я простил себя за все ошибки. Я усвоил все уроки. Я больше не грыз себя изнутри. Я буду жить дальше. Я буду жить так, чтобы точно знать: я хороший человек и заслужил счастья.

Литературно-художественное издание

**Коликова** Юлия Сергеевна

**ПОД ЖАРКИМ НЕБОМ БАТУМИ**

Корректор *Г.Н. Кузьминова*
Подготовка художественного оформления в печать *М.Г. Хабибуллов*
Верстка *М.Г. Хабибуллов*

ООО «Издательство «Вече»

Адрес фактического местонахождения:
127566, г. Москва, Алтуфьевское шоссе, дом 48, корпус 1.
Тел.: (499) 940-48-70 (факс: доп. 2213), (499) 940-48-71.

Почтовый адрес:
129337, г. Москва, а/я 63.

Юридический адрес:
129110, г. Москва, ул. Гиляровского, дом 47, строение 5.

E-mail: veche@veche.ru
http://www.veche.ru

Подписано в печать 02.12.2020. Формат 84×108 $^1/_{32}$.
Гарнитура «Calibri». Бумага офсетная.
Печ. л. 11. Тираж 1000 экз. Заказ № 5374.

Отпечатано в Акционерном обществе
«Рыбинский Дом печати»
152901, г. Рыбинск, ул. Чкалова, 8.
e-mail: printing@r-d-p.ru    р-д-п.рф